読んでおきたいベスト集！ 宮沢賢治

別冊宝島編集部 編

宝島社
文庫

宝島社

目次

とびら題字：冬澤未都彦

『銀河鉄道の夜』について

吉本隆明

宮沢賢治の童話でもっともすぐれた作品で、また特色がいちばんよくあらわれているのは『銀河鉄道の夜』でしょう。『銀河鉄道の夜』という作品については、いろんなたとえができます。銀河鉄道と宮沢賢治がかんがえているものは、仏教でいう死後の世界をへめぐることと同じだというなぞらえ方をしたこともあります。またたとえばウィリアム・モリスみたいな人のユートピア物語のなかの、テムズ河をさかのぼっていくうちに、両岸に理想の村や町や田園がひらけるという、道行きを頭においてつくられているというなぞらえ方をしたこともあります。また別のなぞらえ方をすれば、箱があって、箱の中は明るくて、人々が食べたりしゃべったりしながら、そこに乗っている。その箱が暗い空に浮かんでどこか現実の世界の空から、違う空間の世界の空へへめぐっていくというイメージの世界を、思いどおりのかたちで描いているのが『銀河鉄道の夜』という作品だといってもいいとおもいます。

この作品を読む場合、登場人物たち、とくに主人公のジョバンニや副主人公のカムパネルラの敏感な気づき方とか、察知のしかたとか、わかり方をよく描いていることが、とても大きな特徴で、この作品をいい作品にしている要素だとおもいます。

たとえば冒頭の、午后の授業という場面がそうです。先生が理科の時間で銀河の説明をしているところがあります。そして銀河というのは、よくよくかんがえると、何からできているんだとジョバンニに先生がきくわけです。するとジョバンニは、これはたくさんの星からできているということを聞いたことはあるし、知っているつもりなんだけど、ふだんアルバイトをして母親の生活をみているものだからくたびれていて、そういうふうに指されて立っても、おっくうで答えられないわけです。それはいわば作者のもっている察知の力にかかわるとおもいます。つまり、そういう敏感さは心理的な敏感性なんですが、宮沢賢治はそれを一種の倫理の敏感さにもっていこうとするわけです。そこはいつでも感心しますが、くたびれていると、そうだと思っても、そうだというのがおっくうで確信がもてないという体験は、誰にでもあります。それをとてもよく描写しています。すると、今度は親友のカムパネルラがまた敏感な察知を働かせます。ジョバンニが疲れていて、知っているんだけど答えがきめられないんだなと思って、すぐに同情するわけです。先生はカムパネルラを指して答えをもとめます。もちろんカムパネルラは即座に答えられるわけですが、ジョバンニが答えられなかったことに同情して、自分も答えないでモジモジしてしまうのです。すると先生がそれをみて、あんなに優秀な生徒が、知っているのに答えないのはジョバンニのことを思いやって、わざと答えないいんだなという察知を働かせます。そして先生は銀河は、たくさんの星の集まりですという説明を自分でしてしまいます。

これが『銀河鉄道の夜』の冒頭にある「午后の授業」の一節です。この一節だけでいっても、心理主義的な作品としていい作品だということがわかります。しかし、よくよく作者の思惑を察知してみますと、心理主義的な作品を描こうとしているのではありません。その心理主義的な察知の仕方を、倫理として、つまり人間の善なる行いであるというふうにもっていきたいのが宮沢賢治のモチーフだとおもいます。

モチーフがどこからくるのかは、たいへん明瞭で、仏教的な倫理観からだといえます。法華経という経典の根本的な倫理は菩薩《ぼさつ》行ということです。つまり超人的な意志で自分を粉にして人に与えてしまうというのが菩薩行です。そして、勇猛果敢にそうしなくてはというのが、法華経の行者としての日蓮の定義だとおもいます。そこで菩薩はどんな特性をもっているかといいますと、ひろく大乗仏教の理想ですが、鋭敏な察知がすぐでき、その察知のように他人を救済することです。つまり、相手が何をかんがえているかすぐにわかることはもちろん、遠くに離れている人でも救済をもとめていれば、すぐにその場所に行ってその人を救けられる。菩薩の察知はそんな時空を超えたものです。宮沢賢治は自分が菩薩であろうとした人ですから、そんなふうに理想の自分をかんがえました。『雨ニモマケズ』というよく知られた詩がありますが、そのなかで「ヨクミキキシワカリ／ソシテワスレズ」ということばがあるでしょう。あれは本当は、ただそういっているだけじゃなくて、菩薩でありたいということです。つまり、人のいっていることは、よく耳にいれ全部わかってしまう。そしてそれを忘れない。そこへすぐに行けて、困っていたらその人を救けられる。そんな超人的なことはできるわけないよといえば、できるわけないのですけど、それが宮沢賢治の理想だったということです。

ジョバンニは、母親の牛乳をとりに行って、牛乳屋さんが留守で、その町のはずれの丘の上に登って、下の町の明かりをみています。そのうちにジョバンニには、町の明かりが空の星のように見えてきて、逆に今度は空の星が、町の明かりのように見えてきます。本当の町と空の星の風景とが、入れ代わったみたいな、奇妙なファンタジーの状態に入っていきます。すると山の頂上に天気輪があるのですが、天気輪がピカピカと明滅したかとおもうと、自分が町の明かりのところを通っている列車の中に、いつのまにか乗っています。町の明かりと空の星とがわからなくなってきたり、さかさまになってきたりしているうちに、入眠状態になってひとりでに列車の窓の内がわの人になっていきます。それから銀河鉄道で銀河を旅することになるわけです。そういう、眠りと、眠りのなかの夢と、それから現実に自分が列車の外の丘の上で見てたのに、いつのまにか列車の中に入って旅人になっています。この現実と夢と夢のなかのファンタジーとがスムーズに接続されていて見事に現実とファンタジーが接続されています。そして、自分は夢のなかで出会ったように列車の中に乗っているんですが、ほかの乗客は、全部死んでしまった後の世界の人です。カムパネルラもそうです。つまりスムーズに、現実の世界と夢の世界と、それからいわば仏教でいう死後の世界との接続がなされていて実に見事です。それはこの『銀河鉄道の夜』の大きな特徴のひとつということができます。

もうひとつたいへんな特徴を挙げてみるとすれば、ジョバンニが列車の中でいっしょになる親友のカムパネルラも、鳥を捕る人も、列車の客は全部死後の世界の人だというふうに、ひとりでに描かれていることです。そしてそれぞれの信仰にしたがって、自分が死後の理想の世界だとおもっているところが全部違うというところが、ひとつの重要な考え方だとおもいます。ですから、カムパネルラは列車に乗っているうちに、「おかあさんがいるのはあそこだ」といって、そこが理想の世界で、自分はそこで降りなくてはというのですが、ジョバンニはそこを見てもちっとも理想の世界に見えなかったというふうに描写されています。つまり、理想の世界というのは、それぞれのもっている宗教的な信仰によって違うというふうに、この『銀河鉄道の夜』では描かれているとおもいます。それは宮沢賢治の重要な理念だとおもいます。

カムパネルラはそこで降りていってしまうのですが、どうして自分といっしょにどこまでも行こうといったのに、降りてしまったんだろうかとジョバンニは嘆きます。また、列車の中に沈没する船の救命ボートに最後まで乗り移らないで、おぼれて死んでしまった姉弟とその家庭教師の若い男の人が乗り合わせますが、その姉弟たちも、十字架の見えるところで、あそこで降りなければというふうにいいだすわけです。ジョバンニが、どうして自分といっしょに行かないんだとたずねると、その姉や青年が、いや、あそこは自分たちの神様がいる世界で、理想のところだからそこへ行かなければいけないと答えるのです。ジョバンニはそんな神様はうその神様だといっていい争います。キリスト教の神の信仰ということなんでしょうけど、姉弟と家庭教師はそこで降りていってしまいます。ジョバンニは、どうして人々の信仰というのは違ってしまうのか、その信仰が違うにつれて、人々が理想とするものがどうしてみんな違ってしまうのだろうかということを思い悩みます。そこからが宮沢賢治のとても重要な思想になります。

そういうふうに、どうして人々は全部自分の信じている神──思想とか理念とか信念も含めていっていいんですけれども——をいちばんいいものだとおもってしまうのだろうか。そしていい争いをすればどうして勝負がつかないで、おまえのほうがいいとか、おれのほうがいいというふうになってしまうのだろうか。なぜたったひとつの、真実の信仰というのはないんだろうか。でも、それにもかかわらず、自分と違うものを信じている人たちのやった行いでも、感心したりすることがあるのはどうしてだろうか、ということをジョバンニはかんがえるわけです。

『銀河鉄道の夜』の初期形のなかには、ひとりの長老が出てきて、ジョバンニの疑問に対して、誰が信じているものがいいのかというのはわからないけれども、自分もどうしたらそれがわかるかということをさがし求めているんだというところがあります。つまりどこにも解決はないけれど、しかし本当の考えとうその考えということが実験で分けられるようになれば、それは化学だって宗教だって同じになるはずだ。つまり誰にとっても真理、誰にとっても神というようなものが得られるはずだというふうにいうわけです。そこは宮沢賢治が生涯の理念としてかんがえつづけたとおもいます。『銀河鉄道の夜』では、ジョバンニがその課題を背負わされています。

ジョバンニが目を覚ましますと、自分は丘の上で眠っていたことがわかります。おかあさんの牛乳をとって、そのついでに町の銀河の祭りで、みなが河に烏瓜《からすうり》の灯籠を流すのを見にいこうとして、丘を下りて橋の上のところまで行くと、人々がかたまっているなかに同級生たちがいて、ザネリという同級生がおぼれそうになって、それを助けようとしてカムパネルラは水にのまれてしまって、なかなかみつからなくて、いまさがしているところだと話してくれます。それを聞いて、ジョバンニは夢のなかで自分はカムパネルラと会った。そしてあの銀河のはずれのところにしかもうカムパネルラはいないはずだとおもいます。カムパネルラの父親が来ていて、おぼれて四十五分たってみつからないから、もう死んだとおもうといって、友だちたちに、あした学校が終わったら、うちへみんなで遊びに来て下さいといって、ジョバンニに対してもあなたもいっしょに来て下さいといいます。あなたのお父さんから手紙が来たけれども、すぐ帰ってくるはずですよと教えてくれるところで、『銀河鉄道の夜』は終わっていきます。これは宮沢賢治が現実の世界と、夢の世界、ファンタジーの世界と、それから死後の世界というものを、自分のなかでスムーズにつなげることができた、成功した唯一の作品だとおもいます。宮沢賢治の散文、あるいは童話の作品のなかで、もっともすぐれた作品です。

宮沢賢治が自分に問おうとして、解決がつかなかったことは、現在でもやはり解決がつかないことです。それぞれが信じている神様のうちどれがいいのかということを、誰も決める基準をもっていません。その状態は、いまも同じだとおもうのです。その状態は理念としていえば、宮沢賢治が最後まで追求し、かんがえたことだとおもいます。そこが、宮沢賢治の文学の理念として、手が届いたいちばん果てのところだとおもわれます。そして、心理主義的にも仏教理念的にもたいへん見事な作品だとおもいます。この作品でみるかぎり宮沢賢治は、童話という限定もいらないし、宗教という限定もいらなくて、とても大きな芸術性として、われわれ近代文学以降でいえば、もっとも遠くまで、またもっとも大きなところまで、作品の手をのばして、それを達成した詩人だといえるとぼくはおもいます。でも、たくさんの問題を、未知のままかかえて終わったということは確かで、われわれにたくさんの課題をおいていったことは疑いようのないことです。

※この文章は、吉本隆明『愛する作家たち』(一九九四年一二月、株式会社コスモの本発行)中の〈『グスコーブドリの伝記』『銀河鉄道の夜』〉から抜粋したものです。もともとは日本近代文学館主催「昭和の文学・作家と作品」(一九九二年七月)において講演されたものです。

読んでおきたいベスト集!

宮澤賢治

選・協力　宮沢賢治記念館

下ノ
畑ニ
居リマス
賢治

どんぐりと山猫

どんぐりとやまねこ

おかしなはがきが、ある土曜日の夕がた、一郎のうちにきました。

かねた一郎さま　九月十九日
あなたは、ごきげんよろしいほで、けっこです。
あした、めんどなさいばんしますから、おいでんなさい。とびどぐもたないでくなさい。

山ねこ　拝

こんなのです。字はまるでへたで、墨もがさがさして指につくくらいでした。けれども一郎はうれしくてうれしくてたまりませんでした。はがきをそっと学校のかばんにしまって、うちじゅうとんだりはねたりしました。

ね床にもぐってからも、山猫のにゃあとした顔や、そのめんどうだという裁判のけしきなどを考えて、おそくまでねむりませんでした。

けれども、一郎が眼をさましたときは、もうすっかり明るくなっていました。おもてにでてみると、まわりの山は、みんなたったいまできたばかりのようにうるうるもりあがって、まっ青なそらのしたにならんでいました。一郎はいそいでごはんをたべて、ひとり谷川に沿ったこみちを、かみの方へのぼって行きました。

すきとおった風がざあっと吹くと、栗《くり》の木はばらばらと実をおとしました。一郎は栗の木をみあげて、

「栗の木、栗の木、やまねこがここを通らなかったかい。」とききました。栗の木はちょっとしずかになって、

「やまねこなら、けさはやく、馬車でひがしの方へ飛んで行きましたよ。」と答えました。

「東ならぼくのいく方だねえ、おかしいな、とにかくもっといってみよう。栗の木ありがとう。」

栗の木はだまってまた実をばらばらとおとしました。

一郎がすこし行きますと、そこはもう笛ふきの滝でした。笛ふきの滝というのは、まっ白な岩の崖《がけ》のなかほどに、小さな穴があいていて、そこから水が笛のように鳴って飛び出し、すぐ滝になって、ごうごう谷におちているのをいうのでした。

一郎は滝に向いて叫びました。

「おいおい、笛ふき、やまねこがここを通らなかったかい。」

滝がぴーぴー答えました。

「やまねこは、さっき、馬車で西の方へ飛んで行きましたよ。」

「おかしいな、西ならぼくのうちの方だ。けれども、まあも少し行ってみよう。ふえふき、ありがとう。」

滝はまたもとのように笛を吹きつづけました。

一郎がまたすこし行きますと、一本のぶなの木のしたに、たくさんの白いきのこが、どってこどってこどってこと、変な楽隊をやっていました。

一郎はからだをかがめて、

「おい、きのこ、やまねこが、ここを通らなかったかい。」

とききました。するときのこは

「やまねこなら、けさはやく、馬車で南の方へ飛んで行きましたよ。」とこたえました。一郎は首をひねりました。

「みなみならあっちの山のなかだ。おかしいな。まあもすこし行ってみよう。きのこ、ありがとう。」

きのこはみんないそがしそうに、どってこどってこと、あのへんな楽隊をつづけました。

一郎はまたすこし行きました。すると一本のくるみの木の梢《こずえ》を、栗鼠《りす》がぴょんととんでいました。一郎はすぐ手まねぎしてそれをとめて、

「おい、りす、やまねこがここを通らなかったかい。」とたずねました。するとりす

は、木の上から、額に手をかざして、一郎を見ながらこたえました。

「やまねこなら、けさまだくらいうちに馬車でみなみの方へ飛んで行きましたよ。」

「みなみへ行ったなんて、二とこでそんなことを言うのはおかしいなあ。けれどもまあもすこし行ってみよう。りす、ありがとう。」りすはもう居ませんでした。ただくるみのいちばん上の枝がゆれ、となりのぶなの葉がちらっとひかっただけでした。

一郎がすこし行きましたら、谷川にそったみちは、もう細くなって消えてしまいました。そして谷川の南の、まっ黒な榧《かや》の木の森の方へ、あたらしいちいさなみちがついていました。一郎はそのみちをのぼって行きました。榧の枝はまっくろに重なりあって、青ぞらは一きれも見えず、みちは大へん急な坂になりました。一郎が顔をまっかにして、汗をぽとぽとおとしながら、その坂をのぼりますと、にわかにぱっと明るくなって、眼がちくっとしました。そこはうつくしい黄金《きん》いろの草地で、草は風にざわざわ鳴り、まわりは立派なオリーヴいろのかやの木のもりでかこまれてありました。

その草地のまん中に、せいの低いおかしな形の男が、膝を曲げて手に革鞭《かわむち》をもって、だまってこっちをみていたのです。

一郎はだんだんそばへ行って、びっくりして立ちどまってしまいました。その男は、片眼で、見えない方の眼は、白くびくびくうごき、上着のような半纏《はんてん》のようなへんなものを着て、だいいち足が、ひどくまがって山羊《やぎ》のよう、ことにそのあしさきときたら、ごはんをもるへらのかたちだったのです。一郎は気味が悪かったのですが、なるべく落ちついてたずねました。

「あなたは山猫をしりませんか。」

するとその男は、横眼で一郎の顔を見て、口をまげてにやっとわらって言いました。

「山ねこさまはいますぐに、ここに戻ってお出やるよ。おまえは一郎さんだな。」

一郎はぎょっとして、一あしうしろにさがって、

「え、ぼく一郎です。けれども、どうしてそれを知ってますか。」と言いました。するとその奇体《きたい》な男はいよいよにやにやしてしまいました。

「そんだら、はがき見だべ。」

「見ました。それで来たんです。」

「あのぶんしょうは、ずいぶん下手だべ。」と男は下をむいてかなしそうに言いました。一郎はきのどくになって、

「さあ、なかなか、ぶんしょうがうまいようでしたよ。」

と言いますと、男はよろこんで、息をはあはあして、耳のあたりまでまっ赤になり、きもののえりをひろげて、風をからだに入れながら、

「あの字もなかなかうまいか。」とききました。一郎は、おもわず笑いだしながら、へんじしました。

「うまいですね。五年生だってあのくらいには書けないでしょう。」

するとこ男は、急にまたいやな顔をしました。

「五年生っていうのは、尋常五年生だべ。」その声が、あんまり力なくあわれに聞えましたので、一郎はあわてて言いました。

「いいえ、大学校の五年生ですよ。」

すると、男はまたよろこんで、まるで、顔じゅう口のようにして、にたにたにたにたにた笑って叫びました。

「あのはがきはわしが書いたのだよ。」

一郎はおかしいのをこらえて、

「ぜんたいあなたはなにですか。」とたずねますと、男は急にまじめになって、

「わしは山ねこさまの馬車別当《べっとう》だよ。」と言いました。

そのとき、風がどうと吹いてきて、草はいちめん波だち、別当は、急にていねいなおじぎをしました。

一郎はおかしいとおもって、ふりかえって見ますと、そこに山猫が、黄いろな陣羽織のようなものを着て、緑いろの眼をまん円《まる》にして立っていました。やっぱり山猫の耳は、立って尖《とが》っているなと、一郎がおもいましたら、山ねこはぴょこっとおじぎをしました。一郎もていねいに挨拶《あいさつ》しました。

「いや、こんにちは、きのうははがきをありがとう。」

山猫はひげをぴんとひっぱって、腹をつき出して言いました。

「こんにちは、よくいらっしゃいました。じつはおとといから、めんどうなあらそいがおこって、ちょっと裁判にこまりましたので、あなたのお考えを、うかがいたいとおもいましたのです。まあ、ゆっくり、おやすみください。じき、どんぐりどもがまいりましょう。どうもまい年、この裁判でくるしみます。」山ねこは、ふところから、巻煙草《まきたばこ》の箱を出して、じぶんが一本くわえ、

「いかがですか。」と一郎に出しました。一郎はびっくりして、

「いいえ。」と言いましたら、山ねこはおおようにわらって、

「ふふん、まだお若いから、」と言いながら、マッチをしゅっと擦《す》って、わざと顔をしかめて、青いけむりをふうと吐きました。山ねこの馬車別当は、気を付けの姿勢で、しゃんと立っていましたが、いかにも、たばこのほしいのをむりにこらえているらしく、なみだをぼろぼろこぼしました。

そのとき、一郎は、足もとでパチパチ塩のはぜるような、音をききました。びっくりして屈《かが》んで見ますと、草のなかに、あっちにもこっちにも、黄金いろの円いものが、ぴかぴかひかっているのでした。よくみると、みんなそれは赤いずぼんをはいたどんぐりで、もうその数ときたら、三百でも利かないようでした。わあわあわあわあ、み

んななにか云っているのです。

「あ、来たな。蟻のようにやってくる。おい、さあ、早くベルを鳴らせ。今日はそこが日当りがいいから、そこのとこの草を刈れ。」やまねこは巻たばこを投げすてて、大いそぎで馬車別当にいいつけました。馬車別当もたいへんあわてて、腰から大きな鎌《かま》をとりだして、ざっくざっくと、やまねこの前のとこの草を刈りました。そこへ四方の草のなかから、どんぐりどもが、ぎらぎらひかって、飛び出して、わあわあわあわあ言いました。

馬車別当が、こんどは鈴をがらんがらんがらんがらんと振りました。音はかやの森に、がらんがらんがらんとひびき、黄金のどんぐりどもは、すこししずかになりました。見ると山ねこは、もういつか、黒い長い繻子《しゅす》の服を着て、勿体《もったい》らしく、どんぐりどもの前にすわっていました。まるで奈良のだいぶつさまにさんけいするみんなの絵のようだと一郎はおもいました。別当がこんどは、革鞭を二三べん、ひゅうぱちっ、ひゅう、ぱちっと鳴らしました。

空が青くすみわたり、どんぐりはぴかぴかしてじつにきれいでした。

「裁判ももう今日で三日目だぞ、いい加減になかなおりをしたらどうだ。」山ねこが、すこし心配そうに、それでもむりに威張って言いますと、どんぐりどもは口々に叫びました。

「いえいえ、だめです、なんといったって頭のとがってるのがいちばんえらいんです。そしてわたしがいちばんとがっています。」

「いいえ、ちがいます。まるいのがえらいのです。いちばんまるいのはわたしです。」

「大きなことだよ。大きなのがいちばんえらいんだよ。わたしがいちばん大きいからわたしがえらいんだよ。」

「そうでないよ。わたしのほうがよほど大きいと、きのうも判事さんがおっしゃったじゃないか。」

「だめだい、そんなこと。せいの高いのだよ。せいの高いことなんだよ。」

「押しっこのえらいひとだよ。押しっこをしてきめるんだよ。」もうみんな、がやがやがやがや言って、なにがなんだか、まるで蜂《はち》の巣をつっついたようで、わけがわからなくなりました。そこでやまねこが叫びました。

「やかましい。ここをなんとこころえる。しずまれ、しずまれ。」

別当がむちをひゅうぱちっとならしましたのでどんぐりどもは、やっとしずまりました。やまねこは、ぴんとひげをひねって言いました。

「裁判ももうきょうで三日目だぞ。いい加減に仲なおりしたらどうだ。」

するともうどんぐりどもが、くちぐちに云いました。

「いえいえ、だめです。なんといったって、頭のとがっているのがいちばんえらいのです。」

「いいえ、ちがいます。まるいのがえらいのです。」

「そうでないよ。大きなことだよ。」がやがやがやがや、もうなにがなんだかわからなくなりました。山猫が叫びました。

「だまれ、やかましい。ここをなんと心得る。しずまれしずまれ。」

別当が、むちをひゅうぱちっと鳴らしました。山猫がひげをぴんとひねって言いました。

「裁判ももうきょうで三日目だぞ。いい加減になかなおりをしたらどうだ。」

「いえ、いえ、だめです。あたまのとがったものが……。」がやがやがやがや。

山ねこが叫びました。

「やかましい。ここをなんとこころえる。しずまれ、しずまれ。」

別当が、むちをひゅうぱちっと鳴らし、どんぐりはみんなしずまりました。山猫が一郎にそっと申しました。

「このとおりです。どうしたらいいでしょう。」

一郎はわらってこたえました。

「そんなら、こう言いわたしたらいいでしょう。このなかでいちばんばかで、めちゃくちゃで、まるでなっていないようなのが、いちばんえらいとね。ぼくお説教できいたんです。」

山猫はなるほどというふうにうなずいて、それからいかにも気取って、繻子のきものの胸《えり》を開いて、黄いろの陣羽織をちょっと出してどんぐりどもに申しわたしました。

「よろしい。しずかにしろ。申しわたしだ。このなかで、いちばんえらくなくて、ばかで、めちゃくちゃで、てんでなっていなくて、あたまのつぶれたようなやつが、いちばんえらいのだ。」

どんぐりは、しいんとしてしまいました。それはそれはしいんとして、堅まってしまいました。

そこで山猫は、黒い繻子の服をぬいで、額の汗をぬぐいながら、一郎の手をとりました。別当も大よろこびで、五六ぺん、鞭をひゅうぱちっ、ひゅうぱちっ、ひゅうひゅうぱちっと鳴らしました。やまねこが言いました。

「どうもありがとうございました。これほどのひどい裁判を、まるで一分半でかたづけてくださいました。どうかこれからわたしの裁判所の、名誉判事になってください。これからも、葉書が行ったら、どうか来てくださいませんか。そのたびにお礼はいたします。」

「承知しました。お礼なんかいりませんよ。」

「いいえ、お礼はどうかとってください。わたしのじんかくにかかわりますから。そしてこれからは、葉書にかねた一郎どのと書いて、こちらを裁判所としますが、ようございますか。」

一郎が「ええ、かまいません。」と申しますと、やまねこはまだなにか言いたそうに、しばらくひげをひねって、眼をぱちぱちさせていましたが、とうとう決心したらしく言い出しました。

「それから、はがきの文句ですが、これからは、用事これありに付き、明日《みょうにち》出頭すべしと書いてどうでしょう。」

一郎はわらって言いました。

「さあ、なんだか変ですね。そいつだけはやめた方がいいでしょう。」

山猫は、どうも言いようがまずかった、いかにも残念だというふうに、しばらくひげをひねったまま、下を向いていましたが、やっとあきらめて言いました。

「それでは、文句はいままでのとおりにしましょう。そこで今日のお礼ですが、あなたは黄金のどんぐり一升と、塩鮭《しおざけ》のあたまと、どっちをおすきですか。」

「黄金のどんぐりがすきです。」

山猫は、鮭《しゃけ》の頭でなくて、まあよかったというように、口早に馬車別当に云いました。

「どんぐりを一升早くもってこい。一升にたりなかったら、めっきのどんぐりもまぜてこい。はやく。」

別当は、さっきのどんぐりをますに入れて、はかって叫びました。

「ちょうど一升あります。」

山ねこの陣羽織が風にばたばた鳴りました。そこで山ねこは、大きく延びあがって、めをつぶって、半分あくびをしながら言いました。

「よし、はやく馬車のしたくをしろ。」白い大きなきのこでこしらえた馬車が、ひっぱりだされました。そしてなんだかねずみいろの、おかしな形の馬がついています。

「さあ、おうちへお送りいたしましょう。」山猫が言いました。二人は馬車にのり別当は、どんぐりのますを馬車のなかに入れました。

ひゅう、ぱちっ。

馬車は草地をはなれました。木や藪《やぶ》がけむりのようにぐらぐらゆれました。一郎は黄金のどんぐりを見、やまねこはとぼけたかおつきで、遠くをみていました。

馬車が進むにしたがって、どんぐりはだんだん光がうすくなって、まもなく馬車がとまったときは、あたりまえの茶いろのどんぐりに変っていました。そして、山ねこの黄いろな陣羽織も、別当も、きのこの馬車も、一度に見えなくなって、一郎はじぶんのうちの前に、どんぐりを入れたますを持って立っていました。

それからあと、山ねこ拝というはがきは、もうきませんでした。やっぱり、出頭すべしと書いてもいいと言えばよかったと、一郎はときどき思うのです。

注文の多い料理店

ちゅうもんのおおいりょうりてん

二人の若い紳士が、すっかりイギリスの兵隊のかたちをして、ぴかぴかする鉄砲をかついで、白熊のような犬を二疋《ひき》つれて、だいぶ山奥の、木の葉のかさかさしたとこを、こんなことを云《い》いながら、あるいておりました。

「ぜんたい、ここらの山は怪《け》しからんね。鳥も獣も一疋も居やがらん。なんでも構わないから、早くタンタアーンと、やって見たいもんだなあ。」

「鹿の黄いろな横っ腹なんぞに、二三発お見舞もうしたら、ずいぶん痛快だろうねえ。くるくるまわって、それからどたっと倒れるだろうねえ。」

それはだいぶの山奥でした。案内してきた専門の鉄砲打ちも、ちょっとまごついて、どこかへ行ってしまったくらいの山奥でした。

それに、あんまり山が物凄《ものすご》いので、その白熊のような犬が、二疋いっしょにめまいを起して、しばらく吠《うな》って、それから泡を吐いて死んでしまいました。

「じつにぼくは、二千四百円の損害だ」と一人の紳士が、その犬の眼《ま》ぶたを、ちょっとかえしてみて言いました。

「ぼくは二千八百円の損害だ。」と、もひとりが、くやしそうに、あたまをまげて言いました。

はじめの紳士は、すこし顔いろを悪くして、じっと、もひとりの紳士の、顔つきを見ながら云いました。

「ぼくはもう戻ろうとおもう。」

「さあ、ぼくもちょうど寒くはなったし腹は空《す》いてきたし戻ろうとおもう。」

「そいじゃ、これで切りあげよう。なあに戻りに、昨日の宿屋で、山鳥を拾円も買って帰ればいい。」

「兎《うさぎ》もでていたねえ。そうすれば結局おんなじこった。では帰ろうじゃないか。」

ところがどうも困ったことは、どっちへ行けば戻れるのか、いっこう見当がつかなくなっていました。

風がどうと吹いてきて、草はざわざわ、木の葉はかさかさ、木はごとんごとんと鳴りました。

「どうも腹が空いた。さっきから横っ腹が痛くてたまらないんだ。」

「ぼくもそうだ。もうあんまりあるきたくないな。」

「あるきたくないよ。ああ困ったなあ、何かたべたいなあ。」

「喰べたいもんだなあ」

二人の紳士は、ざわざわ鳴るすすきの中で、こんなことを云いました。

その時ふとうしろを見ますと、立派な一軒の西洋造りの家がありました。

そして玄関には

RESTAURANT
西洋料理店
WILDCAT HOUSE
山猫軒

という札がでていました。

「君、ちょうどいい。ここはこれでなかなか開けてるんだ。入ろうじゃないか」

「おや、こんなとこにおかしいね。しかしとにかく何か食事ができるんだろう」

「もちろんできるさ。看板にそう書いてあるじゃないか」

「はいろうじゃないか。ぼくはもう何か喰べたくて倒れそうなんだ。」

二人は玄関に立ちました。玄関は白い瀬戸の煉瓦《れんが》で組んで、実に立派なもんです。

そして硝子《がらす》の開き戸がたって、そこに金文字でこう書いてありました。

「どなたもどうかお入りください。決してご遠慮はありません」

二人はそこで、ひどくよろこんで言いました。

「こいつはどうだ、やっぱり世の中はうまくできてるねえ、きょう一日なんぎしたけれど、こんどはこんないいこともある。このうちは料理店だけれどもただでご馳走《ちそう》するんだぜ。」

「どうもそうらしい。決してご遠慮はありませんというのはその意味だ。」

二人は戸を押して、なかへ入りました。そこはすぐ廊下になっていました。その硝子戸の裏側には、金文字でこうなっていました。

「ことに肥ったお方や若いお方は、大歓迎いたします」

二人は大歓迎というので、もう大よろこびです。

「君、ぼくらは大歓迎にあたっているのだ。」

「ぼくらは両方兼ねてるから」

ずんずん廊下を進んで行きますと、こんどは水いろのペンキ塗りの扉《と》がありました。

「どうも変な家《うち》だ。どうしてこんなにたくさん戸があるのだろう。」

「これはロシア式だ。寒いとこや山の中はみんなこうさ。」

そして二人はその扉をあけようとしますと、上に黄いろな字でこう書いてありました。

「当軒は注文の多い料理店ですからどうかそこはご承知ください」

「なかなかはやってるんだ。こんな山の中で。」

「それぁそうだ。見たまえ、東京の大きな料理屋だって大通りにはすくないだろう」

二人は云いながら、その扉をあけました。するとその裏側に、

「注文はずいぶん多いでしょうがどうか一々こらえて下さい。」

「これはぜんたいどういうんだ。」ひとりの紳士は顔をしかめました。

「うん、これはきっと注文があまり多くて支度が手間取るけれどもごめん下さいと斯《こ》ういうことだ。」

「そうだろう。早くどこか室《へや》の中にはいりたいもんだな。」

「そしてテーブルに座りたいもんだな。」

ところがどうもうるさいことは、また扉《と》が一つありました。そしてそのわきに鏡がかかって、その下には長い柄のついたブラシが置いてあったのです。

扉には赤い字で、

「お客さまがた、ここで髪をきちんとして、それからはきものの泥を落してください。」

と書いてありました。

「これはどうも尤《もっと》もだ。僕もさっき玄関で、山のなかだとおもって見くびったんだよ」

「作法の厳しい家だ。きっとよほど偉い人たちが、たびたび来るんだ。」

そこで二人は、きれいに髪をけずって、靴の泥を落しました。

そしたら、どうです。ブラシを板の上に置くや否や、そいつがぼうっとかすんで無くなって、風がどうっと室の中に入ってきました。

二人はびっくりして、互によりそって、扉をがたんと開けて、次の室へ入って行きました。早く何か暖いものでもたべて、元気をつけて置かないと、もう途方もないことになってしまうと、二人とも思ったのでした。

扉の内側に、また変なことが書いてありました。

「鉄砲と弾丸《たま》をここへ置いてください。」

見るとすぐ横に黒い台がありました。

「なるほど、鉄砲を持ってものを食うという法はない。」

「いや、よほど偉いひとが始終来ているんだ。」

二人は鉄砲をはずし、帯皮を解いて、それを台の上に置きました。

また黒い扉がありました。

「どうか帽子と外套《がいとう》と靴をおとり下さい。」

「どうだ、とるか。」

「仕方ない、とろう。たしかによっぽどえらいひとなんだ。奥に来ているのは」

二人は帽子とオーバーコートを釘《くぎ》にかけ、靴をぬいでぺたぺたあるいて扉の中にはいりました。

扉の裏側には、

「ネクタイピン、カフスボタン、眼鏡《めがね》、財布、その他金物類、ことに尖《とが》ったものは、みんなここに置いてください」

と書いてありました。扉のすぐ横には黒塗りの立派な金庫も、ちゃんと口を開けて置いてありました。鍵まで添えてあったのです。

「ははあ、何かの料理に電気をつかうと見えるね。金気《かなけ》のものはあぶない。ことに尖ったものはあぶないと斯う云うんだろう。」

「そうだろう。して見ると勘定は帰りにここで払うのだろうか。」

「どうもそうらしい。」

「そうだ。きっと。」

二人はめがねをはずしたり、カフスボタンをとったり、みんな金庫の中に入れて、ぱちんと錠をかけました。

すこし行きますとまた扉《と》があって、その前に硝子の壺《つぼ》が一つありました。扉には斯う書いてありました。

「壺のなかのクリームを顔や手足にすっかり塗ってください。」

みるとたしかに壺のなかのものは牛乳のクリームでした。

「クリームをぬれというのはどういうんだ。」

「これはね、外がひじょうに寒いだろう。室《へや》のなかがあんまり暖いとひびがきれるから、その予防なんだ。どうも奥には、よほどえらいひとがきている。こんなところで、案外ぼくらは、貴族とちかづきになるかも知れないよ。」

二人は壺のクリームを、顔に塗って手に塗ってそれから靴下をぬいで足に塗りました。それでもまだ残っていましたから、それは二人ともめいめいこっそり顔へ塗るふりをしながら喰べました。

それから大急ぎで扉をあけますと、その裏側には、

「クリームをよく塗りましたか、耳にもよく塗りましたか、」

と書いてあって、ちいさなクリームの壺がここにも置いてありました。

「そうそう、ぼくは耳には塗らなかった。あぶなく耳にひびを切らすとこだった。ここの主人はじつに用意周到だね。」

「ああ、細かいとこまでよく気がつくよ。ところでぼくは早く何か喰べたいんだが、どうも斯うどこまでも廊下じゃ仕方ないね。」

するとすぐその前に次の戸がありました。

「料理はもうすぐできます。

十五分とお待たせはいたしません。

すぐたべられます。

早くあなたの頭に瓶《びん》の中の香水をよく振りかけてください。」

そして戸の前には金ピカの香水の瓶が置いてありました。

二人はその香水を、頭へぱちゃぱちゃ振りかけました。

ところがその香水は、どうも酢のような匂《におい》がするのでした。

「この香水はへんに酢くさい。どうしたんだろう。」

「まちがえたんだ。下女が風邪でも引いてまちがえて入れたんだ。」

二人は扉をあけて中にはいりました。

扉の裏側には、大きな字で斯う書いてありました。

「いろいろ注文が多くてうるさかったでしょう。お気の毒でした。

もうこれだけです。どうかからだ中に、壺の中の塩をたくさんよくもみ込んでください。」

なるほど立派な青い瀬戸の塩壺は置いてありましたが、こんどというこんどは二人ともぎょっとしてお互にクリームをたくさん塗った顔を見合せました。

「どうもおかしいぜ。」

「ぼくもおかしいとおもう。」

「沢山の注文というのは、向うがこっちへ注文してるんだよ。」

「だからさ、西洋料理店というのは、ぼくの考えるところでは、西洋料理を、来た人にたべさせるのではなくて、来た人を西洋料理にして、食べてやる家とこういうことなんだ。これは、その、つ、つ、つ、つまり、ぼ、ぼ、ぼくらが……。」がたがたがたがた、ふるえだしてもうものが言えませんでした。

「その、ぼ、ぼくらが、……うわあ。」がたがたがたがたふるえだして、もうものが言えませんでした。

「遁《に》げ……。」がたがたしながら一人の紳士はうしろの戸を押そうとしましたが、どうです、戸はもう一分《いちぶ》も動きませんでした。

奥の方にはまだ一枚扉があって、大きなかぎ穴が二つつき、銀いろのホークとナイフの形が切りだしてあって、

「いや、わざわざご苦労です。

大へん結構にできました。

さあさあおなかにおはいりください。」

と書いてありました。おまけにかぎ穴からはきょろきょろ二つの青い眼玉がこっちをのぞいています。

「うわあ。」がたがたがたがた。

「うわあ。」がたがたがたがた。

　ふたりは泣き出しました。

　すると戸の中では、こそこそこんなことを云っています。

「だめだよ。もう気がついたよ。塩をもみこまないようだよ。」

「あたりまえさ。親分の書きようがまずいんだ。あすこへ、いろいろ注文が多くてうるさかったでしょう、お気の毒でしたなんて、間抜けたことを書いたもんだ。」

「どっちでもいいよ。どうせぼくらには、骨も分けて呉《く》れやしないんだ。」

「それはそうだ。けれどももしここへあいつらがはいって来なかったら、それはぼくらの責任だぜ。」

「呼ぼうか、呼ぼう。おい、お客さん方、早くいらっしゃい。いらっしゃい。いらっしゃい。お皿も洗ってありますし、菜っ葉ももうよく塩でもんで置きました。あとはあなたがたと、菜っ葉をうまくとりあわせて、まっ白なお皿にのせる丈《だ》けです。はやくいらっしゃい。」

「へい、いらっしゃい、いらっしゃい。それともサラドはお嫌いですか。そんならこれから火を起してフライにしてあげましょうか。とにかくはやくいらっしゃい。」

　二人はあんまり心を痛めたために、顔がまるでくしゃくしゃの紙屑《かみくず》のようになり、お互にその顔を見合せ、ぶるぶるふるえ、声もなく泣きました。

中ではふっふっとわらってまた叫んでいます。

「いらっしゃい、いらっしゃい。そんなに泣いては折角《せっかく》のクリームが流れるじゃありませんか。へい、ただいま。じきもってまいります。さあ、早くいらっしゃい。」

「早くいらっしゃい。親方がもうナフキンをかけて、ナイフをもって、舌なめずりして、お客さま方を待っていられます。」

二人は泣いて泣いて泣いて泣いて泣きました。

そのときうしろからいきなり、

「わん、わん、ぐわあ。」という声がして、あの白熊のような犬が二疋、扉《と》をつきやぶって室《へや》の中に飛び込んできました。鍵穴の眼玉はたちまちなくなり、犬どもはううとうなってしばらく室の中をくるくる廻っていましたが、また一声
「わん。」と高く吠《ほ》えて、いきなり次の扉に飛びつきました。戸はがたりとひらき、犬どもは吸い込まれるように飛んで行きました。

その扉の向うのまっくらやみのなかで、

「にゃあお、くわあ、ごろごろ。」という声がして、それからがさがさ鳴りました。

室はけむりのように消え、二人は寒さにぶるぶるふるえて、草の中に立っていました。

見ると、上着や靴や財布やネクタイピンは、あっちの枝にぶらさがったり、こっち

の根もとにちらばったりしています。風がどうと吹いてきて、草はざわざわ、木の葉はかさかさ、木はごとんごとんと鳴りました。

犬がふうとうなって戻ってきました。

そしてうしろからは、

「旦那《だんな》あ、旦那あ、」と叫ぶものがあります。

二人は俄《にわ》かに元気がついて

「おおい、おおい、ここだぞ、早く来い。」と叫びました。

簔帽子《みのぼうし》をかぶった専門の猟師が、草をざわざわ分けてやってきました。

そこで二人はやっと安心しました。

そして猟師のもってきた団子をたべ、途中で十円だけ山鳥を買って東京に帰りました。

しかし、さっき一ぺん紙くずのようになった二人の顔だけは、東京に帰っても、お湯にはいっても、もうもとのとおりになおりませんでした。

烏の北斗七星

からすのほくとしちせい

つめたいいじの悪い雲が、地べたにすれすれに垂れましたので、野はらは雪のあかりだか、日のあかりだか判《わか》らないようになりました。

烏《からす》の義勇艦隊は、その雲に圧《お》しつけられて、しかたなくちょっとの間、亜鉛《とたん》の板をひろげたような雪の田圃《たんぼ》のうえに横にならんで仮泊ということをやりました。

どの艦《ふね》もすこしも動きません。

まっ黒くなめらかな烏の大尉、若い艦隊長もしゃんと立ったままうごきません。

からすの大監督はなおさらうごきもゆらぎもいたしません。からすの大監督は、もうずいぶんの年老《としよ》りです。眼が灰いろになってしまっていますし、啼《な》くとまるで悪い人形のようにギイギイ云《い》います。

それですから、烏の年齢《とし》を見分ける法を知らない一人の子供が、いつか斯《こ》う云ったのでした。

「おい、この町には咽喉《のど》のこわれた烏が二疋《ひき》いるんだよ。おい。」

これはたしかに間違いで、一疋しか居《お》りませんでしたし、それも決してのどが壊れたのではなく、あんまり永い間、空で号令したために、すっかり声が錆《さ》びたのです。それですから烏の義勇艦隊は、その声をあらゆる音の中で一等だと思っていました。

雪のうえに、仮泊ということをやっている烏の艦隊は、石ころのようです。胡麻《ごま》つぶのようです。また望遠鏡でよくみると、大きなのや小さなのがあって馬鈴薯《ばれいしょ》のようです。

しかしだんだん夕方になりました。

雲がやっと少し上の方にのぼりましたので、とにかく烏の飛ぶくらいのすき間ができました。

そこで大監督が息を切らして号令を掛けます。

「演習はじめいおいっ、出発」

艦隊長烏の大尉が、まっさきにぱっと雪を叩《たた》きつけて飛びあがりました。烏の大尉の部下が十八隻、順々に飛びあがって大尉に続いてきちんと間隔をとって進みました。

それから戦闘艦隊が三十二隻、次々に出発し、その次に大監督の大艦長が厳《おごそ》かに舞いあがりました。

そのときはもうまっ先の烏の大尉は、四へんほど空で螺旋《うず》を巻いてしまって雲の鼻っ端まで行って、そこからこんどはまっ直《す》ぐに向うの杜《もり》に進むところでした。

二十九隻の巡洋艦、二十五隻の砲艦が、だんだんだんだん飛びあがりました。おしまいの二隻は、いっしょに出発しました。ここらがどうも烏の軍隊の不規律なところです。

烏の大尉は、杜のすぐ近くまで行って、左に曲がりました。

そのとき烏の大監督が、「大砲撃てっ。」と号令しました。

艦隊は一斉に、があがあがあがあ、大砲をうちました。

大砲をうつとき、片脚をぶんとうしろへ挙げる艦《ふね》は、この前のニダナトラの戦役での負傷兵で、音がまだ脚の神経にひびくのです。

さて、空を大きく四へん廻ったとき、大監督が、

「分《わか》れっ、解散」と云いながら、列をはなれて杉の木の大監督官舎におりました。みんな列をほごしてじぶんの営舎に帰りました。

烏の大尉は、けれども、すぐに自分の営舎に帰らないで、ひとり、西のほうのさいかちの木に行きました。

雲はうす黒く、ただ西の山のうえだけ濁った水色の天の淵《ふち》がのぞいて底光りしています。そこで烏仲間でマシリイと呼ぶ銀の一つ星がひらめきはじめました。

烏の大尉は、矢のようにさいかちの枝に下《お》りました。その枝に、さっきからじっと停って、ものを案じている烏があります。それはいちばん声のいい砲艦で、烏の大尉の許嫁《いいなずけ》でした。

「があがあ、遅くなって失敬。今日の演習で疲れないかい。」

「かあお、ずいぶんお待ちしたわ。いっこうつかれなくてよ。」

「そうか。それは結構だ。しかしおれはこんどしばらくおまえと別れなければならないよ。」

「あら、どうして、まあ大へんだわ。」

「戦闘艦隊長のはなしでは、おれはあした山烏を追いに行くのだそうだ。」

「まあ、山烏は強いのでしょう。」

「うん、眼玉が出しゃばって、嘴《くちばし》が細くて、ちょっと見掛けは偉そうだよ。しかし訳《わけ》ないよ。」

「ほんとう。」

「大丈夫さ。しかしもちろん戦争のことだから、どういう張合でどんなことがあるかもわからない。そのときはおまえはね、おれとの約束はすっかり消えたんだから、外《ほか》へ嫁《い》ってくれ。」

「あら、どうしましょう。まあ、大へんだわ。あんまりひどいわ、あんまりひどいわ。それではあたし、あんまりひどいわ、かあお、かあお、かあお、かあお」

「泣くな、みっともない。そら、たれか来た。」

烏の大尉の部下、烏の兵曹長《へいそうちょう》が急いでやってきて、首をちょっと横にかしげて礼をして云いました。

「があ、艦長殿、点呼《てんこ》の時間でございます。一同整列して居ります。」

「よろしい。本艦は即刻帰隊する。おまえは先に帰ってよろしい。」

「承知いたしました。」兵曹長は飛んで行きます。

「さあ、泣くな。あした、も一度列の中で会えるだろう。丈夫でいるんだぞ。おい、お前ももう点呼だろう、すぐ帰らなくてはいかん。手を出せ。」

二疋はしっかり手を握りました。大尉はそれから枝をけって、急いでじぶんの隊に帰りました。娘の烏は、もう枝に凍り着いたように、じっとして動きません。

夜になりました。

それから夜中になりました。

雲がすっかり消えて、新らしく灼《や》かれた鋼《はがね》の空に、つめたいつめたい光がみなぎり、小さな星がいくつか聯合《れんごう》して爆発をやり、水車の心棒がキイキイ云います。

とうとう薄い鋼の空に、ピチリと裂罅《ひび》がはいって、まっ二つに開き、その裂け目から、あやしい長い腕がたくさんぶら下って、烏を握《つか》んで空の天井の向う側へ持って行こうとします。烏の義勇艦隊はもう総掛りです。みんな急いで黒い股引《ももひき》をはいて一生けん命宙をかけめぐります。兄貴の烏も弟をかばう暇がなく、恋人同志もたびたびひどくぶっつかり合います。

いや、ちがいました。

そうじゃありません。

月が出たのです。青いひしげた二十日の月が、東の山から泣いて登ってきたのです。そこで烏の軍隊はもうすっかり安心してしまいました。

たちまち杜はしずかになって、ただおびえて脚をふみはずした若い水兵が、びっくりして眼をさまして、があと一発、ねぼけ声の大砲を撃つだけでした。

ところが烏の大尉は、眼が冴えて眠れませんでした。

「おれはあした戦死するのだ。」大尉は呟《つぶ》やきながら、許嫁のいる杜の方にあたまを曲げました。

その昆布《こんぶ》のような黒いなめらかな梢の中では、あの若い声のいい砲艦が、次から次といろいろな夢を見ているのでした。

烏の大尉とただ二人、ばたばた羽をならし、たびたび顔を見合せながら、青黒い夜の空を、どこまでもどこまでものぼって行きました。もうマジエル様と呼ぶ烏の北斗七星が、大きく近くなって、その一つの星のなかに生えている青じろい苹果《りんご》の木さえ、ありありと見えるころ、どうしたわけか二人とも、急にはねが石のようにこわばって、まっさかさまに落ちかかりました。マジエル様と叫びながら愕《おど》ろいて眼をさましますと、ほんとうにからだが枝から落ちかかっています。急いではねをひろげ姿勢を直し、大尉の居る方を見ましたが、またいつかうとうとしますと、こんどは山烏が鼻眼鏡などをかけてふたりの前にやって来て、大尉に握手しようとします。大尉が、いかんいかん、と云って手をふりますと、山烏はピカピカする拳銃《ピストル》を出していきなりずどんと大尉を射殺《いころ》し、大尉はなめらかな黒い胸を張って倒れかかります。マジエル様と叫びながらまた愕いて眼をさますというあんばいでした。

烏の大尉はこちらで、その姿勢を直すはねの音から、そらのマジエルを祈る声まですっかり聴いて居りました。

じぶんもまたためいきをついて、そのうつくしい七つのマジエルの星を仰ぎながら、ああ、あしたの戦《たたかい》でわたくしが勝つことがいいのか、山烏がかつのがいいのかそれはわたくしにわかりません、ただあなたのお考のとおりです、わたくしはわたくしにきまったように力いっぱいたたかいます、みんなみんなあなたのお考えのとおりですとしずかに祈って居りました。そして東のそらには早くも少しの銀の光が湧いたのです。

ふと遠い冷たい北の方で、なにか鍵でも触れあったようなかすかな声がしました。烏の大尉は夜間双眼鏡《ナイトグラス》を手早く取って、きっとそっちを見ました。星あかりのこちらのぼんやり白い峠の上に、一本の栗《くり》の木が見えました。その梢《こずえ》にとまって空を見あげているものは、たしかに敵の山烏です。大尉の胸は勇ましく躍りました。

「があ、非常召集、があ、非常召集」

大尉の部下はたちまち枝をけたてて飛びあがり大尉のまわりをかけめぐります。

「突貫《とっかん》。」烏の大尉は先登《せんとう》になってまっしぐらに北へ進みました。

もう東の空はあたらしく研《と》いだ鋼のような白光です。

山烏はあわてて枝をけ立てました。そして大きくはねをひろげて北の方へ遁《に》げ出そうとしましたが、もうそのときは駆逐艦たちはまわりをすっかり囲んでいました。

「があ、があ、があ、があ、があ」大砲の音は耳もつんぼになりそうです。山烏は仕方なく足をぐらぐらしながら上の方へ飛びあがりました。大尉はたちまちそれに追い付いて、そのまっくろな頭に鋭く一突き食らわせました。山烏はよろよろっとなって地面に落ちかかりました。そこを兵曹長が横からもう一突きやりました。山烏は灰いろのまぶたをとじ、あけ方の峠の雪の上につめたく横《よこた》わりました。

「があ、兵曹長。その死骸《しがい》を営舎までもって帰るように。があ。引き揚げっ。」

「かしこまりました。」強い兵曹長はその死骸を提《さ》げ、烏の大尉はじぶんの杜《もり》の方に飛びはじめ十八隻はしたがいました。

杜に帰って烏の駆逐艦は、みなほうほう白い息をはきました。

「けがは無いか。誰《たれ》かけがしたものは無いか。」烏の大尉はみんなをいたわってあるきました。

夜がすっかり明けました。

桃の果汁《しる》のような陽《ひ》の光は、まず山の雪にいっぱいに注ぎ、それからだんだん下に流れて、ついにはそこらいちめん、雪のなかに白百合《しろゆり》の花を咲かせました。

ぎらぎらの太陽が、かなしいくらいひかって、東の雪の丘の上に懸《かか》りました。

「観兵式、用意っ、集れい。」大監督が叫びました。

「観兵式、用意っ、集れい。」各艦隊長が叫びました。

みんなすっかり雪のたんぼにならびました。

烏の大尉は列からはなれて、ぴかぴかする雪の上を、足をすくすく延ばしてまっすぐに走って大監督の前に行きました。

「報告、きょうあけがた、セピラの峠の上に敵艦の碇泊《ていはく》を認めましたので、本艦隊は直ちに出動、撃沈いたしました。わが軍死者なし。報告終りっ。」

駆逐艦隊はもうあんまりうれしくて、熱い涙をぼろぼろ雪の上にこぼしました。

烏の大監督も、灰いろの眼から泪《なみだ》をながして云いました。

「ギイギイ、ご苦労だった。ご苦労だった。よくやった。もうおまえは少佐になってもいいだろう。おまえの部下の叙勲はおまえにまかせる。」

烏の新らしい少佐は、お腹《なか》が空《す》いて山から出て来て、十九隻に囲まれて殺された、あの山烏を思い出して、あたらしい泪をこぼしました。

「ありがとうございます。就《つい》ては敵の死骸を葬りたいとおもいますが、お許し下さいましょうか。」

「よろしい。厚く葬ってやれ。」

烏の新らしい少佐は礼をして大監督の前をさがり、列に戻って、いまマジエルの星の居るあたりの青ぞらを仰ぎました。（ああ、マジエル様、どうか憎むことのできない敵を殺さないでいいように早くこの世界がなりますように、そのためならば、わたくしのからだなどは、何べん引き裂かれてもかまいません。）マジエルの星が、ちょうど来ているあたりの青ぞらから、青いひかりがうらうらと湧きました。

美しくまっ黒な砲艦の烏は、そのあいだ中、みんなといっしょに、不動の姿勢をとって列《なら》びながら、始終きらきらきらきら涙をこぼしました。砲艦長はそれを見ないふりしていました。あしたから、また許嫁といっしょに、演習ができるのです。あんまりうれしいので、たびたび嘴を大きくあけて、まっ赤に日光に透かせましたが、それも砲艦長は横を向いて見逃がしていました。

かしはばやしの夜

かしわばやしのよる

清作は、さあ日暮れだぞ、日暮れだぞと云《い》いながら、稗《ひえ》の根もとにせっせと土をかけていました。

そのときはもう、銅《あかがね》づくりのお日さまが、南の山裾《やますそ》の群青《ぐんじょう》いろをしたとこに落ちて、野はらはへんにさびしくなり、白樺の幹などもなにか粉を噴いているようでした。

いきなり、向うの柏《かしわ》ばやしの方から、まるで調子はずれの途方もない変な声で、

「鬱金《うこん》しゃっぽのカンカラカンのカアン。」とどなるのがきこえました。

清作はびっくりして顔いろを変え、鍬《くわ》をなげすてて、足音をたてないように、そっとそっちへ走って行きました。

ちょうどかしわばやしの前まで来たとき、清作はふいに、うしろからえり首をつかまれました。

びっくりして振りむいてみますと、赤いトルコ帽をかぶり、鼠《ねずみ》いろのへんなだぶだぶの着ものを着て、靴をはいた無暗《むやみ》にせいの高い眼のするどい画《え》かきが、ぷんぷん怒って立っていました。

「何というざまをしてあるくんだ。まるで這《は》うようなあんばいだ。鼠のようだ。どうだ、弁解のことばがあるか。」

清作はもちろん弁解のことばなどはありませんでしたし、面倒臭くなったら喧嘩《けんか》してやろうとおもって、いきなり空を向いて咽喉《のど》いっぱい、

「赤いしゃっぽのカンカラカンのカアン。」とどなりました。するとそのせ高の画かきは、にわかに清作の首すじを放して、まるで咆《ほ》えるような声で笑いだしました。その音は林にこんこんひびいたのです。

「うまい、じつにうまい。どうです、すこし林のなかをあるこうじゃありませんか。そうそう、どちらもまだ挨拶《あいさつ》を忘れていた。ぼくからさきにやろう。いいか、いや今晩は、野はらには小さく切った影法師がばら播《ま》きですね、と。ぼくのあいさつはこうだ。わかるかい。こんどは君だよ。えへん、えへん。」と云いながら画かきはまた急に意地悪い顔つきになって、斜めに上の方から軽べつしたように清作を見おろしました。

清作はすっかりどぎまぎしましたが、ちょうど夕がたでおなかが空《す》いて、雲が団子のように見えていましたからあわてて、

「えっ、今晩は。よいお晩でございます。えっ。お空はこれから銀のきな粉でまぶされます。ごめんなさい。」

と言いました。

ところが画かきはもうすっかりよろこんで、手をぱちぱち叩《たた》いて、それからはねあ

がって言いました。

「おい君、行こう。林へ行こう。おれは柏の木大王のお客さまになって来ているんだ。おもしろいものを見せてやるぞ。」

画かきはにわかにまじめになって、赤だの白だのぐちゃぐちゃついた汚ない絵の具箱をかついで、さっさと林の中にはいりました。そこで清作も、鍬をもたないで手がひまなので、ぶらぶら振ってついて行きました。

林のなかは浅黄いろで、肉桂《にくけい》のようなにおいがいっぱいでした。ところが入口から三本目の若い柏の木は、ちょうど片脚をあげておどりのまねをはじめるところでしたが二人の来たのを見てまるでびっくりして、それからひどくはずかしがって、あげた片脚の膝を、間がわるそうにべろべろ嘗《な》めながら、横目でじっと二人の通りすぎるのをみていました。殊に清作が通り過ぎるときは、ちょっとあざ笑いました。清作はどうも仕方ないというような気がしてだまって画かきについて行きました。

ところがどうも、どの木も画かきには機嫌のいい顔をしますが、清作にはいやな顔を見せるのでした。

一本のごつごつした柏の木が、清作の通るとき、うすくらがりに、いきなり自分の脚をつき出して、つまずかせようとしましたが清作は、

「よっとしょ。」と云いながらそれをはね越えました。

画かきは、

「どうかしたかい。」といってちょっとふり向きましたが、またすぐ向うを向いてどんどんあるいて行きました。

ちょうどそのとき風が来ましたので、林中の柏の木はいっしょに、

「せらせら清作、せらせらせらばあ。」とうす気味のわるい声を出して清作をおどそうとしました。

ところが清作は却《かえ》ってじぶんで口をすてきに大きくして横の方へまげて
「へらへら清作、へらへらへら、ばばあ。」とどなりつけましたので、柏の木はみんな度ぎもをぬかれてしいんとなってしまいました。画かきはあっはは、あっははとびっこのような笑いかたをしました。

そして二人はずうっと木の間を通って、柏の木大王のところに来ました。

大王は大小とりまぜて十九本《じゅうく》の手と、一本の太い脚とをもって居りました。まわりにはしっかりしたけらいの柏どもが、まじめにたくさんがんばっています。

画かきは絵の具ばこをカタンとおろしました。すると大王はまがった腰をのばして、低い声で画かきに云いました。

「もうお帰りかの。待ってましたじゃ。そちらは新らしい客人じゃな。が、その人はよしなされ。前科者じゃぞ。前科九十八犯《くじゅうはっぱん》じゃぞ。」

清作が怒ってどなりました。

「うそをつけ、前科者だと。おら正直だぞ。」

大王もごつごつの胸を張って怒りました。

「なにを。証拠はちゃんとあるじゃ。また帳面にも載っとるじゃ。貴さまの悪い斧《おの》のあとのついた九十八の足さきがいまでもこの林の中にちゃんと残っているじゃ。」

「あっはっは。おかしなはなしだ。九十八の足さきというのは、九十八の切株だろう。それがどうしたというんだ。おれはちゃんと、山主の藤助《とうすけ》に酒を二升買ってあるんだ。」

「そんならおれにはなぜ酒を買わんか。」

「買ういわれがない」

「いや、ある、沢山ある。買え」

「買ういわれがない」

画かきは顔をしかめて、しょんぼり立ってこの喧嘩をきいていましたがこのとき、俄《にわ》かに林の木の間から、東の方を指さして叫びました。

「おいおい、喧嘩はよせ。まん円《まる》い大将に笑われるぞ。」

見ると東のとっぷりとした青い山脈の上に、大きなやさしい桃いろの月がのぼったのでした。お月さまのちかくはうすい緑いろになって、柏の若い木はみな、まるで飛びあがるように両手をそっちへ出して叫びました。

「おつきさん、おつきさん、おっつきさん、
ついお見外《みそ》れして　すみません
あんまりおなりが　ちがうので
ついお見外れして　すみません。」

柏の木大王も白いひげをひねって、しばらくうむうむと云いながら、じっとお月さまを眺めてから、しずかに歌いだしました。

「こよいあなたは　ときいろの
むかしのきもの　つけなさる
かしわばやしの　このよいは
なつのおどりの　だいさんや

やがてあなたは　みずいろの
きょうのきものを　つけなさる
かしわばやしの　よろこびは
あなたのそらに　かかるまま。」

画かきがよろこんで手を叩きました。

「うまいうまい。よしよし。夏のおどりの第三夜。みんな順々にここに出て歌うんだ。じぶんの文句でじぶんのふしで歌うんだ。一等賞から九《く》等賞まではぼくが大きなメタルを書いて、明日《あした》枝にぶらさげてやる。」

清作もすっかり浮かれて云いました。

「さあ来い。へたな方の一等から九等までは、あしたおれがスポンと切って、こわいとこへ連れてってやるぞ。」

するとかしわの木大王が怒りました。

「何を云うか。無礼者。」

「何が無礼だ。もう九《く》本切るだけは、とうに山主の藤助に酒を買ってあるんだ。」

「そんならおれにはなぜ買わんか。」

「買ういわれがない。」

「いやある、沢山ある。」

「ない。」

画かきが顔をしかめて手をせわしく振って云いました。

「またはじまった。まあぼくがいいようにするから歌をはじめよう。だんだん星も出てきた。いいか、ぼくがうたうよ。賞品のうただよ。

一とうしょうは　白金メタル

二とうしょうは　きんいろメタル
三とうしょうは　すいぎんメタル
四《し》とうしょうは　ニッケルメタル
五とうしょうは　とたんのメタル
六とうしょうは　にせがねメタル
七《しち》とうしょうは　なまりのメタル
八とうしょうは　ぶりきのメタル
九とうしょうは　マッチのメタル
十とうしょうから百とうしょうまで
あるやらないやらわからぬメタル。」

柏の木大王が機嫌を直してわははははと笑いました。

柏の木どもは大王を正面に大きな環《わ》をつくりました。

お月さまは、いまちょうど、水いろの着ものと取りかえたところでしたから、そこらは浅い水の底のよう、木のかげはうすく網になって地に落ちました。

画かきは、赤いしゃっぽもゆらゆら燃えて見え、まっすぐに立って手帳をもち鉛筆をなめました。

「さあ、早くはじめるんだ。早いのは点がいいよ。」

そこで小さな柏の木が、一本ひょいっと環のなかから飛びだして大王に礼をしました。

月のあかりがぱっと青くなりました。

「おまえのうたは題はなんだ。」画かきは尤《もっと》もらしく顔をしかめて云いました。

「馬と兎《うさぎ》です。」

「よし、はじめ、」画かきは手帳に書いて云いました。

「兎のみみはなが……。」

「ちょっと待った。」画かきはとめました。「鉛筆が折れたんだ。ちょっと削るうち待ってくれ。」

そして画かきはじぶんの右足の靴をぬいでその中に鉛筆を削りはじめました。柏の木は、遠くからみな感心して、ひそひそ談《はな》し合いながら見て居りました。そこで大王もとうとう言いました。

「いや、客人、ありがとう。林をきたなくせまいとの、そのおこころざしはじつに辱《かたじけ》ない。」

ところが画かきは平気で

「いいえ、あとでこのけずり屑《くず》で酢をつくりますからな。」

と返事したものですからさすがの大王も、すこし工合《ぐあい》が悪そうに横を向き、柏の木もみな興をさまし、月のあかりもなんだか白っぽくなりました。

ところが画かきは、削るのがすんで立ちあがり、愉快そうに、

「さあ、はじめて呉《く》れ。」と云いました。

柏はざわめき、月光も青くすきとおり、大王も機嫌を直してふんふんと云いました。

若い木は胸をはってあたらしく歌いました。

「うさぎのみみはながいけど

うまのみみよりながくない。」

「わあ、うまいうまい。ああはは、ああはは。」みんなはわらったりはやしたりしました。

「一とうしょう、白金メタル。」と画かきが手帳につけながら高く叫びました。

「ぼくのは狐《きつね》のうたです。」

また一本の若い柏の木がでてきました。月光はすこし緑いろになりました。

「よろしいはじめっ。」

「きつね、こんこん、きつねのこ、

月よにしっぽが燃えだした。」

「わあ、うまいうまい。わっはは、わっはは。」

「第二とうしょう、きんいろメタル。」

「こんどはぼくやります。ぼくのは猫のうたです。」
「よろしいはじめっ。」
「やまねこ、にゃあご、ごろごろ
さとねこ、たっこ、ごろごろ。」
「わあ、うまいうまい。わっはは、わっはは。」
「第三とうしょう、水銀メタル。おい、みんな、大きいやつも出るんだよ。どうして
そんなにぐずぐずしてるんだ。」画かきが少し意地わるい顔つきをしました。
「わたしのはくるみの木のうたです。」
すこし大きな柏の木がはずかしそうに出てきました。
「よろしい、みんなしずかにするんだ。」
柏の木はうたいました。
「くるみはみどりのきんいろ、な、
風にふかれて　　　すいすいすい、
くるみはみどりの天狗《てんぐ》のおうぎ、
風にふかれて　　　ばらんばらんばらん、
くるみはみどりのきんいろ、な、
風にふかれて　　　さんさんさん。」

「いいテノールだねえ。うまいねえ、わあわあ。」

「第四《し》とうしょう、ニッケルメタル。」

「ぼくのはさるのこしかけです。」

「よし、はじめ。」

柏の木は手を腰にあてました。

「こざる、こざる、
おまえのこしかけぬれてるぞ、
霧、ぽっしゃん　ぽっしゃん　ぽっしゃん、
おまえのこしかけくされるぞ。」

「いいテノールだねえ、いいテノールだねえ、うまいねえ、うまいねえ、わあわあ。」

「第五とうしょう、とたんのメタル。」

「わたしのはしゃっぽのうたです。」それはあの入口から三ばん目の木でした。

「よろしい。はじめ。」

「うこんしゃっぽのカンカラカンのカアン
あかいしゃっぽのカンカラカンのカアン。」

「うまいうまい。すてきだ。わあわあ。」

「第六とうしょう、にせがねメタル。」

このときまで、しかたなくおとなしくきいていた清作が、いきなり叫びだしました。

「なんだ、この歌にせものだぞ。さっきひとのうたったのまねしたんだぞ。」

「だまれ、無礼もの、その方などの口を出すところでない。」柏の木大王がぶりぶりしてどなりました。

「なんだと、にせものだからにせものと云ったんだ。生意気いうと、あした斧をもってきて、片っぱしから伐《き》ってしまうぞ。」

「なにを、こしゃくな。その方などの分際でない。」

「ばかを云え、おれはあした、山主の藤助にちゃんと二升酒を買ってくるんだ」

「そんならなぜおれには買わんか。」

「買ういわれがない。」

「買え。」

「いわれがない。」

「よせ、よせ、にせものだからにせがねのメタルをやるんだ。あんまりそう喧嘩するなよ。さあ、そのつぎはどうだ。出るんだ出るんだ。」

お月さまの光が青くすきとおってそこらは湖の底のようになりました。

「わたしのは清作のうたです。」

またひとりの若い頑丈《がんじょう》そうな柏の木が出ました。

「何だと、」清作が前へ出てなぐりつけようとしましたら画かきがとめました。

「まあ、待ちたまえ。君のうただって悪口《わるぐち》ともかぎらない。よろしい。はじめ。」柏の木は足をぐらぐらしながらうたいました。

「清作は、一等卒の服を着て
　野原に行って、ぶどうをたくさんとってきた。

と斯《こ》うだ。だれかあとをつづけてくれ。」

「ホウ、ホウ。」柏の木はみんなあらしのように、清作をひやかして叫びました。

「第七《しち》とうしょう、なまりのメタル。」

「わたしがあとをつけます。」さっきの木のとなりからすぐまた一本の柏の木がとびだしました。

「よろしい、はじめ。」

　かしわの木はちらっと清作の方を見て、ちょっとばかにするようにわらいましたが、すぐまじめになってうたいました。

「清作は、葡萄《ぶどう》をみんなしぼりあげ
　砂糖を入れて
　瓶《びん》にたくさんつめこんだ。

　おい、だれかあとをつづけてくれ。」

「ホッホウ、ホッホウ、ホッホウ、」柏の木どもは風のような変な声をだして清作をひやかしました。

清作はもうとびだしてみんなかたっぱしからぶんなぐってやりたくてむずむずしましたが、画かきがちゃんと前に立ちふさがっていますので、どうしても出られませんでした。

「第八等、ぶりきのメタル。」

「わたしがつぎをやります。」さっきのとなりから、また一本の柏の木がとびだしました。

「よし、はじめっ。」

「清作が　納屋にしまった葡萄酒は

　順序ただしく

　みんなはじけてなくなった。」

「わっはっはっは、わっはっはっは、ホッホウ、ホッホウ、ホッホウ。がやがやがや……。」

「やかましい。きさまら、なんだってひとの酒のことなどおぼえてやがるんだ。」清作が飛び出そうとしましたら、画かきにしっかりつかまりました。

「第九とうしょう。マッチのメタル。さあ、次だ、次だ、出るんだよ。どしどし出るんだ。」

ところがみんなは、もうしんとしてしまって、ひとりもでるものがありませんでした。

「これはいかん。でろ、でろ、みんなでないといかん。でろ。」画かきはどなりましたが、もうどうしても誰《たれ》も出ませんでした。

仕方なく画かきは、

「こんどはメタルのうんといいやつを出すぞ。早く出ろ。」と云いましたら、柏の木どもははじめてざわっとしました。

そのとき林の奥の方で、さらさらさらさら音がして、それから、

「のろづきおほん、のろづきおほん、

おほん、おほん、

ごぎのごぎのおほん、

おほん、おほん、」

とたくさんのふくろうどもが、お月さまのあかりに青じろくはねをひるがえしながら、するするするする出てきて、柏の木の頭の上や手の上、肩やむねにいちめんにとまりました。

立派な金モールをつけたふくろうの大将が、上手に音もたてないで飛んできて、柏

の木大王の前に出ました。そのまっ赤な眼のくまが、じつに奇体《きたい》に見えました。よほど年老《としよ》りらしいのでした。

「今晩は、大王どの、また高貴の客人がた、今晩はちょうどわれわれの方でも、飛び方と握《つか》み裂き術との大試験であったのじゃが、ただいまやっと終りましたじゃ。ついてはこれから聯合《れんごう》で、大乱舞会をはじめてはどうじゃろう。あまりにもたえなるうたのしらべが、われらのまどいのなかにまで響いて来たによって、このようにまかり出ましたのじゃ。」

「たえなるうたのしらべだと、畜生。」清作が叫びました。

柏の木大王がきこえないふりをして大きくうなずきました。

「よろしゅうござる。しごく結構でござろう。いざ、早速《さっそく》とりはじめるといたそうか。」

「されば、」梟《ふくろう》の大将はみんなの方に向いてまるで黒砂糖のような甘ったるい声でうたいました。

「からすかんざえもんは
　くろいあたまをくうらりくらり、
　とんびとうざえもんは
　あぶら一升でとうろりとろり、

そのくらやみはふくろうの
いさみにいさむもののふが
みみずをつかむときなるぞ
ねとりを襲うときなるぞ。」
ふくろうどもはもうみんなばかのようになってどなりました。
「のろづきおほん、
おほん、おほん、
ごぎのごぎおほん、
おほん、おほん。」
かしわの木大王が眉《まゆ》をひそめて云いました。
「どうもきみたちのうたは下等じゃ。君子のきくべきものではない。」
ふくろうの大将はへんな顔をしてしまいました。すると赤と白の綬《じゅ》をかけたふくろうの副官が笑って云いました。
「まあ、こんやはあんまり怒らないようにいたしましょう。うたもこんどは上等のをやりますから。みんな一しょにおどりましょう。さあ木の方も鳥の方も用意いいか。
おつきさんおつきさん　まんまるまるるるん
おほしさんおほしさん　ぴかりぴりるるん

かしわはかんかの　　かんからからららん
ふくろはのろづき　おっほほほほほほん。」
かしわの木は両手をあげてそりかえったり、頭や足をまるで天上に投げあげるようにしたり、一生けん命踊りました。それにあわせてふくろうどもは、ささっと銀いろのはねを、ひらいたりとじたりしました。じつにそれがうまく合ったのでした。月の光は真珠のように、すこしおぼろになり、柏の木大王もよろこんですぐうたいました。
「雨はざあざあ　ざっざざざざざあ
風はどうどう　どっどどどどどう
あられぱらぱらぱらぱらったたあ
雨はざあざあ　ざっざざざざざあ」
「あっだめだ、霧が落ちてきた。」とふくろうの副官が高く叫びました。
なるほど月はもう青白い霧にかくされてしまってぼおっと円く見えるだけ、その霧はまるで矢のように林の中に降りてくるのでした。
柏の木はみんな度をうしなって、片脚をあげたり両手をそっちへのばしたり、眼をつりあげたりしたまま化石したようにつっ立ってしまいました。
冷たい霧がさっと清作の顔にかかりました。画かきはもうどこへ行ったか赤いしゃっぽだけがほうり出してあって、自分はかげもかたちもありませんでした。

霧の中を飛ぶ術のまだできていないふくろうの、ばたばた遁《に》げて行く音がしました。

清作はそこで林を出ました。柏の木はみんな踊のままの形で残念そうに横眼で清作を見送りました。

林を出てから空を見ますと、さっきまでお月さまのあったあたりはやっとぼんやりあかるくて、そこを黒い犬のような形の雲がかけて行き、林のずうっと向うの沼森のあたりから、

「赤いしゃっぽのカンカラカンのカアン。」と画かきが力いっぱい叫んでいる声がかすかにきこえました。

鹿踊りのはじまり

ししおどりのはじまり

そのとき西のぎらぎらのちぢれた雲のあいだから、夕陽は赤くななめに苔《こけ》の野原に注ぎ、すすきはみんな白い火のようにゆれて光りました。わたくしが疲れてそこに睡《ねむ》りますと、ざあざあ吹いていた風が、だんだん人のことばにきこえ、やがてそれは、いま北上《きたかみ》の山の方や、野原に行われていた鹿踊《ししおど》りの、ほんとうの精神を語りました。

そこらがまだまるっきり、丈高い草や黒い林のままだったとき、嘉十《かじゅう》はおじいさんたちと北上川の東から移ってきて、小さな畑を開いて、粟《あわ》や稗《ひえ》をつくっていました。

あるとき嘉十は、栗《くり》の木から落ちて、少し左の膝を悪くしました。そんなときみんなはいつでも、西の山の中の湯の湧くとこへ行って、小屋をかけて泊って療《なお》すのでした。

天気のいい日に、嘉十も出かけて行きました。糧《かて》と味噌《みそ》と鍋《なべ》とをしょって、もう銀いろの穂を出したすすきの野原をすこしびっこをひきながら、ゆっくりゆっくり歩いて行ったのです。

いくつもの小流れや石原を越えて、山脈のかたちも大きくはっきりなり、山の木も一本一本、すぎごけのように見わけられるところまで来たときは、太陽はもうよほど西に外《そ》れて、十本ばかりの青いはんのきの木立の上に、少し青ざめてぎらぎら光ってかかりました。

　嘉十は芝草の上に、せなかの荷物をどっかりおろして、栃《とち》と粟とのだんごを出して喰べはじめました。すすきは幾むらも幾むらも、はては野原いっぱいのように、まっ白に光って波をたてました。嘉十はだんごをたべながら、すすきの中から黒くまっすぐに立っている、はんのきの幹をじつにりっぱだとおもいました。

　ところがあんまり一生けん命あるいたあとは、どうもなんだかお腹がいっぱいのような気がするのです。そこで嘉十も、おしまいに栃の団子をとちの実のくらい残しました。

「こいづば鹿《しか》さ呉《け》でやべか。それ、鹿、来て喰《け》」と嘉十はひとりごとのように言って、それをうめばちそうの白い花の下に置きました。それから荷物をまたしょって、ゆっくりゆっくり歩きだしました。

　ところが少し行ったとき、嘉十はさっきのやすんだところに、手拭《てぬぐい》を忘れて来たのに気がつきましたので、急いでまた引っ返しました。あのはんのきの黒い木立がじき近くに見えていて、そこまで戻るぐらい、なんの事でもないようでした。

　けれども嘉十はぴたりとたちどまってしまいました。

　それはたしかに鹿のけはいがしたのです。

　鹿が少くても五六疋《ぴき》、湿っぽいはなづらをずうっと延ばして、しずかに歩いているらしいのでした。

嘉十はすすきに触れないように気を付けながら、爪立《つまだ》てをして、そっと苔を踏んでそっちの方へ行きました。

たしかに鹿はさっきの栃の団子にやってきたのでした。

「はあ、鹿等《だ》あ、すぐに来たもな。」と嘉十は咽喉《のど》の中で、笑いながらつぶやきました。そしてからだをかがめて、そろりそろりと、そっちに近よって行きました。

一むらのすすきの陰から、嘉十はちょっと顔をだして、びっくりしてまたひっ込めました。六疋ばかりの鹿が、さっきの芝原を、ぐるぐるぐるぐる環《わ》になって廻っているのでした。嘉十はすすきの隙間《すきま》から、息をこらしてのぞきました。

太陽が、ちょうど一本のはんのきの頂《いただき》にかかっていましたので、その梢《こずえ》はあやしく青くひかり、まるで鹿の群を見おろしてじっと立っている青いいきもののようにおもわれました。すすきの穂も、一本ずつ銀いろにかがやき、鹿の毛並がことにその日はりっぱでした。

嘉十はよろこんで、そっと片膝をついてそれに見とれました。

鹿は大きな環をつくって、ぐるくるぐるくる廻っていましたが、よく見るとどの鹿も環のまんなかの方に気がとられているようでした。その証拠には、頭も耳も眼もみんなそっちへ向いて、おまけにたびたび、いかにも引っぱられるように、よろよろと二足三足、環からはなれてそっちへ寄って行きそうにするのでした。

もちろん、その環のまんなかには、さっきの嘉十の栃の団子がひとかけ置いてあったのでしたが、鹿どものしきりに気にかけているのは決して団子ではなくて、そのとなりの草の上にくの字になって落ちている、嘉十の白い手拭らしいのでした。嘉十は痛い足をそっと手で曲げて、苔の上にきちんと座りました。

鹿のめぐりはだんだんゆるやかになり、みんなは交《かわ》る交《がわ》る、前肢《まえあし》を一本環の中の方へ出して、今にもかけ出して行きそうにしては、びっくりしたようにまた引っ込めて、とっとっとっとっしずかに走るのでした。その足音は気もちよく野原の黒土の底の方までひびきました。それから鹿どもはまわるのをやめてみんな手拭のこちらの方に来て立ちました。

嘉十はにわかに耳がきいんと鳴りました。そしてがたがたふるえました。鹿どもの風にゆれる草穂《くさほ》のような気もちが、波になって伝わって来たのでした。

嘉十はほんとうにじぶんの耳を疑いました。それは鹿のことばがきこえてきたからです。

「じゃ、おれ行って見で来《こ》べが。」

「うんにゃ、危ないじゃ。も少し見でべ。」

こんなことばもきこえました。

「何時《いつ》だがの狐《きつね》みだいに口発破《くちはっぱ》などさ罹《かか》ってあ、つまらないもな、高で栃の団子などでよ。」

「そだそだ、全ぐだ。」

こんなことばも聞きました。

「生ぎものだがも知れないじゃい。」

「うん。生ぎものらしどごもあるな。」

こんなことばも聞えました。そのうちにとうとう一疋が、いかにも決心したらしく、せなかをまっすぐにして環からはなれて、まんなかの方に進み出ました。

みんなは停《とま》ってそれを見ています。

進んで行った鹿は、首をあらんかぎり延ばし、四本《し》の脚を引きしめ引きしめそろりそろりと手拭に近づいて行きましたが、俄《にわ》かにひどく飛びあがって、一目散に遁《に》げ戻ってきました。廻りの五疋も一ぺんにぱっと四方へちらけようとしましたが、はじめの鹿が、ぴたりととまりましたのでやっと安心して、のそのそ戻ってその鹿の前に集まりました。

「なじょだた。なにだた、あの白い長いやづあ。」

「縦に皺《しわ》の寄ったもんだけあな。」

「そだら生ぎものだないがべ、やっぱり蕈《きのこ》などだべが。毒蕈《ぶす》だべ。」

「うんにゃ。きのごだない。やっぱり生ぎものらし。」

「そうが。生ぎもので皺うんと寄ってらば、年老《としょ》りだな。」

「うん年老りの番兵《ばんぺ》だ。ううはははは。」

「ふふふ青白の番兵だ。」

「ううはは、青じろ番兵だ。」

「こんどおれ行って見べが。」

「行ってみろ、大丈夫だ。」

「喰《く》っつがないが。」

「うんにゃ、大丈夫だ。」

そこでまた一疋が、そろりそろりと進んで行きました。五疋はこちらで、ことりことりとあたまを振ってそれを見ていました。

進んで行った一疋は、たびたびもうこわくて、たまらないというように、四本の脚を集めてせなかを円《まろ》くしたりそっとまたのばしたりして、そろりそろりと進みました。

そしてとうとう手拭のひと足こっちまで行って、あらんかぎり首を延ばしてふんふん嗅《か》いでいましたが、俄かにはねあがって遁げてきました。みんなもびくっとして一ぺんに遁げだそうとしましたが、その一ぴきがぴたりと停まりましたのでやっと安心して五つの頭をその一つの頭に集めました。

「なじょだた、なして逃げで来た。」

「噛《か》じるべとしたようだたもさ。」

「ぜんたいなにだけあ。」

「わがらないな。とにかぐ白どそれがら青ど、両方のぶぢだ。」

「匂《におい》あなじょだ、匂あ。」

「柳の葉みだいな匂だな。」

「はでな、息吐《いぎっ》でるが、息。」

「さあ、そでば、気付けないがた。」

「こんどあ、おれあ行って見べが。」

「行ってみろ」

　三番目の鹿がまたそろりそろりと進みました。そのときちょっと風が吹いて手拭がちらっと動きましたので、その進んで行った鹿はびっくりして立ちどまってしまい、こっちのみんなもびくっとしました。けれども鹿はやっとまた気を落ちつけたらしく、またそろりそろりと進んで、とうとう手拭まで鼻さきを延ばした。

　こっちでは五疋がみんなことりことりとお互にうなずき合って居《お》りました。そのとき俄かに進んで行った鹿が竿立《さおだ》ちになって躍りあがって遁げてきました。

「何《な》して遁げできた。」

「気味悪《きびわり》ぐなてよ。」

「息吐《いぎっ》でるが。」

「さあ、息の音あ為《さ》ないがけあな。口《くち》も無いようだけあな。」

「あだまあるが。」

「あだまもゆぐわがらないがったな。」

「そだらこんだおれ行って見べが。」

　四番目の鹿が出て行きました。これもやっぱりびくびくものです。それでもすっかり手拭の前まで行って、いかにも思い切ったらしく、ちょっと鼻を手拭に押しつけて、それから急いで引っ込めて、一目さんに帰ってきました。

「おう、柔《や》っけもんだぞ。」

「泥のようにが。」

「うんにゃ。」

「草のようにが。」

「うんにゃ。」

「ごまざいの毛のようにが。」

「うん、あれよりあ、も少し硬《こわ》ぱしな。」

「なにだべ。」

「とにかぐ生ぎもんだ。」

「やっぱりそうだが。」

「うん、汗臭いも。」

「おれも一遍《ひとがえり》行ってみべが。」

五番目の鹿がまたそろりそろりと進んで行きました。この鹿はよほどおどけもののようでした。手拭の上にすっかり頭をさげて、それからいかにも不審だというように、頭をかくっと動かしましたので、こっちの五疋がはねあがって笑いました。

向うの一疋はそこで得意になって、舌を出して手拭を一つべろりと嘗《な》めましたが、にわかに怖くなったとみえて、大きく口をあけて舌をぶらさげて、まるで風のように飛んで帰ってきました。みんなもひどく愕《おど》ろきました。

「じゃ、じゃ、噛じらえだが、痛《いだ》ぐしたが。」

「プルルルルルル。」

「舌抜がれだが。」

「プルルルルルル。」

「なにした、なにした。なにした。じゃ。」

「ふう、ああ、舌縮まってしまったたよ。」

「なじょな味だた。」

「なじょだが判《わか》らない。こんどあ汝《うな》あ行ってみろ。」

「お。」

おしまいの一疋がまたそろそろ出て行きました。みんながおもしろそうに、ことこと頭を振って見ていますと、進んで行った一疋は、しばらく首をさげて手拭を嗅いでいましたが、もう心配もなにもないという風で、いきなりそれをくわえて戻ってきました。そこで鹿はみなぴょんぴょん跳びあがりました。

「おう、うまい、うまい、そいづさい取ってしめば、あどは何《なん》っても怖《お》っかなぐない。」

「きっともて、こいづあ大きな蝸牛《なめくづら》の旱《ひ》からびだのだな。」

「さあ、いいが、おれ歌《うだ》、うだうはんてみんな廻《ま》れ。」

その鹿はみんなのなかにはいってうたいだし、みんなはぐるぐるぐるぐる手拭をまわりはじめました。

「のはらのまん中の　めっけもの
すっこんすっこの　栃だんご
栃のだんごは　結構だが
「生ぎもんだべが。」

「味無いがたな。」

となりにいからだ　ふんながす
青じろ番兵は　気にかがる。
　青じろ番兵は　ふんにゃふにゃ
吠《ほ》えるもさないば　泣ぐもさない
痩《や》せで長くて　ぶぢぶぢで
どごが口だが　あだまだが
ひでりあがりの　なめぐぢら。」

走りながら廻りながら踊りながら、鹿はたびたび風のように進んで、手拭を角でついたり足でふんだりしました。嘉十の手拭はかあいそうに泥がついてところどころ穴さえあきました。

そこで鹿のめぐりはだんだんゆるやかになりました。


「おう、こんだ団子お食《く》ばがりだじょ。」

「おう、煮だ団子だじょ。」

「おう、まん円《まる》けじょ。」

「おう、はんぐはぐ。」

「おう、すっこんすっこ。」

「おう、けっこ。」

鹿はそれからみんなばらばらになって、四方から栃のだんごを囲んで集まりました。

そしていちばんはじめに手拭に進んだ鹿から、一口ずつ団子をたべました。六疋めの鹿は、やっと豆粒のくらいをたべただけです。

鹿はそれからまた環になって、ぐるぐるぐるぐるめぐりあるきました。

嘉十はもうあんまりよく鹿を見ましたので、じぶんまでが鹿のような気がして、いまにもとび出そうとしましたが、じぶんの大きな手がすぐ眼にはいりましたので、やっぱりだめだとおもいながらまた息をこらしました。

太陽はこのとき、ちょうどはんのきの梢の中ほどにかかって、少し黄いろにかがやいて居りました。鹿のめぐりはまただんだんゆるやかになって、たがいにせわしくうなずき合い、やがて一列に太陽に向いて、それを拝むようにしてまっすぐに立ったのでした。嘉十はもうほんとうに夢のようにそれに見とれていたのです。

一ばん右はじにたった鹿が細い声でうたいました。

「はんの木《ぎ》の

みどりみじんの葉の向《もご》さ

じゃらんじゃららんの

お日さん懸がる。」

その水晶の笛のような声に、嘉十は目をつぶってふるえあがりました。右から二ばん目の鹿が、俄かにとびあがって、それからからだを波のようにうねらせながら、みんなの間を縫ってはせまわり、たびたび太陽の方にあたまをさげました。それからじぶんのところに戻るやぴたりととまってうたいました。

「お日さんを
せながさしょえば　はんの木《ぎ》も
くだげで光る
鉄のかんがみ。」

はあと嘉十もこっちでその立派な太陽とはんのきを拝みました。右から三ばん目の鹿は首をせわしくあげたり下げたりしてうたいました。

「お日さんは
はんの木《ぎ》の向《もご》さ、降りでても
すすぎ、ぎんがぎが
まぶしまんぶし。」

ほんとうにすすきはみんな、まっ白な火のように燃えたのです。

「ぎんがぎがの
すすぎの中《なが》さ立ぢあがる
はんの木《ぎ》のすねの

長《な》んがい、かげぼうし。」
五番目の鹿がひくく首を垂れて、もうつぶやくようにうたいだしていました。
「ぎんがぎがの
すすぎの底《そこ》の日暮れかだ
苔《こけ》の野はらを
蟻《あり》こも行がず。」
このとき鹿はみな首を垂れていましたが、六番目がにわかに首をりんとあげてうたいました。
「ぎんがぎがの
すすぎの底《そこ》でそっこりと
咲ぐうめばぢの
愛《え》どしおえどし。」
鹿はそれからみんな、みじかく笛のように鳴いてはねあがり、はげしくはげしくまわりました。
北から冷たい風が来て、ひゅうと鳴り、はんの木はほんとうに砕けた鉄の鏡のようにかがやき、かちんかちんと葉と葉がすれあって音をたてたようにさえおもわれ、すすきの穂までが鹿にまじって一しょにぐるぐるめぐっているように見えました。

嘉十はもうまったくじぶんと鹿とのちがいを忘れて、

「ホウ、やれ、やれい。」と叫びながらすすきのかげから飛び出しました。

鹿はおどろいて一度に竿のように立ちあがり、それからはやてに吹かれた木の葉のように、からだを斜めにして逃げ出しました。銀のすすきの波をわけ、かがやく夕陽の流れをみだしてはるかにはるかに遁げて行き、そのとおったあとのすすきは静かな湖の水脈《みお》のようにいつまでもぎらぎら光って居りました。

そこで嘉十はちょっとにが笑いをしながら、泥のついて穴のあいた手拭をひろってじぶんもまた西の方へ歩きはじめたのです。

それから、そうそう、苔の野原の夕陽の中で、わたくしはこのはなしをすきとおった秋の風から聞いたのです。

風の又三郎

かぜのまたさぶろう

九月一日

どっどど　どどうど　どどうど　どどう、
青いくるみもふきとばせ
すっぱいかりんも吹きとばせ
どっどど　どどうど　どどうど　どどう

谷川の岸に小さな学校がありました。

教室はたった一つでしたが生徒は一年から六年までみんなありました。運動場もテニスコートのくらいでしたがすぐうしろは栗《くり》の樹のあるきれいな草の山でしたし、運動場の隅《すみ》にはごぼごぼつめたい水を噴《ふ》く岩穴もあったのです。

さわやかな九月一日の朝でした。青ぞらで風がどうと鳴り、日光は運動場いっぱいでした。黒い雪袴《ゆきばかま》をはいた二人の一年生の子がどてをまわって運動場にはいって来て、まだほかに誰《たれ》も来ていないのを見て

「ほう、おら一等だぞ。一等だぞ。」とかわるがわる叫びながら大悦《おおよろこ》びで門をはいって来たのでしたが、ちょっと教室の中を見ますと、二人ともまるでびっくりして棒立ちになり、それから顔を見合せてぶるぶるふるえました。がひとりはとうとう泣き出してしまいました。というわけは、そのしんとした朝の教室のなかにどこから来たのか、まるで顔も知らないおかしな赤い髪の子供がひとり一番前の机にちゃんと座っていたのです。そしてその机といったらまったくこの泣いた子の自分の机だったのです。もひとりの子ももう半分泣きかけていましたが、それでもむりやり眼をりんと張ってそっちの方をにらめていましたら、ちょうどそのとき川上から

「ちょうはあかぐり　ちょうはあかぐり」と高く叫ぶ声がしてそれからまるで大きな烏《からす》のように嘉助《かすけ》が、かばんをかかえてわらって運動場へかけて来ました。と思ったらすぐそのあとから佐太郎だの耕助だのどやどややってきました。

「なして泣いでら、うなかもたのが。」嘉助が泣かないこどもの肩をつかまえて云《い》いました。するとその子もわあと泣いてしまいました。おかしいとおもってみんながあたりを見ると、教室の中にあの赤毛のおかしな子がすましてしゃんとすわっているのが目につきました。みんなはしんとなってしまいました。だんだんみんな女の子たちも集って来ましたが誰も何とも云えませんでした。

赤毛の子どもは一向こわがる風もなくやっぱりちゃんと座って、じっと黒板を見て

います。

するど六年生の一郎が来ました。一郎はまるでおとなのようにゆっくり大股《おおまた》にやってきてみんなを見て「何した」とききました。みんなははじめてがやがや声をたててその教室の中の変な子を指しました。一郎はしばらくそっちを見ていましたがやがて鞄《かばん》をしっかりかかえてさっさと窓の下へ行きました。

みんなもすっかり元気になってついて行きました。

「誰だ、時間にならなぃに教室へはいってるのは。」一郎は窓へはいのぼって教室の中へ顔をつき出して云いました。

「お天気のいい時教室さ入ってるづど先生にうんと叱《しか》らえるぞ。」窓の下の耕助が云いました。

「叱らえでもおら知らないよ」嘉助が云いました。

「早ぐ出はって来出はって来」一郎が云いました。けれどもそのこどもはきょろきょろ室《へや》の中やみんなの方を見るばかりでやっぱりちゃんとひざに手をおいて腰掛に座っていました。

ぜんたいその形からが実におかしいのでした。変てこな鼠《ねずみ》いろのだぶだぶの上着を着て白い半ずぼんをはいてそれに赤い革の半靴《はんぐつ》をはいていたのです。それに顔と云ったらまるで熟した苹果《りんご》のよう、殊《こと》に眼はまん円《まる》でまっくろなのでした。一向語《ことば》が通じないようなので一郎も全く困ってしまいました。

「あいつは外国人だな」「学校さ入るのだな。」みんなはがやがやがやがや云いました。ところが五年生の嘉助《かすけ》がいきなり、

「ああ、三年生さ入るのだ。」と叫びましたので、「ああ、そうだ。」と小さいこどもらは思いましたが一郎はだまってくびをまげました。

変なこどもはやはりきょろきょろこっちを見るだけきちんと腰掛けています。

そのとき風がどうと吹いて来て教室のガラス戸はみんながたがた鳴り、学校のうしろの山の萱《かや》や栗の樹はみんな変に青じろくなってゆれ、教室のなかのこどもは何だかにやっとわらってすこしうごいたようでした。すると嘉助がすぐ叫びました。

「ああわかったあいつは風の又三郎だぞ。」

そうだっとみんなもおもったとき俄《にわ》かにうしろの方で五郎が
「わあ、痛ぃぢゃあ。」と叫びました。みんなそっちへ振り向きますと五郎が耕助に足のゆびをふまれて、まるで怒って耕助をなぐりつけていたのです。すると耕助も怒って
「わあ、われ悪くてでひと撲《はだ》ぃだなあ。」と云ってまた五郎をなぐろうとしました。

五郎はまるで顔中涙だらけにして耕助に組み付こうとしました。そこで一郎が間へはいって嘉助が耕助を押えてしまいました。

「わあい、喧嘩《けんか》するなったら、先生ぁちゃんと職員室に来てらぞ。」と一郎が云いながらまた教室の方を見ましたら一郎は俄かにまるでぽかんとしてしまいました。たったいままで教室にいたあの変な子が影もかたちもないのです。みんなもまるでせっかく友達になった子うまが遠くへやられたよう、せっかく捕った山雀《やまがら》に遁《に》げられたように思いました。

風がまたどうと吹いて来て窓ガラスをがたがた云わせうしろの山の萱をだんだん上流の方へ青じろく波だてて行きました。

「わあうなだ喧嘩したんだから又三郎居なぐなったな。」嘉助が怒って云いました。みんなもほんとうにそう思いました。五郎はじつに申し訳ないと思って足の痛いのも忘れてしょんぼり肩をすぼめて立ったのです。

「やっぱりあいつは風の又三郎だったな。」

「二百十日で来たのだな。」

「靴《くつ》はいでだたぞ。」

「服も着でだたぞ。」

「髪赤くておがしやづだったな。」

「ありゃありゃ、又三郎おれの机の上さ石かげ乗せでったぞ。」二年生の子が云いました。見るとその子の机の上には汚ない石かけが乗っていたのです。

「そうだ。ありゃ。あそごのガラスもぶっかしたぞ。」

「そだないでぁ。あいづぁ休み前に嘉一石ぶっつけだのだな。」

「わあい。そだないでぁ。」

と云っていたときこれはまた何という訳《わけ》でしょう。先生が玄関から出て来たのです。先生はぴかぴか光る呼子を右手にもってもう集れの仕度をしているのでしたが、そのすぐうしろから、さっきの赤い髪の子が、まるで権現《ごんげん》さまの尾っぱ持ちのようにすまし込んで白いシャッポをかぶって先生についてすぱすぱとあるいて来たのです。

　みんなはしいんとなってしまいました。やっと一郎が「先生お早うございます。」と云いましたのでみんなもついて「先生お早うございます」と云っただけでした。

「みなさん。お早う。どなたも元気ですね。では並んで。」先生は呼子をビルルと吹きました。それはすぐ谷の向うの山へひびいてまたピルルルと低く戻ってきました。

　すっかりやすみの前の通りだとみんなが思いながら六年生は一人、五年生は七人、四年生は六人、三年生は十二人、組ごとに一列に縦にならびました。

　二年生は八人一年生は四人前へならえをしてならんだのです。するとその間あのおかしな子は何かおかしいのかおもしろいのか奥歯で横っちょに舌を噛《か》むようにしてじろじろみんなを見ながら先生のうしろに立っていたのです。すると先生は、高田さんこっちへおはいりなさいと云いながら四年生の列のところへ連れて行って丈を嘉助とくらべてから嘉助とそのうしろのきよの間へ立たせました。みんなはふりかえってじっとそれを見ていました。先生はまた玄関の前に戻って

前へならえと号令をかけました。

みんなはもう一ぺん前へならえをしてすっかり列をつくりましたがじつはあの変な子がどういう風にしているのか見たくてかわるがわるそっちをふりむいたり横眼でにらんだりしたのでした。するとその子はちゃんと前へならえでもなんでも知ってるらしく平気で両腕を前へ出して指さきを嘉助のせなかへやっと届くくらいにしていたものですから嘉助は何だかせなかがかゆいかくすぐったいという風にもじもじしていました。

「直れ」先生がまた号令をかけました。

「一年から順に前へおい」

そこで一年生はあるき出しまもなく二年も三年もあるき出してみんなの前をぐるっと通って右手の下駄箱《げたばこ》のある入口に入って行きました。四年生があるき出すとさっきの子も嘉助のあとへついて大威張りであるいて行きました。前へ行った子もときどきふりかえって見、あとのものもじっと見ていたのです。

まもなくみんなははきものを下駄箱に入れて教室へ入って、ちょうど外へならんだときのように組ごとに一列に机に座りました。さっきの子もすまし込んで嘉助のうし

ろに座りました。ところがもう大さわぎです。

「わあ、おらの机代ってるぞ。」

「わあ、おらの机さ石かけ入ってるぞ。」

「キッコ、キッコ、うな通信簿持って来たが。おら忘れで来たぢゃあ。」

「わあい、さの、樹ペン貸せ、樹ペン貸せったら。」

「わぁがない。ひとの雑記帳とってって。」

そのとき先生が入って来ましたのでみんなもさわぎながらとにかく立ちあがり一郎がいちばんうしろで
「礼」と云いました。

みんなはおじぎをする間はちょっとしんとなりましたがそれから又がやがやがやがや云いました。

「しずかに、みなさん。しずかにするのです。」先生が云いました。

「叱《し》っ、悦治、やがましったら。嘉助《かすけ》ぇ、喜っこう。わあい。」と一郎が一番うしろからあまりさわぐものを一人ずつ叱《しか》りました。

みんなはしんとなりました。先生が云いました。

「みなさん長い夏のお休みは面白かったですね。みなさんは朝から水泳ぎもできたし林の中で鷹《たか》にも負けないくらい高く叫んだりまた兄さんの草刈りについて上の野原へ行ったりしたでしょう。けれどももう昨日で休みは終りました。これからは第二学期で秋です。むかしから秋は一番からだこころもひきしまって勉強のできる時だといってあるのです。ですから、みなさんも今日から又いっしょにしっかり勉強しましょう。それからこのお休みの間にみなさんのお友達が一人ふえました。それはそこに居る高田さんです。その方のお父さんはこんど会社のご用で上の野原の入り口へおいでになっていられるのです。高田さんはいままでは北海道の学校に居られたのですが今日からみなさんのお友達になるのですから、みなさんは学校で勉強のときも、また栗拾いや魚とりに行くときも高田さんをさそうようにしなければなりません。わかりましたか。わかった人は手をあげてごらんなさい。」

すぐみんなは手をあげました。その高田とよばれた子も勢よく手をあげましたので、ちょっと先生はわらいましたがすぐ、

「わかりましたね、ではよし。」と云いましたのでみんなは火の消えたように一ぺんに手をおろしました。

ところが嘉助がすぐ、「先生。」といってまた手をあげました。

「はい、」先生は嘉助を指さしました。

「高田さん名はなんて云うべな。」

「高田三郎さんです。」

「わあ、うまい、そりゃ、やっぱり又三郎だな。」嘉助はまるで手を叩《たた》いて机の中で踊るようにしましたので、大きな方の子どもらはどっと笑いましたが、三年生から下の子どもらは何か怖いという風にしいんとして三郎の方を見ていたのです。先生はまた云いました。

「今日はみなさんは通信簿と宿題をもってくるのでしたね。持って来た人は机の上へ出してください。私がいま集めに行きますから。」

みんなはばたばた鞄《かばん》をあけたり風呂敷《ふろしき》をといたりして通信簿と宿題帖を机の上に出しました。

そして先生が一年生の方から順にそれを集めはじめました。そのときみんなはぎょっとしました。という訳はみんなのうしろのところにいつか一人の大人が立っていたのです。その人は白いだぶだぶの麻服を着て黒いてかてかした半巾《ハンケチ》をネクタイの代りに首に巻いて手には白い扇をもって軽くじぶんの顔を扇ぎながら少し笑ってみんなを見おろしていたのです。さあみんなはだんだんしぃんとなってまるで堅くなってしまいました。

ところが先生は別にその人を気にかける風もなく順々に通信簿を集めて三郎の席まで行きますと三郎は通信簿も宿題帖もない代りに両手をにぎりこぶしにして二つ机の上にのせていたのです。先生はだまってそこを通りすぎ、みんなのを集めてしまうとそれを両手でそろえながらまた教壇に戻りました。

「では宿題帖はこの次の土曜日に直して渡しますから、今日持って来なかった人は、あしたきっと忘れないで持って来てください。それは悦治さんとコージさんとリョウサクさんとですね。では今日はここまでです。あしたからちゃんといつもの通りの仕度をしてお出でなさい。それから五年生と六年生の人は、先生といっしょに教室のお掃除をしましょう。ではここまで。」

一郎が気を付けと云いみんなは一ぺんに立ちました。うしろの大人も扇を下にさげて立ちました。

「礼。」先生もみんなも礼をしました。うしろの大人も軽く頭を下げました。それからずうっと下の組の子どもらは一目散に教室を飛び出しましたが四年生の子どもらはまだもじもじしていました。

するとさ三郎はさっきのだぶだぶの白い服の人のところへ行きました。先生も教壇を下りてその人のところへ行きました。

「いやどうもご苦労さまでございます。」その大人はていねいに先生に礼をしました。

「じきみんなとお友達になりますから、」先生も礼を返しながら云いました。

「何分どうかよろしくおねがいいたします。それでは。」その人はまたていねいに礼をして眼で三郎に合図すると自分は玄関の方へまわって外へ出て待っていますと三郎はみんなの見ている中を眼をりんとはってだまって昇降口から出て行って追いつき二人は運動場を通って川下の方へ歩いて行きました。

　運動場を出るときその子はこっちをふりむいてじっと学校やみんなの方をにらむようにするとまたすたすた白服の大人について歩いて行きました。

「先生、あの人は高田さんのお父さんすか。」一郎が箒《ほうき》をもちながら先生にききました。

「そうです。」

「何の用で来たべ。」

「上の野原の入口にモリブデンという鉱石ができるので、それをだんだん掘るようにする為《ため》だそうです。」

「どこらあだりだべな。」

「私もまだよくわかりませんが、いつもみなさんが馬をつれて行くみちから少し川下へ寄った方なようです。」

「モリブデン何にするべな。」

「それは鉄とまぜたり薬をつくったりするのだそうです。」

「そだら又三郎も掘るべが。」嘉助が云いました。

「又三郎だなぃ、高田三郎だぢゃ。」佐太郎が云いました。

「又三郎だ又三郎だ。」嘉助が顔をまっ赤にしてがん張りました。

「嘉助、うなも残ってらば掃除してすけろ。」一郎が云いました。

「わぁい。やんたぢゃ。きょう五年生ど六年生だな。」

嘉助は大急ぎで教室をはねだして遁《に》げてしまいました。

風がまた吹いて来て窓ガラスはまたがたがた鳴り雑巾《ぞうきん》を入れたバケツにも小さな黒い波をたてました。

九月二日

次の日一郎はあのおかしな子供が今日からほんとうに学校へ来て本を読んだりするかどうか早く見たいような気がしていつもより早く嘉助をさそいました。ところが嘉助の方は一郎よりもっとそう考えていたと見えてとうにごはんもたべふろしきに包んだ本ももって家の前へ出て一郎を待っていたのでした。二人は途中もいろいろその子のことを談《はな》しながら学校へ来ました。すると運動場には小さな子供らがもう七八人集っていて棒かくしをしていましたがその子はまだ来ていませんでした。また昨日のように教室の中に居るのかと思って中をのぞいて見ましたが教室の中はしいんとして誰《たれ》も居ず黒板の上には昨日掃除のとき雑巾で拭いた痕《あと》が乾いてぼんやり白い縞《しま》になっていました。

「昨日のやつまだ来てないな。」一郎が云いました。

「うん」嘉助も云ってそこらを見まわしました。

一郎はそこで鉄棒の下へ行ってじゃみ上りというやり方で無理やりに鉄棒の上にのぼり両腕をだんだん寄せて右の腕木に行くとそこへ腰掛けて昨日三郎の行った方をじっと見おろして待っていました。谷川はそっちの方へきらきら光ってながれて行きその下の山の上の方では風も吹いているらしくときどき萱《かや》が白く波立っていました。

嘉助もやっぱりその柱の下じっとそっちを見て待っていました。ところが二人はそんなに永く待つこともありませんでした。それは突然又三郎がその下手のみちから灰いろの鞄を右手にかかえて走るようにして出て来たのです。

「来たぞ」と一郎が思わず下に居る嘉助へ叫ぼうとしていますと早くも又三郎はどてをぐるっとまわってどんどん正門を入って来ると

「お早う。」とはっきり云いました。みんなはいっしょにそっちをふり向きましたが一人も返事をしたものがありませんでした。それはみんなは先生にはいつでも「お早うございます」というように習っていたのでしたがお互に「お早う」なんて云ったことがなかったのに又三郎にそう云われても一郎や嘉助はあんまりにわかで又勢がいいのでとうとう臆《おく》せてしまって一郎も嘉助も口の中でお早うというかわりにもにゃもにゃっと云ってしまったのでした。ところが又三郎の方はべつだんそれを苦にする風もなく二三歩又前へ進むとじっと立ってそのまっ黒な眼でぐるっと運動場じゅうを見まわしました。そしてしばらく誰か遊ぶ相手がないかさがしているようでした。けれどもみんなきろきろ又三郎の方は見ていてももじもじしてやはり忙しそうに棒かくしをしたり又三郎の方へ行くものがありませんでした。又三郎はちょっと工合が悪いようにそこにつっ立っていましたが又運動場をもう一度見まわしました。それからぜんたいこの運動場は何間あるかというように正門から玄関まで大股に歩数を数えながら歩きはじめました。一郎は急いで鉄棒をはねおりて嘉助とならんで息をこらしてそれを見ていました。

そのうち又三郎は向うの玄関の前まで行ってしまうとこっちへ向いてしばらく諳算《あんざん》をするように少し首をまげて立っていました。

みんなはやはりきろきろそっちを見ています。又三郎は少し困ったように両手をうしろへ組むと向う側の土手の方へ職員室の前を通って歩きだしました。

その時風がざあっと吹いて来て土手の草はざわざわ波になり運動場のまん中でさあっと塵《ちり》があがりそれが玄関の前まで行くときりきりとまわって小さなつむじ風になって黄いろな塵は瓶《びん》をさかさまにしたような形になって屋根より高くのぼりました。すると嘉助が突然高く云いました。

「そうだ。やっぱりあいづ又三郎だぞ。あいつ何かするときっと風吹いてくるぞ。」

「うん。」一郎はどうだかわからないと思いながらもだまってそっちを見ていました。又三郎はそんなことにはかまわず土手の方へやはりすたすたと歩いて行きます。

そのとき先生がいつものように呼子をもって玄関を出て来たのです。

「お早うございます。」小さな子どもらははせ集りました。

「お早う。」先生はちらっと運動場中を見まわしてから「ではならんで。」と云いながらプルルッと笛を吹きました。

みんなは集ってきて昨日のとおりきちんとならびました。又三郎も昨日云われた所へちゃんと立っています。先生はお日さまがまっ正面なのですこしまぶしそうにしながら号令をだんだんかけてとうとうみんなは昇降口から教室へ入りました。そして礼がすむと先生は

「ではみなさん今日から勉強をはじめましょう。みなさんはちゃんとお道具をもってきましたね。では一年生と二年生の人はお習字のお手本と硯《すずり》と紙を出して、三年生と四年生の人は算術帳と雑記帳と鉛筆を出して五年生と六年生の人は国語の本を出してください。」

さあするとあっちでもこっちでも大さわぎがはじまりました。中にも又三郎のすぐ

横の四年生の机の佐太郎がいきなり手をのばして三年生のかよの鉛筆をひらりととってしまったのです。かよは佐太郎の妹でした。するとかよは
「うわあ兄《あい》な木ペン取ってわかんないな。」と云いながら取り返そうとしますと佐太郎が
「わあこいつおれのだなあ。」と云いながら鉛筆をふところの中へ入れてあとは支那人がおじぎするときのように両手を袖《そで》へ入れて机へぴったり胸をくっつけました。するとかよは立って来て、
「兄な、兄なの木ペンは一昨日《おととい》小屋で無くしてしまったけなあ。よこせったら。」と云いながら一生けん命とり返そうとしましたがどうしてもう佐太郎は机にくっついた大きな蟹《かに》の化石みたいになっているのでとうとうかよは立ったまま口を大きくまげて泣きだしそうになりました。すると又三郎は国語の本をちゃんと机にのせて困ったようにしてこれを見ていましたがかよがとうとうぼろぼろ涙をこぼしたのを見るとだまって右手に持っていた半分ばかりになった鉛筆を佐太郎の眼の前の机に置きました。すると佐太郎はにわかに元気になってむっくり起き上りました。そして、
「呉《く》れる?」と又三郎にききました。又三郎はちょっとまごついたようでしたが覚悟したように「うん」と云いました。すると佐太郎はいきなりわらい出してふところの鉛筆をかよの小さな赤い手に持たせました。

先生は向うで一年生の子の硯に水をついでやったりしていましたし嘉助は又三郎の前ですから知りませんでしたが一郎はこれをいちばんうしろでちゃんと見ていました。

そしてまるで何と云ったらいいかわからない変な気持ちがして歯をきりきり云わせました。

「では三年生のひとはお休みの前にならった引き算をもう一ぺん習ってみましょう。これを勘定してごらんなさい。」先生は黒板に $\begin{array}{r}25\\ \underline{-12}\end{array}$ と書きました。三年生のこどもらはみんな一生けん命にそれを雑記帖にうつしました。かよも頭を雑記帖へくっつけるようにして書いています。「四年生の人はこれを置いて」$\begin{array}{r}17\\ \underline{\times\ 4}\end{array}$ と書きました。四年生は佐太郎をはじめ喜蔵も甲助もみんなそれをうつしました。

「五年生の人は読本の〔一字空白〕頁《ページ》の〔一字不明〕課をひらいて声をたてないで読めるだけ読んでごらんなさい。わからない字は雑記帖へ拾って置くのです。」

五年生もみんな云われたとおりしはじめました。

「一郎さんは読本の〔一字空白〕頁をしらべてやはり知らない字を書き抜いてください。」

それがすむと先生はまた教壇を下りて、一年生と二年生の習字を一人一人見てあるきました。

又三郎は両手で本をちゃんと机の上へもって云われたところを息もつかずじっと読

んでいました。けれども雑記帖へは字を一つも書き抜いていませんでした。それはほんとうに知らない字が一つもないのかたった一本の鉛筆を佐太郎にやってしまったためかどっちともわかりませんでした。

そのうち先生は教壇へ戻って三年生と四年生の算術の計算をして見せてまた新らしい問題を出すと今度は五年生の生徒の雑記帖へ書いた知らない字を黒板へ書いてそれをかなとわけをつけました。そして

「では嘉助さん、ここを読んで」と云いました。嘉助は二三度ひっかかりながら先生に教えられて読みました。

又三郎もだまって聞いていました。先生も本をとってじっと聞いていましたが十行ばかり読むと

「そこまで」と云ってこんどは先生が読みました。

そうして一まわり済むと先生はだんだんみんなの道具をしまわせました。それから

「ではここまで」と云って教壇に立ちますと一郎がうしろで

「気を付けい」と云いました。そして礼がすむとみんな順に外へ出てこんどは外へならばずにみんな別れ別れになって遊びました。

二時間目は一年生から六年生までみんな唱歌でした。そして先生がマンドリンをもって出て来てみんなはいままでに唱《うた》ったのを先生のマンドリンについて五つもうたい

ました。

又三郎もみんな知っていてみんなどんどん歌いました。そしてこの時間は大へん早くたってしまいました。

三時間目になるとこんどは三年生と四年生が国語で五年生と六年生が数学でした。先生はまた黒板へ問題を書いて五年生と六年生に計算させました。しばらくたって一郎が答えを書いてしまうと又三郎の方をちょっと見ました。すると又三郎はどこから出したか小さな消し炭で雑記帖の上へがりがりと大きく運算していたのです。

九月四日、日曜

次の朝空はよく晴れて谷川はさらさら鳴りました。一郎は途中で嘉助と佐太郎と悦治をさそって一緒に三郎のうちの方へ行きました。学校の少し下流で谷川をわたって、それから岸で楊《やなぎ》の枝をみんなで一本ずつ折って青い皮をくるくる剝《は》いで鞭《むち》を拵《こしら》えて手でひゅうひゅう振りながら上の野原への路《みち》をだんだんのぼって行きました。みんなは早くも登りながら息をはあはあしました。

「又三郎ほんとにあそごの湧水まで来て待ぢでるべが。」

「待ぢでるんだ。又三郎偽《うそ》こがなぃもな。」

「ああ暑う、風吹げばいいな。」

「どごがらだが風吹いでるぞ。」

「又三郎吹がせだらべも。」

「何だがお日さんぼゃっとして来たな。」

空に少しばかりの白い雲が出ました。一郎のうちの木小屋の屋根が白く光っています。谷のみんなの家がずうっと下に見え、しばらく路はじめじめして、あたりは見えなくなりました。そして路が林の中に入り、しばらく路はじめじめして、あたりは見えなくなりました。そして間もなくみんなは約束の湧水の近くに来ました。するとそこから「おうい。みんな来たかい。」と三郎の高く叫ぶ声がしました。

みんなはまるでせかせかと走ってのぼりました。向うの曲り角の処《ところ》に又三郎が小さな唇《くちびる》をきっと結んだまま三人のかけ上って来るのを見ていました。三人はやっと三郎の前まで来ました。けれどもあんまり息がはあはあしてすぐには何も云えませんでした。嘉助などはあんまりもどかしいもんですから、空へ向いて「ホッホウ。」と叫んで早く息を吐いてしまおうとしました。すると三郎は大きな声で笑いました。

「ずいぶん待ったぞ。それに今日は雨が降るかもしれないそうだよ。」

「そだら早ぐ行ぐべすさ。おらまんつ水呑《の》んでぐ。」

三人は汗をふいてしゃがんでまっ白な岩からこぼこぼ噴きだす冷たい水を何べんも掬《すく》ってのみました。

「ぼくのうちはここからすぐなんだ。ちょうどあの谷の上あたりなんだ。みんなで帰りに寄ろうねえ。」

「うん。まんつ野原さ行ぐべすさ。」

みんなが又あるきはじめたとき湧水は何かを知らせるようにぐうっと鳴り、そこらの樹もなんだかざあっと鳴ったようでした。

四人は林の裾《すそ》の藪《やぶ》の間を行ったり岩かけの小さく崩れる所を何べんも通ったりしてもう上の原の入口に近くなりました。

みんなはそこまで来ると来た方からまた西の方をながめました。光ったり陰ったり幾通りにも重なったたくさんの丘の向うに川に沿ったほんとうの野原がぼんやり碧《あお》くひろがっているのでした。

「ありゃ、あいづ川だぞ。」

「春日明神《かすがみょうじん》さんの帯のようだな。」又三郎が云いました。

「何のようだど。」一郎がききました。

「春日明神さんの帯のようだ。」

「うな神さんの帯見だごとあるが。」

「ぼく北海道で見たよ。」

みんなは何のことだかわからずだまってしまいました。

ほんとうにそこはもう上の野原の入口で、きれいに刈られた草の中に一本の巨《おお》きな栗の木が立ってその幹は根もとの所がまっ黒に焦げて巨きな洞《ほら》のようになり、その枝には古い縄や、切れたわらじなどがつるしてありました。

「もう少し行ぐづどみんなして草刈ってるぞ。それがら馬の居るどごもあるぞ。」一郎は云いながら先に立って刈った草のなかの一ぽんみちをぐんぐん歩きました。

三郎はその次に立って
「ここには熊居ないから馬をはなして置いてもいいなあ。」と云って歩きました。

しばらく行くとみちばたの大きな楢《なら》の木の下に、縄で編んだ袋が投げ出してあって、沢山の草たばがあっちにもこっちにもころがっていました。

せなかに〔約二字分空白〕をしょった二匹の馬が、一郎を見て、鼻をぷるぷる鳴らしました。

「兄《あい》な、居るが。兄《な》。来たぞ。」一郎は汗を拭いながら叫びました。

「おおい。ああい。其処《そこ》に居ろ。今行ぐぞ。」

ずうっと向うの窪《くぼ》みで、一郎の兄さんの声がしました。

陽がぱっと明るくなり、兄さんがそっちの草の中から笑って出て来ました。

「善《ゆ》ぐ来たな。みんなも連れで来たのが。善ぐ来た。戻りに馬こ連れでてけろな。今日ぁ午《ひる》まがらきっと曇る。俺《おら》もう少し草集めて仕舞《しむ》がらな、うなだ遊ばばあの土手の中さ入ってろ。まだ牧馬の馬二十疋《ぴき》ばかり居るがらな。」

兄さんは向うへ行こうとして、振り向いて又云いました。

「土手がら外さ出はるなよ。迷ってしまうづど危ないがらな。午まになったら又来るがら。」

「うん。土手の中に居るがら。」

そして一郎の兄さんは、行ってしまいました。空にはうすい雲がすっかりかかり、太陽は白い鏡のようになって、雲と反対に馳《は》せました。風が出て来てまだ刈ってない草は一面に波を立てます。一郎はさきにたって小さなみちをまっすぐに行くとまもなくどてになりました。その土手の一とこちぎれたところに二本の丸太の棒を横にわたしてありました。耕助がそれをくぐろうとしますと、嘉助が
「おらこったなもの外せだど」と云いながら片っ方のはじをぬいて下におろしましたのでみんなはそれをはね越えて中へ入りました。向うの少し小高いところにてかてか光る茶いろの馬が七疋ばかり集ってしっぽをゆるやかにばしゃばしゃふっているのです。

「この馬みんな千円以上するづもな。来年がらみんな競馬さも出はるのだっぢゃい。」一郎はそばへ行きながら云いました。

馬はみんないままでさびしくって仕様なかったというように一郎だちの方へ寄ってきました。

そして鼻づらをずうっとのばして何かほしそうにするのです。

「ははあ、塩をけろづのだな。」みんなは云いながら手を出して馬になめさせたりしましたが三郎だけは馬になれていないらしく気味悪そうに手をポケットへ入れてしまいました。

「わあ又三郎馬怖《おっか》ながるぢゃい。」と悦治が云いました。すると三郎は
「怖くなんかないやい。」と云いながらすぐポケットの手を馬の鼻づらへのばしましたが馬が首をのばして舌をべろりと出すとさあっと顔いろを変えてすばやくまた手をポケットへ入れてしまいました。

「わあい、又三郎馬怖ながるぢゃい。」悦治が又云いました。すると三郎はすっかり顔を赤くしてしばらくもじもじしていましたが
「そんなら、みんなで競馬やるか。」と云いました。

競馬ってどうするのかとみんな思いました。

すると三郎は、

「ぼく競馬何べんも見たぞ。けれどもこの馬みんな鞍《くら》がないから乗れないや。みんなで一疋ずつ馬を追ってはじめに向うの、そら、あの巨きな樹のところに着いたものを一等にしよう。」

「そいづ面白いな。」嘉助が云いました。

「叱らえるぞ。牧夫に見っ附らえでがら。」

「大丈夫だよ。競馬に出る馬なんか練習をしていないといけないんだい。」三郎が云いました。

「よしおらこの馬だぞ。」

「おらこの馬だ。」

「そんならぼくはこの馬でもいいや。」

　みんなは楊の枝や萱《かや》の穂でしゅうと云いながら馬を軽く打ちました。ところが馬はちっともびくともしませんでした。やはり下へ首を垂れて草をかいだり首をのばしてそこらのけしきをもっとよく見るというようにしているのです。

　一郎がそこで両手をぴしゃんと打ち合せて、だあと云いました。すると俄《にわ》かに七疋ともまるでたてがみをそろえてかけ出したのです。

「うまぁい。」嘉助ははね上って走りました。けれどもそれはどうも競馬にはならないのでした。第一馬はどこまでも顔をならべて走るのでしたしそれにそんなに競走するくらい早く走るのでもなかったのです。それでもみんなは面白がってだあだと云いながら一生けん命そのあとを追いました。

馬はすこし行くと立ちどまりそうになりました。みんなもすこしはあはあしましたがこらえてまた馬を追いました。するといつか馬はぐるっとさっきの小高いところをまわってさっき四人ではいって来たどての切れた所へ来たのです。

「あ、馬出はる、馬出はる。押えろ、押えろ。」

一郎はまっ青になって叫びました。じっさい馬はどての外へ出たのらしいのでした。どんどん走ってもうさっきの丸太の棒を越えそうになりました。一郎はまるであわてて「どうどうどうどう。」と云いながら一生けん命走って行ってやっとそこへ着いてまるでころぶようにしながら手をひろげたときはもう二疋はもう外へ出ていたのでした。

「早ぐ来て押えろ。早ぐ来て。」一郎は息も切れるように叫びながら丸太棒をもとのようにしました。三人は走って行って急いで丸太をくぐって外へ出ますと、二疋の馬はもう走るでもなくどての外に立って草を口で引っぱって抜くようにしています。「そろそろど押えろよ。そろそろど。」と云いながら一郎は一ぴきのくつわについた札のところをしっかり押えました。嘉助と三郎がもう一疋を押えようとそばへ寄りますと馬はまるで愕《おどろ》いたようにどてへ沿って一目散に南の方へ走ってしまいました。

「兄《あい》な、馬ぁ逃げる、馬ぁ逃げる。兄な。馬逃げる。」とうしろで一郎が一生けん命叫んでいます。三郎と嘉助は一生けん命馬を追いました。

ところが馬はもう今度こそほんとうに遁《に》げるつもりらしかったのです。まるで丈ぐらいある草をわけて高みになったり低くなったりどこまでも走りました。

嘉助はもう足がしびれてしまってどこをどう走っているのかわからなくなりました。

それからまわりがまっ蒼《さお》になって、ぐるぐる廻り、とうとう深い草の中に倒れてしまいました。馬の赤いたてがみとあとを追って行く三郎の白いシャッポが終りにちらっと見えました。

嘉助は、仰向けになって空を見ました。空がまっ白に光って、ぐるぐる廻り、そのこちらを薄い鼠色の雲が、速く速く走っています。そしてカンカン鳴っています。

嘉助はやっと起き上って、せかせか息しながら馬の行った方に歩き出しました。草の中には、今馬と三郎が通った痕《あと》らしく、かすかな路のようなものがありました。嘉助は笑いました。そして、

（ふん、なあに、馬何処《どこ》かで、こわくなってのっこり立ってるさ。）と思いました。

そこで嘉助は、一生懸命それを跡《つ》けて行きました。ところがその路のようなものは、まだ百歩も行かないうちに、おとこえしや、すてきに背の高い薊《あざみ》の中で、二つにも三つにも分れてしまって、どれがどれやら一向わからなくなってしまいました。嘉助は

おういと叫びました。

おうとどこかで三郎が叫んでいるようです。

思い切って、そのまん中のを進みました。けれどもそれも、時々断《き》れたり、馬の歩かないような急な所を横様《よこざま》に過ぎたりするのでした。

空はたいへん暗く重くなり、まわりがぼうっと霞んで来ました。冷たい風が、草を渡りはじめ、もう雲や霧が、切れ切れになって眼の前をぐんぐん通り過ぎて行きました。

（ああ、こいつは悪くなって来た。みんな悪いことはこれから集《たか》ってやって来るのだ。）と嘉助は思いました。全くその通り、俄《にわか》に馬の通った痕は、草の中で無くなってしまいました。

（ああ、悪くなった、悪くなった。）嘉助は胸をどきどきさせました。

草がからだを曲げて、パチパチ云ったり、さらさら鳴ったりしました。霧が殊《こと》に滋《しげ》くなって、着物はすっかりしめってしまいました。

嘉助は咽喉《のど》一杯叫びました。

「一郎、一郎こっちさ来う。」

ところが何の返事も聞えません。黒板から降る白墨の粉のような、暗い冷たい霧の粒が、そこら一面踊りまわり、あたりが俄にシインとして、陰気に陰気になりました。

草からは、もう雫《しずく》の音がポタリポタリと聞えて来ます。

嘉助はもう早く、一郎たちの所へ戻ろうとして急いで引っ返しました。けれどもどうも、それは前に来た所とは違っていたようでした。第一、薊があんまり沢山ありましたし、それに草の底にさっき無かった岩かけが、度々ころがっていました。そしてとうとう聞いたこともない大きな谷が、いきなり眼の前に現われました。すすきが、ざわざわざわっと鳴り、向うの方は底知れずの谷のように、霧の中に消えているではありませんか。

風が来ると、芒《すすき》の穂は細い沢山の手を一ぱいのばして、忙《せわ》しく振って、

「あ、西さん、あ、東さん。あ西さん。あ南さん。あ、西さん。」なんて云っている様でした。

嘉助はあんまり見っともなかったので、目を瞑《つぶ》って横を向きました。そして急いで引っ返しました。小さな黒い道が、いきなり草の中に出て来ました。それは沢山の馬の蹄《ひづめ》の痕で出来上っていたのです。嘉助は、夢中で、短い笑い声をあげて、その道をぐんぐん歩きました。

けれども、たよりのないことは、みちのはばが五寸ぐらいになったり、また三尺ぐらいに変ったり、おまけに何だかぐるっと廻っているように思われました。そして、とうとう、大きなてっぺんの焼けた栗の木の前まで来た時、ぼんやり幾つにも岐《わか》れて

しまいました。

其処《そこ》は多分は、野馬の集まり場所であったでしょう、霧の中に円い広場のように見えたのです。

嘉助はがっかりして、黒い道をまた戻りはじめました。知らない草穂《くさほ》が静かにゆらぎ、少し強い風が来る時は、どこかで何かが合図をしてでも居るように、一面の草が、それ来たっとみなからだを伏せて避けました。

空が光ってキインキインと鳴っています。それからすぐ眼の前の霧の中に、家の形の大きな黒いものがあらわれました。嘉助はしばらく自分の眼を疑って立ちどまっていましたが、やはりどうしても家らしかったので、こわごわもっと近寄って見ますと、それは冷たい大きな黒い岩でした。

空がくるくるくるっと白く揺らぎ、草がバラッと一度に雫《しずく》を払いました。

（間違って原を向う側へ下《お》りれば、又三郎もおれももう死ぬばかりだ）と嘉助は、半分思う様に半分つぶやくようにしました。それから叫びました。

「一郎、一郎、いるが。一郎。」

又明るくなりました。草がみな一斉に悦びの息をします。

「伊佐戸《いさど》の町の、電気工夫の童《わらす》ぁ、山男に手足ぃ縛らえてたふうだ。」といつか誰《たれ》かの話した語《ことば》が、はっきり耳に聞えて来ます。

そして、黒い路が、俄に消えてしまいました。あたりがほんのしばらくしいんとなりました。それから非常に強い風が吹いて来ました。

空が旗のようにぱたぱた光って翻《ひるが》えり、火花がパチパチパチッと燃えました。嘉助はとうとう草の中に倒れてねむってしまいました。

そんなことはみんなどこかの遠いできごとのようでした。

もう又三郎がすぐ眼の前に足を投げだしてだまって空を見あげているのです。いつかいつもの鼠いろの上着の上にガラスのマントを着ているのです。それから光るガラスの靴をはいているのです。

又三郎の肩には栗の樹の影が青く落ちています。又三郎の影はまた青く草に落ちています。そして風がどんどんどんどん吹いているのです。又三郎は笑いもしなければ物も云いません。ただ小さな唇を強そうにきっと結んだまま黙ってそらを見ています。いきなり又三郎はひらっとそらへ飛びあがりました。ガラスのマントがギラギラ光りました。ふと嘉助は眼をひらきました。灰いろの霧が速く速く飛んでいます。

そして馬がすぐ眼の前にのっそりと立っていたのです。その目は嘉助を怖《おそ》れて横の方を向いていました。

嘉助ははね上って馬の名札を押えました。そのうしろから三郎がまるで色のなくなった唇をきっと結んでこっちへ出てきました。嘉助はぶるぶるふるえました。

「おうい。」霧の中から一郎の兄さんの声がしました。雷もごろごろ鳴っています。

「おおい、嘉助。居るが。嘉助。」一郎の声もしました。嘉助はよろこんでとびあがりました。

「おおい。居る、居る。一郎。おおい。」

一郎の兄さんと一郎が、とつぜん、眼の前に立ちました。嘉助は俄かに泣き出しました。

「探したぞ。危ながったぞ。すっかりぬれだな。どう。」一郎の兄さんはなれた手付きで馬の首を抱いてもってきたくつわをすばやく馬のくちにはめました。

「さあ、あべさ。」

「又三郎びっくりしたべぁ。」一郎が三郎に云いました。三郎がだまってやっぱりきっと口を結んでうなずきました。

みんなは一郎の兄さんについて緩《ゆる》い傾斜を、二つ程昇り降りしました。それから、黒い大きな路について、暫《しば》らく歩きました。

稲光が二度ばかり、かすかに白くひらめきました。草を焼く匂《におい》がして、霧の中を煙がほっと流れています。

一郎の兄さんが叫びました。

「おじいさん。居だ、居だ。みんな居だ。」

おじいさんは霧の中に立っていて、

「ああ心配した、心配した。ああ好《え》がった。おお嘉助。寒がべぁ、さあ入れ。」と云いました。嘉助は一郎と同じようにやはりこのおじいさんの孫なようでした。

半分に焼けた大きな栗の木の根もとに、草で作った小さな囲いがあって、チョロチョロ赤い火が燃えていました。

一郎の兄さんは馬を楢の樹につなぎました。

馬もひひんと鳴いています。

「おおむぞやな。な。何ぼが泣いだがな。そのわろは金山掘りのわろだな。さあさあみんな、団子たべろ。喰べろ。な、今こっちを焼ぐがらな。全体何処《どこ》迄《まで》行ってだった。」

「笹長根《ささながね》の下り口だ。」と一郎の兄さんが答えました。

「危ぃがった。危ぃがった。向うさ降りだら馬も人もそれっ切りだったぞ。さあ嘉助。団子喰べろ。このわろもたべろ。さあさあ、こいづも喰べろ。」

「おじいさん。馬置いでくるが。」と一郎の兄さんが云いました。

「うんうん。牧夫来るどまだやがましがらな。したどもも少し待で。又すぐ晴れる。ああ心配した。俺《おら》も虎《とら》こ山の下まで行って見で来た。はあ、まんつ好《え》がった。雨も晴れる。」

「今朝ほんとに天気好《え》がったのにな。」

「うん。又好《ゆ》ぐなるさ。あ、雨漏って来たな。」

一郎の兄さんが出て行きました。天井がガサガサガサガサ云います。おじいさんが、笑いながらそれを見上げました。

兄さんが又はいって来ました。

「おじいさん。明るぐなった。雨ぁ霽《は》れだ。」

「うんうん、そうが。さあみんなよっく火にあだれ、おら又草刈るがらな」

霧がふっと切れました。陽の光がさっと流れて入りました。その太陽は、少し西の方に寄ってかかり、幾片かの蠟《ろう》のような霧が、逃げおくれて仕方なしに光りました。

草からは雫がきらきら落ち、総《すべ》ての葉も茎も花も、今年の終りの陽の光を吸っています。

はるかな西の碧《あお》い野原は、今泣きやんだようにまぶしく笑い、向うの栗の木は、青い後光を放ちました。みんなはもう疲れて一郎をさきに野原をおりました。湧水のところで三郎はやっぱりだまってきっと口を結んだままみんなに別れてじぶんだけお父さんの小屋の方へ帰って行きました。

帰りながら嘉助が云いました。

「あいづやっぱり風の神だぞ。風の神の子っ子だぞ。あそごさ二人して巣食ってるんだぞ。」

「そだなぃよ。」一郎が高く云いました。

九月五日

次の日は朝のうちは雨でしたが、二時間目からだんだん明るくなって三時間目の終りの十分休みにはとうとうすっかりやみ、あちこちに削ったような青ぞらもできて、その下をまっ白な鱗雲《うろこぐも》がどんどん東へ走り、山の萱からも栗の樹からも残りの雲が湯気のように立ちました。

「下《さが》ったら葡萄蔓《ぶどうづる》とりに行がないが。」耕助が嘉助にそっと云いました。

「行ぐ行ぐ。又三郎も行がないが。」嘉助がさそいました。耕助は、

「わあい、あそご又三郎さ教えるやなぃぢゃ。」と云いましたが三郎は知らないで、

「行くよ。ぼくは北海道でもとったぞ。ぼくのお母さんは樽《たる》へ二っつ漬《つ》けたよ。」と云いました。

「葡萄とりにおらも連《つれ》でがないが。」二年生の承吉も云いました。

「わがないぢゃ。うなどさ教えるやなぃぢゃ。おら去年な新らしいどご目附けだぢ

や。」

みんなは学校の済むのが待ち遠しかったのでした。五時間目が終ると、一郎と嘉助が佐太郎と耕助と悦治と又三郎と六人で学校から上流《かみ》の方へ登って行きました。少し行くと一けんの藁《わら》やねの家があって、その前に小さなたばこ畑がありました。たばこの木はもう下の方の葉をつんであるので、その青い茎が林のようにきれいにならんでいかにも面白そうでした。

すると又三郎はいきなり、

「何だい、此《こ》の葉は。」と云いながら葉を一枚むしって一郎に見せました。すると一郎はびっくりして、

「わあ、又三郎、たばごの葉とるづど専売局にうんと叱られるぞ。わあ、又三郎何《な》してとった。」と少し顔いろを悪くして云いました。みんなも口々に云いました。

「わあい。専売局でぁ、この葉一枚ずつ数えで帖面さつけでるだ。おら知らないぞ。」

「おらも知らないぞ。」

「おらも知らないぞ。」みんな口をそろえてはやしました。

すると三郎は顔をまっ赤にして、しばらくそれを振り廻わして何か云おうと考えていましたが、

「おら知らないでとったんだい。」と怒ったように云いました。

みんなは怖そうに、誰《たれ》か見ていないかというように向うの家を見ました。たばこばたけからもうもうとあがる湯気の向うで、その家はしいんとして誰も居たようではありませんでした。

「あの家一年生の小助の家だぢゃい。」嘉助が少しなだめるように云いました。ところが耕助ははじめからじぶんの見附けた葡萄藪《ぶどうやぶ》へ、三郎だのみんなあんまり来て面白くなかったもんですから、意地悪くもいちど三郎に云いました。

「わあ、又三郎なんぼ知らないたってわがないんだぢゃ。わあい、又三郎もどの通りにしてまゆんだであ。」

又三郎は困ったようにしてまたしばらくだまっていましたが、

「そんなら、おいら此処《ここ》へ置いてくからいいや。」と云いながらさっきの木の根もとへそっとその葉を置きました。すると一郎は、

「早くあべ。」と云って先にたってあるきだしましたのでみんなもついて行きましたが、耕助だけはまだ残って、「ほう、おら知らないぞ。ありゃ、又三郎の置いた葉、あすごにあるぢゃい。」なんて云っているのでしたがみんながどんどん歩きだしたので耕助もやっとついて来ました。

みんなは萱の間の小さなみちを山の方へ少しのぼりますと、その南側に向いた窪みに栗の木があちこち立って、下には葡萄がもくもくした大きな藪になっていました。

「ここおれ見っ附だのだがらみんなあんまりとるやないぞ。」耕助が云いました。

するとニ郎は、

「おいら栗の方をとるんだい。」といって石を拾って一つの枝へ投げました。青いいがが一つ落ちました。

又三郎はそれを棒きれで剝《む》いて、まだ白い栗を二つとりました。みんなは葡萄の方へ一生けん命でした。

そのうち耕助がも一つの藪へ行こうと一本の栗の木の下を通りますと、いきなり上から雫が一ぺんにざっと落ちてきましたので、耕助は肩からせなかから水へ入ったようになりました。耕助は愕《おどろ》いて口をあいて上を見ましたら、いつか木の上に又三郎がのぼっていて、なんだか少しわらいながらじぶんも袖ぐちで顔をふいていたのです。

「わあい、又三郎何する。」耕助はうらめしそうに木を見あげました。

「風が吹いたんだい。」又三郎は上でくつくつわらいながら云いました。

耕助は樹の下をはなれてまた別の藪で葡萄をとりはじめました。もう耕助はじぶんでも持てないくらいあちこちへためていて、口も紫いろになってまるで大きく見えました。

「さあ、この位持って戻らないが。」一郎が云いました。

「おら、もっと取ってぐぢゃ。」耕助が云いました。

そのとき耕助はまた頭からつめたい雫をざあっとかぶりました。耕助はまたびっくりしたように木を見上げましたが今度は三郎は樹の上には居ませんでした。けれども樹の向う側に三郎の鼠いろのひじも見えていましたし、くつくつ笑う声もしましたから、耕助はもうすっかり怒ってしまいました。

「わあい又三郎、まだひとさ水掛げだな。」

「風が吹いたんだい。」

みんなはどっと笑いました。

「わあい又三郎、うなそごで木ゆすったけぁなあ。」

みんなはどっとまた笑いました。

するとと耕助はうらめしそうにしばらくだまって三郎の顔を見ながら、

「うあい又三郎汝《うな》などあ世界になくてもいいなあぃ」

すると又三郎はずるそうに笑いました。

「やあ耕助君失敬したねえ。」

耕助は何かもっと別のことを云おうと思いましたがあんまり怒ってしまって考え出すことが出来ませんでしたので又同じように叫びました。

「うあい、うあいだがっ、又三郎、うなみだぃな風など世界中になくてもいいなあ、うわあい」

「失敬したよ。だってあんまりきみもぼくへ意地悪をするもんだから。」又三郎は少し眼をパチパチさせて気の毒そうに云いました。けれども耕助のいかりは仲々解けませんでした。そして三度同じことをくりかえしたのです。

「うわい、又三郎風などあ世界中に無くてもいな、うわい」

するとと又三郎は少し面白くなった様でまたくつくつ笑いだしてたずねました。

「風が世界中に無くってもいいってどう云うんだい。いいと箇条をたてていってごらん、そら」又三郎は先生みたいな顔つきをして指を一本だしました。耕助は試験の様だしつまらないことになったと思って大へん口惜《くや》しかったのですが仕方なくしばらく考えてから云いました。

「汝《うな》など悪戯《いたずら》ばりさな、傘ぶっ壊《か》したり。」

「それからそれから」三郎は面白そうに一足進んで云いました。

「それがら樹折ったり転覆《おっけぁ》したりさな」

「それから、それからどうだい」

「家もぶっ壊《か》さな。」

「それからそれから、あとはどうだい」

「あかしも消さな、」

「それから、あとは？　それからあとは？　どうだい」

「シャップもとばさな」

「それから？　それからあとは？　あとはどうだい。」

「笠もとばさな。」

「それからそれから」

「それがら　うう電信ばしらも倒さな」

「それから？　それから？　それから？」

「それがら屋根もとばさな」

「アアハハハ屋根は家のうちだい。どうだいまだあるかい。それから、それから？」

「それだがら、うう、それだがらラムプも消さな。」

「アハアハハハハ、ラムプはあかしのうちだい。けれどそれだけかい。え、おい。それから？　それからそれから。」

耕助はつまってしまいました。大抵もう云ってしまったのですからいくら考えてももう出ませんのでした。又三郎はいよいよ面白そうに指を一本立てながら
「それから？　それから？　ええ？　それから？」と云うのでした。

耕助は顔を赤くしてしばらく考えてからやっと答えました、

「風車もぶっ壊《か》さな」

すると又三郎はこんどこそはまるで飛び上って笑ってしまいました。みんなも笑い

ました。笑って笑って笑いました。

　又三郎はやっと笑うのをやめて云いました。

「そらごらんとうとう風車などを云っちゃったろう。風車なら風を悪く思っちゃいないんだよ、勿論《もちろん》時々こわすこともあるけれども、廻してやる時の方がずっと多いんだ。風車ならちっとも風を悪く思っていないんだ。それに第一お前のさっきからの数えようはあんまりおかしいや。うう、うう、ばかり云ったんだろう。おしまいにとうとう風車なんか数えちゃった。ああおかしい」三郎は又泪《なみだ》の出るほど笑いました。耕助もさっきからあんまり困ったために怒っていたのもだんだん忘れて来ました、そしてつい又三郎と一しょに笑い出してしまったのです、すると又三郎もすっかりきげんを直して、

「耕助君、いたずらをして済まなかったよ」と云いました。

「さあそれでぁ行ぐべな。」と一郎は云いながら又三郎にぶどうを五ふさばかりくれました。又三郎は白い栗をみんなに二つずつ分けました。そしてみんなは下のみちまでいっしょに下りてあとはめいめいのうちへ帰ったのです。

九月七日

次の朝は霧がじめじめ降って学校のうしろの山もぼんやりしか見えませんでした。ところが今日も二時間目ころからだんだん晴れて間もなく空はまっ青になり日はかんかん照ってお午《ひる》になって三年生から下が下ってしまうとまるで夏のように暑くなってしまいました。

ひるすぎは先生もたびたび教壇で汗を拭き、四年生の習字も五年生六年生の図画もまるでむし暑くて書きながらうとうとするのでした。

授業が済むとみんなはすぐ川下の方へそろって出掛けました。嘉助が

「又三郎水泳びに行がなぃが。小さいやづど今ころみんな行ってるぞ。」と云いましたので又三郎もついて行きました。

そこはこの前上の野原へ行ったところよりもも少し下流で右の方からも一つの谷川がはいって来て少し広い河原になりすぐ下流は巨《おお》きなさいかちの樹の生えた崖《がけ》になっているのでした。

「おおい。」とさきに来ているこどもらがはだかで両手をあげて叫びました。一郎やみんなは、河原のねむの樹の間をまるで徒競走のように走っていきなりきものをぬぐ

とすぐどぶんどぶんと水に飛び込んで両足をかわるがわる曲げてだぁんだぁんと水をたたくようにしながら斜めにならんで向う岸へ泳ぎはじめました。

前に居たこどもらもあとから追い付いて泳ぎはじめました。

又三郎もきものをぬいでみんなのあとから泳ぎはじめましたが、途中で声をあげてわらいました。

すると向う岸についた一郎が髪をあざらしのようにして唇を紫にしてわくわくふるえながら、

「わあ又三郎、何《な》してわらった。」と云いました。又三郎はやはりふるえながら水からあがって

「この川冷たいなあ。」と云いました。

「又三郎何してわらった?」一郎はまたききました。

「おまえたちの泳ぎ方はおかしいや。なぜ足をだぶだぶ鳴らすんだい。」と云いながらまた笑いました。

「うわあい、」と一郎は云いましたが何だかきまりが悪くなったように

「石取りさなぃが。」と云いながら白い円い石をひろいました。

「するする」こどもらがみんな叫びました。

おれそれでぁあの木の上がら落すがらな。と一郎は云いながら崖の中ごろから出て

いるさいかちの木へするする昇って行きました。そして
「さあ落すぞ、一二三。」と云いながら、その白い石をどぶーん、と淵《ふち》へ落しました。

みんなはわれ勝に岸からまっさかさまに水にとび込んで青白いらっこのような形をして底へ潜ってその石をとろうとしました。けれどもみんな底まで行かないに息がつまって浮びだして来て、かわるがわるふうとそらへ霧をふきました。

又三郎はじっとみんなのするのを見ていましたが、みんなが浮んできてからじぶんもどぶんとはいって行きました。けれどもやっぱり底まで届かずに浮いてきたのでみんなはどっと笑いました。そのとき向うの河原のねむの木のところを大人が四人、肌ぬぎになったり網をもったりしてこっちへ来るのでした。

するとー郎は木の上でまるで声をひくくしてみんなに叫びました。

「おお、発破《はっぱ》だぞ。知らないふりしてろ。石とりやめで早ぐみんな下流《しも》ささがれ。」

そこでみんなは、なるべくそっちを見ないふりをしながらいっしょに下流の方へ泳ぎました。一郎は、木の上で手を額にあてて、もう一度よく見きわめてから、どぶんと逆《さか》さまに淵へ飛びこみました。それから水を潜《くぐ》って、一ぺんにみんなへ追いついたのです。

みんなは、淵の下流の、瀬になったところに立ちました。

「知らないふりして遊んでろ。みんな。」一郎が云いました。みんなは、砥石《といし》をひろ

ったり、せきれいを追ったりして、発破のことなぞ、すこしも気がつかないふりをしていました。

　すると向うの淵の岸では、下流の坑夫をしていた庄助が、しばらくあちこち見まわしてから、いきなりあぐらをかいて、砂利の上へ座ってしまいました。それからゆっくり、腰からたばこ入れをとって、きせるをくわえて、ぱくぱく煙をふきだしました。奇体《きたい》だと思っていましたら、また腹かけから、何か出しました。

「発破だぞ、発破だぞ。」とみんな叫びました。一郎は手をふってそれをとめました。庄助は、きせるの火を、しずかにそれへうつしました。うしろに居た一人は、すぐ水に入って、網をかまえました。庄助は、まるで落ちついて、立って一あし水にはいると、すぐその持ったものを、さいかちの木の下のところへ投げこみました。するとまもなく、ぼぉというようなひどい音がして、水はむくっと盛りあがり、それからしばらく、そこらあたりがきぃんと鳴りました。向うの大人たちは、みんな水へ入りました。

「さあ、流れて来るぞ。みんなとれ。」と一郎が云いました。まもなく、耕助は小指ぐらいの茶いろなかじかが、横向きになって流れて来たのをつかみましたしそのうしろでは嘉助が、まるで瓜《うり》をすするときのような声を出しました。それは六寸ぐらいある鮒《ふな》をとって、顔をまっ赤にしてよろこんでいたのです。それからみんなとってわあわあよろこびました。

「だまってろ、だまってろ。」一郎が云いました。

そのとき、向うの白い河原を、肌ぬぎになったり、シャツだけ着たりした大人が、五六人かけて来ました。そのうしろからは、ちょうど活動写真のように、一人の網シャツを着た人が、はだか馬に乗って、まっしぐらに走って来ました。みんな発破の音を聞いて、見に来たのです。

庄助は、しばらく腕を組んでみんなのとるのを見ていましたが、

「さっぱり居ないな。」と云いました。すると又三郎がいつの間にか庄助のそばへ行っていました。

そして中位の鮒を二疋、「魚返すよ。」と云って河原へ投げるように置きました。すると庄助が
「なんだこの童《わらす》ぁ、きたいなやづだな。」と云いながらじろじろ又三郎を見ました。

又三郎はだまってこっちへ帰ってきました。庄助は変な顔をしてみています。みんなはどっとわらいました。

庄助はだまって、また上流《かみ》へ歩きだしました。ほかのおとなたちもついて行き網シャツの人は、馬に乗って、またかけて行きました。耕助が泳いで行って三郎の置いて来た魚を持ってきました。みんなはそこでまたわらいました。

「発破かけだら、雑魚《ざこ》撒かせ。」嘉助が、河原の砂っぱの上で、ぴょんぴょんはねながら、高く叫びました。

みんなは、とった魚を、石で囲んで、小さな生洲《いけす》をこしらえて、生き返っても、もう遁《に》げて行かないようにして、また上流のさいかちの樹へのぼりはじめました。ほんとうに暑くなって、ねむの木もまるで夏のようにぐったり見えましたし、空もまるで、底なしの淵のようになりました。

そのころ誰《たれ》かが、

「あ、生洲、打壊《ぶっこわ》すとこだぞ。」と叫びました。見ると、一人の変に鼻の尖《とが》った、洋服を着てわらじをはいた人が、手にはステッキみたいなものをもって、みんなの魚を、ぐちゃぐちゃ掻《か》きまわしているのでした。

「あ、あいづ専売局だぞ。専売局だぞ。」佐太郎が云いました。

「又三郎、うなのとった煙草の葉めっけたんだぞ。うな、連れでぐさ来たぞ。」嘉助が云いました。

「何だい、こわくないや。」又三郎はきっと口をかんで云いました。

「みんな又三郎のごと囲んでろ囲んでろ。」と一郎が云いました。

そこでみんなは又三郎をさいかちの樹のいちばん中の枝に置いてまわりの枝にすっかり腰かけました。

その男はこっちへびちゃびちゃ岸をあるいて来ました。

「来た来た来た来た来たっ。」とみんなは息をころしました。ところがその男は、別に又三郎をつかまえる風でもなくみんなの前を通りこしてそれから淵のすぐ上流《かみ》の浅瀬をわたろうとしました。それもすぐに河をわたるでもなく、いかにもわらじや脚絆《きゃはん》の汚なくなったのを、そのまま洗うというふうに、もう何べんも行ったり来たりするもんですから、みんなはだんだん怖くなくなりましたがその代り気持ちが悪くなってきました。そこで、とうとう、一郎が云いました。

「お、おれ先に叫ぶから、みんなあとから、一二三で叫ぶこだ。いいか。

あんまり川を濁すなよ、

いつでも先生《せんせ》云うでないか。一、二い、三。」

「あんまり川を濁すなよ、

いつでも先生云うでないか。」

その人は、びっくりしてこっちを見ましたけれども、何を云ったのか、よくわからないというようすでした。そこでみんなはまた云いました。

「あんまり川を濁すなよ、

いつでも先生、云うでないか。」

鼻の尖った人は、すぱすぱと、煙草を吸うときのような口つきで云いました。

「この水呑むのか、ここらでは。」

「あんまり川をにごすなよ、
いつでも先生云うでないか。」

鼻の尖った人は、少し困ったようにして、また云いました。

「川をあるいてわるいのか。」

「あんまり川をにごすなよ、
いつでも先生云うでないか。」

その人は、あわてたのをごまかすように、わざとゆっくり、川をわたって、それから、アルプスの探険みたいな姿勢をとりながら、青い粘土と赤砂利の崖《がけ》をななめにのぼって、崖の上のたばこ畠《ばたけ》へはいってしまいました。

するとと又三郎は、

「何だいぼくを連れにきたんじゃないや」と云いながらまっ先にどぶんと淵へとび込みました。

みんなも何だかその男も又三郎も気の毒なような、おかしながらんとした気持ちになりながら、一人ずつ木からはね下りて、河原に泳ぎついて、魚を手拭につつんだり、手にもったりして、家《うち》に帰りました。

九月八日

次の朝授業の前みんなが運動場で鉄棒にぶら下ったり棒かくしをしたりしていますと、少し遅れて佐太郎が何かを入れた笊《ざる》をそっと抱えてやって来ました。「何だ。何だ。何だ。」とすぐみんな走って行ってのぞき込みました。すると佐太郎は袖でそれをかくすようにして急いで学校の裏の岩穴のところへ行きました。そしてみんなはいよいよあとを追って行きました。一郎がそれをのぞくと思わず顔いろを変えました。それは魚の毒もみにつかう山椒《さんしょう》の粉で、それを使うと発破と同じように巡査に押えられるのでした。ところが佐太郎はそれを岩穴の横の萱《かや》の中へかくして、知らない顔をして運動場へ帰りました。

そこでみんなはひそひそ時間になるまでひそひそその話ばかりしていました。

その日も十時ごろからやっぱり昨日のように暑くなりました。みんなはもう授業の済むのばかり待っていました。二時になって五時間目が終ると、もうみんな一目散に飛びだしました。佐太郎も又笊をそっと袖でかくして耕助だのみんなに囲まれて河原へ行きました。又三郎は嘉助と行きました。みんなは町の祭のときの瓦斯《ガス》のような匂《におい》のむっとする、ねむの河原を急いで抜けて、いつものさいかち淵に着きました。すっかり夏のような立派な雲の峰が、東でむくむく盛りあがり、さいかちの木は青く光って見えました。

みんな急いで着物をぬいで、淵の岸に立つと、佐太郎が一郎の顔を見ながら云いました。

「ちゃんと一列にならべ。いいか。魚浮いて来たら、泳いで行ってとれ。とった位与《や》るぞ。いいか。」

小さなこどもらは、よろこんで顔を赤くして、押しあったりしながら、ぞろっと淵を囲みました。ぺ吉だの三四人は、もう泳いで、さいかちの木の下まで行って待っていました。

佐太郎、大威張りで、上流《かみ》の瀬に行って笊をじゃぶじゃぶ水で洗いました。みんなしぃんとして、水をみつめて立っていました。又三郎は水を見ないで、向うの雲の峰の上を通る黒い鳥を見ていました。一郎も河原に座って石をこちこち叩いていました。

ところが、それからよほどたっても、魚は浮いて来ませんでした。

佐太郎は大へんまじめな顔で、きちんと立って水を見ていました。昨日発破をかけたときなら、もう十疋もとっていたんだと、みんなは思いました。またずいぶんしばらくみんなしぃんとして待ちました。けれどもやっぱり、魚は一ぴきも浮いて来ませんでした。

「さっぱり魚、浮《うか》ばなぃな。」耕助が叫びました。佐太郎はびくっとしましたけれども、まだ一しんに水を見ていました。

「魚さっぱり浮ばなぃな。」ぺ吉が、また向うの木の下で云いました。するともうみんなは、がやがや云い出して、みんな水に飛び込んでしまいました。

佐太郎は、しばらくきまり悪そうに、しゃがんで水を見ていましたけれど、とうとう立って、

「鬼っこしないか。」と云った。

「する、する。」みんなは叫んで、じゃんけんをするために、水の中から手を出しました。泳いでいたものは、急いでせいの立つところまで行って手を出しました。一郎も河原から来て手を出しました。そして一郎は、はじめに、昨日あの変な鼻の尖った人の上《のぼ》って行った崖の下の、青いぬるぬるした粘土のところを根っこにきめました。そこに取りついていれば、鬼は押えることができないというのでした。それから、はさみ無しの一人まけかちで、じゃんけんをしました。ところが、悦治はひとりはさみを出したので、みんなにうんとはやされたほかに鬼になった。悦治は、唇を紫いろにして、河原を走って、喜作を押えたので、鬼は二人になりました。それからみんなは、砂っぱの上や淵を、あっちへ行ったり、こっちへ来たり、押えたり押えられたり、何べんも鬼っこをしました。

しまいにとうとう、又三郎一人が鬼になりました。又三郎はまもなく吉郎《きちろう》をつかまえました。みんなはさいかちの木の下に居てそれを見ていました。すると又三郎が、「吉郎君、きみは上流《かみ》から追って来るんだよ、いいか。」と云いながら、じぶんはだまって立って見ていました。吉郎は、口をあいて手をひろげて、上流から粘土の上を追って来ました。みんなは淵へ飛び込む仕度をしました。一郎は楊《やなぎ》の木にのぼりました。そのとき吉郎が、あの上流の粘土が、足についていたためにみんなの前ですべってころんでしまいました。みんなは、わああ叫んで、吉郎をはねこえたり、水に入ったりして、上流の青い粘土の根に上ってしまいました。

「又三郎、来《こ》。」嘉助は立って、口を大きくあいて、手をひろげて、又三郎をばかにしました。すると又三郎はさっきからよっぽど怒っていたと見えて、

「ようし、見ていろよ。」と云いながら、本気になって、ざぶんと水に飛び込んで、一生けん命、そっちの方へ泳いで行きました。

又三郎の髪の毛が赤くてばしゃばしゃしているのにあんまり永く水につかって唇もすこし紫いろなので子どもらは、すっかり恐がってしまいました。第一、その粘土のところはせまくて、みんながはいれなかったのにそれに大へんつるつるすべる坂になっていましたから、下の方の四五人などは、上の人につかまるようにして、やっと川

へすべり落ちるのをふせいでいたのでした。一郎だけが、いちばん上で落ち着いて、さあ、みんな、とか何とか相談らしいことをはじめました。みんなもそこで、頭をあつめて聞いています。又三郎は、ぼちゃぼちゃ、もう近くまで行きました。みんなは、ひそひそはなしています。するとまた又三郎は、いきなり両手で、みんなへ水をかけ出した。みんながばたばた防いでいましたら、だんだん粘土がすべって来て、なんだかすこうし下へずれたようになりました。又三郎はよろこんで、いよいよ水をはねとばしました。するとみんなは、ぼちゃんぼちゃんと一度に水にすべって落ちました。又三郎は、それを片っぱしからつかまえました。一郎もつかまりました。嘉助がひとり、上をまわって泳いで遁げましたら、又三郎はすぐに追い付いて、押えたほかに、腕をつかんで、四五へんぐるぐる引っぱりまわしました。嘉助は、水を呑んだと見えて、霧をふいて、ごほごほむせて、

「おいらもうやめた。こんな鬼っこもうしない。」と云いました。小さな子どもらはみんな砂利に上ってしまいました。又三郎は、ひとりさいかちの樹の下に立ちました。

ところが、そのときはもう、そらがいっぱいの黒い雲で、楊も変に白っぽくなり、山の草はしんしんとくらくなりそこらは何とも云われない、恐ろしい景色にかわっていました。

そのうちに、いきなり上の野原のあたりで、ごろごろごろと雷が鳴り出しました。

と思うと、まるで山つなみのような音がして、一ぺんに夕立がやって来ました。風までひゅうひゅう吹きだしました。淵の水には、大きなぶちぶちがたくさんできて、水だか石だかわからなくなってしまいました。みんなは河原から着物をかかえて、ねむの木の下へ遁げこみました。すると又三郎も何だかはじめて怖くなったと見えてさいかちの木の下からどぼんと水へはいってみんなの方へ泳ぎだしました。すると、誰《たれ》ともなく、

「雨はざっこざっこ雨三郎
風はどっこどっこ又三郎」

と叫んだものがありました。みんなもすぐ声をそろえて叫びました。

「雨はざっこざっこ雨三郎
風はどっこどっこ又三郎」

するとまた又三郎はまるであわてて、何かに足をひっぱられるように淵からとびあがって一目散にみんなのところに走ってきてがたがたふるえながら

「いま叫んだのはおまえらだちかい。」とききました。

「そでない、そでない。」みんなは一しょに叫びました。ぺ吉がまた一人出て来て、

「そでない。」と云いました。又三郎は、気味悪そうに川のほうを見ていましたが色のあせた唇をいつものようにきっと噛んで

「何だい。」と云いましたが、からだはやはりがくがくふるっていました。そしてみんなは雨のはれ間を待ってめいめいのうちへ帰ったのです。

九月十二日、第十二日

「どっどど　どどうど　どどうど　どどう
青いくるみも、吹きとばせ
すっぱいかりんも吹きとばせ
どっどど　どどうど　どどうど　どどう
どっどど　どどうど　どどうど　どどう」

先頃《せんころ》又三郎から聞いたばかりのあの歌を一郎は夢の中で又きいたのです。びっくりして跳ね起きて見ると外ではほんとうにひどく風が吹いて林はまるで咆《ほ》えるよう、あけがた近くの青ぐろい、うすあかりが障子や棚の上の提灯箱《ちょうちんばこ》や家中一ぱいでした。一郎はすばやく帯をしてそして下駄《げた》をはいて土間を下り馬屋の前を通って潜《くぐ》りをあけましたら風がつめたい雨の粒と一緒にどっと入って来ました。

馬屋のうしろの方で何か戸がばたっと倒れ馬はぶるるっと鼻を鳴らしました。一郎は風が胸の底まで滲《し》み込んだように思ってはあと強く息を吐きました。そして外へかけだしました。外はもうよほど明るく土はぬれて居りました。家の前の栗の樹の列は変に青く白く見えてそれがまるで風と雨とで今洗濯をするとでも云う様に烈《はげ》しくもまれていました。青い葉も幾枚も吹き飛ばされ、ちぎられた青い栗のいがは黒い地面にたくさん落ちていました。空では雲がけわしい灰色に光りどんどんどんどん北の方へ吹きとばされていました。遠くの方の林はまるで海が荒れているようにごとんごとんと鳴ったりざっと聞えたりするのでした。一郎は顔いっぱいに冷たい雨の粒を投げつけられ風に着物をもって行かれそうになりながらだまってその音をききすましじっと空を見上げました。

するとすると胸がさらさらと波をたてるように思いました。けれども又じっとその鳴って吠《ほ》えてうなってかけて行く風をみていますと今度は胸がどかどかなってくるのでした。昨日まで丘や野原の空の底に澄みきってしんとしていた風が今朝夜あけ方俄かに一斉に斯《こ》う動き出してどんどんどんどんタスカロラ海床の北のはじをめがけて行くことを考えますともう一郎は顔がほてり息もはあ、はあ、なって自分までが一緒に空を翔《か》けて行くような気持ちになって胸を一ぱいはって息をふっと吹きました。

「ああひで風だ。今日はたばこも粟《あわ》もすっかりやらえる。」と一郎のおじいさんが潜《くぐ》りのところに立ってじっと空を見ています。一郎は急いで井戸からバケツに水を一ぱい汲んで台所をぐんぐん拭きました。それから金だらいを出して顔をぶるぶる洗うと、戸棚から冷たいごはんと味噌《みそ》をだして、まるで夢中でざくざく喰べました。

「一郎、いまお汁《つけ》できるから少し待ってだらよ。何《な》して今朝そったに早く学校へ行がないやないがべ。」

お母さんは馬にやる〔一字空白〕を煮るかまどに木を入れながらききました。

「うん。又三郎は飛んでったがも知れないもや。」

「又三郎って何だてや。鳥こだてが。」

「うん又三郎って云うやづよ。」一郎は急いでごはんをしまうと椀をこちこち洗って、それから台所の釘にかけてある油合羽《あぶらがっぱ》を着て下駄はもってはだしで嘉助をさそいに行きました。嘉助はまだ起きたばかりで
「いまごはんだべて行ぐがら。」と云いましたので一郎はしばらくうまやの前で待っていました。

まもなく嘉助は小さい簑《みの》を着て出てきました。

烈しい風と雨にぐしょぬれになりながら二人はやっと学校へ来ました。昇降口からはいって行きますと教室はまだしいんとしていましたがところどころの窓のすきまから雨が板にはいって板はまるでざぶざぶしていました。一郎はしばらく教室を見まわ

してから「嘉助、二人して水掃ぐべな。」と云ってしゅろ箒をもって来て水を窓の下の孔へはき寄せていました。

するともう誰《たれ》か来たのかというように奥から先生が出てきましたがふしぎなことは先生があたり前の単衣《ひとえ》をきて赤いうちわをもっているのです。

「たいへん早いですね。あなた方二人で教室の掃除をしているのですか。」先生がききました。

「先生お早うございます。」一郎が云いました。

「先生お早うございます。」嘉助も云いましたが、すぐ
「先生、又三郎今日来るのすか。」とききました。

先生はちょっと考えて
「又三郎って高田さんですか。ええ、高田さんは昨日お父さんといっしょにもう外《ほか》へ行きました。日曜なのでみなさんにご挨拶《あいさつ》するひまがなかったのです。」

「先生飛んで行ったのすか。」嘉助がききました。

「いいえ、お父さんが会社から電報で呼ばれたのです。お父さんはもいちどちょっとこっちへ戻られるそうですが高田さんはやっぱり向うの学校に入るのだそうです。向うにはお母さんも居られるのですから。」

「何《な》して会社で呼ばったべす。」一郎がききました。

「ここのモリブデンの鉱脈は当分手をつけないことになった為なそうです。」

「そうだなぃな。やっぱりあいづは風の又三郎だったな。」

嘉助が高く叫びました。宿直室の方で何かごとごと鳴る音がしました。先生は赤いうちわをもって急いでそっちへ行きました。

二人はしばらくだまったまま相手がほんとうにどう思っているか探るように顔を見合せたまま立ちました。

風はまだやまず、窓がらすは雨つぶのために曇りながらまだがたがた鳴りました。

虔十公園林

けんじゅうこうえんりん

した。

虔十《けんじゅう》はいつも縄の帯をしめてわらって杜《もり》の中や畑の間をゆっくりあるいているのでした。

雨の中の青い藪《やぶ》を見てはよろこんで目をパチパチさせ青ぞらをどこまでも翔《か》けて行く鷹《たか》を見付けてははねあがって手をたたいてみんなに知らせました。

けれどもあんまり子供らが虔十をばかにして笑うものですから虔十はだんだん笑わないふりをするようになりました。

風がどうと吹いてぶなの葉がチラチラ光るときなどは虔十はもううれしくてうれしくてひとりでに笑えて仕方ないのを、無理やり大きく口をあき、はあはあ息だけついてごまかしながらいつまでもいつまでもそのぶなの木を見上げて立っているのでした。

時にはその大きくあいた口の横わきをさも痒《かゆ》いようなふりをして指でこすりながらはあはあ息だけで笑いました。

なるほど遠くから見ると虔十は口の横わきを掻《か》いているか或《あ》いは欠伸《あくび》でもしているかのように見えましたが近くではもちろん笑っている息の音も聞えましたし唇《くちびる》がピクピク動いているのもわかりましたから子供らはやっぱりそれもばかにして笑いました。

おっかさんに云《い》いつけられると虔十は水を五百杯でも汲《く》みました。一日一杯畑の草もとりました。けれども虔十のおっかさんもおとうさんも仲々そんなことを虔十に云いつけようとはしませんでした。

　さて、虔十の家のうしろに丁度《ちょうど》大きな運動場ぐらいの野原がまだ畑にならないで残っていました。

　ある年、山がまだ雪でまっ白く野原には新らしい草も芽を出さない時、虔十はいきなり田打ちをしていた家の人達の前に走って来て云いました。

「お母《があ》、おらさ杉苗七百本、買って呉《け》ろ。」

　虔十のおっかさんはきらきらの三本鍬《さんぼんぐわ》を動かすのをやめてじっと虔十の顔を見て云いました。

「杉苗七百ど、どごさ植ぇらぃ。」

「家のうしろの野原さ。」

　そのとき虔十の兄さんが云いました。

「虔十、あそごは杉植ぇでも成長《おが》らなぃ処《ところ》だ。それより少し田でも打って助《す》けろ。」

　虔十はきまり悪そうにもじもじして下を向いてしまいました。

　すると虔十のお父さんが向うで汗を拭《ふ》きながらからだを延ばして
「買ってやれ、買ってやれ。虔十ぁ今まで何一つだて頼んだごとぁ無ぃがったもの。買ってやれ。」と云いましたので虔十のお母さんも安心したように笑いました。

虔十はまるでよろこんですぐにまっすぐに家の方へ走りました。

そして納屋から唐鍬《とうぐわ》を持ち出してぽくりぽくりと芝を起して杉苗を植える穴を掘りはじめました。

虔十の兄さんがあとを追って来てそれを見て云いました。

「虔十、杉ぁ植る時、掘らないばわがなぃんだじゃ。明日まで待て。おれ、苗買って来てやるがら。」

虔十はきまり悪そうに鍬を置きました。

次の日、空はよく晴れて山の雪はまっ白に光りひばりは高く高くのぼってチーチクチーチクやりました。そして虔十はまるでこらえ切れないようににこにこ笑って兄さんに教えられたように今度は北の方の堺《さかい》から杉苗の穴を掘りはじめました。実にまっすぐに実に間隔正しくそれを掘ったのでした。虔十の兄さんがそこへ一本ずつ苗を植えて行きました。

その時野原の北側に畑を有《も》っている平二がきせるをくわえてふところ手をして寒そうに肩をすぼめてやって来ました。平二は百姓も少しはしていましたが実はもっと別の、人にいやがられるようなことも仕事にしていました。平二は虔十に云いました。

「やぃ。虔十、此処《ここ》さ杉植るなんてやっぱり馬鹿だな。第一おらの畑ぁ日影にならな。」

虔十は顔を赤くして何か云いたそうにしましたが云えないでもじもじしました。

するとで虔十の兄さんが、

「平二さん、お早うがす。」と云って向うに立ちあがりましたので平二はぶつぶつ云いながら又のっそりと向うへ行ってしまいました。

その芝原へ杉を植えることを嘲笑《わら》ったものは決して平二だけではありませんでした。あんな処に杉など育つものでもない、底は硬い粘土なんだ、やっぱり馬鹿は馬鹿だとみんなが云って居りました。

それは全くその通りでした。杉は五年までは緑いろの心《しん》がまっすぐに空の方へ延びて行きましたがもうそれからはだんだん頭が円く変って七年目も八年目もやっぱり丈が九尺ぐらいでした。

ある朝虔十が林の前に立っていますとひとりの百姓が冗談に云いました。

「おおい、虔十。あの杉ぁ枝打ぢさなぃのか。」

「枝打ぢていうのは何だぃ。」

「枝打ぢつのは下の方の枝山刀で落すのさ。」

「おらも枝打ぢするべがな。」

虔十は走って行って山刀を持って来ました。

そして片っぱしからぱちぱち杉の下枝を払いはじめました。ところがただ九尺の杉ですから虔十は少しからだをまげて杉の木の下にくぐらなければなりませんでした。

夕方になったときはどの木も上の方の枝をただ三四本ぐらいずつ残してあとはすっかり払い落されていました。

濃い緑いろの枝はいちめんに下草を埋めその小さな林はあかるくがらんとなってしまいました。

虔十は一ぺんにあんまりがらんとなったのでなんだか気持ちが悪くて胸が痛いように思いました。

そこへ丁度虔十の兄さんが畑から帰ってやって来ましたが林を見て思わず笑いました。そしてぼんやり立ってゐる虔十にきげんよく云いました。

「おう、枝集めべ、いい焚《た》ぎものうんと出来だ。林も立派になったな。」

そこで虔十もやっと安心して兄さんと一緒に杉の木の下にくぐって落した枝をすっかり集めました。

下草はみじかくて奇麗でまるで仙人たちが碁《ご》でもうつ処のように見えました。

ところが次の日虔十は納屋で虫喰い大豆《まめ》を拾っていましたら林の方でそれはそれは大さわぎが聞えました。

あっちでもこっちでも号令をかける声ラッパのまね、足ぶみの音それからまるでそこら中の鳥も飛びあがるようなどっと起るわらい声、虔十はびっくりしてそっちへ行って見ました。

するとぢろいたことは学校帰りの子供らが五十人も集って一列になって歩調をそろえてその杉の木の間を行進しているのでした。

全く杉の列はどこを通っても並木道のようでした。それに青い服を着たような杉の木の方も列を組んであるいているように見えるのですから子供らのよろこび加減と云ったらとてもありません、みんな顔をまっ赤にしてもずのように叫んで杉の列の間を歩いているのでした。

その杉の列には、東京街道ロシヤ街道それから西洋街道というようにずんずん名前がついて行きました。

虔十もよろこんで杉のこっちにかくれながら口を大きくあいてはあはあ笑いました。

それからはもう毎日毎日子供らが集まりました。

ただ子供らの来ないのは雨の日でした。

その日はまっ白なやわらかな空からあめのさらさらと降る中で虔十がただ一人からだ中ずぶぬれになって林の外に立っていました。

「虔十さん。今日も林の立番だなす。」

簑《みの》を着て通りかかる人が笑って云いました。その杉には鳶《とび》色の実がなり立派な緑の枝さきからはすきとおったつめたい雨のしずくがポタリポタリと垂れました。虔十は口を大きくあけてはあはあ息をつきからだからは雨の中に湯気を立てながらいつまでもいつまでもそこに立っているのでした。

ところがある霧のふかい朝でした。

虔十は萱場《かやば》で平二といきなり行き会いました。

平二はまわりをよく見まわしてからまるで狼《おおかみ》のようないやな顔をしてどなりました。

「虔十、貴さんどごの杉伐《き》れ。」

「何《な》してな。」

「おらの畑ぁ日かげにならな。」

虔十はだまって下を向きました。平二の畑が日かげになると云ったって杉の影がたかで五寸もはいってはいなかったのです。おまけに杉はとにかく南から来る強い風を防いでいるのでした。

「伐《き》れ、伐れ。伐らないが。」

「伐らない。」虔十が顔をあげて少し怖そうに云いました。その唇はいまにも泣き出しそうにひきつっていました。実にこれが虔十の一生の間のたった一つの人に対する逆《さか》らいの言《ことば》だったのです。

ところが平二は人のいい虔十などにばかにされたと思ったので急に怒り出して肩を張ったと思うといきなり虔十の頬《ほお》をなぐりつけました。どしりどしりとなぐりつけました。

虔十は手を頰にあてながら黙ってなぐられていましたがとうとうまわりがみんなまっ青に見えてよろよろしてしまいました。すると平二も少し気味が悪くなったと見えて急いで腕を組んでのしりのしりと霧の中へ歩いて行ってしまいました。

さて虔十はその秋チブスにかかって死にました。平二も丁度その十日ばかり前にやっぱりその病気で死んでいました。

ところがそんなことには一向構わず林にはやはり毎日毎日子供らが集まりました。

お話はずんずん急ぎます。

次の年その村に鉄道が通り虔十の家から三町ばかり東の方に停車場ができました。あちこちに大きな瀬戸物の工場や製糸場ができました。そこらの畑や田はずんずん潰《つぶ》れて家がたちました。いつかすっかり町になってしまったのです。その中に虔十の林だけはどう云うわけかそのまま残って居りました。その杉もやっと一丈ぐらい、子供らは毎日毎日集まりました。学校がすぐ近くに建っていましたから子供らはその林と林の南の芝原とをいよいよ自分らの運動場の続きと思ってしまいました。

虔十のお父さんももうかみがまっ白でした。まっ白な筈です。虔十が死んでから二十年近くなるではありませんか。

ある日昔のその村から出て今アメリカのある大学の教授になっている若い博士が十

五年ぶりで故郷へ帰って来ました。

どこに昔の畑や森のおもかげがあったでしょう。町の人たちも大ていは新らしく外から来た人たちでした。

それでもある日博士は小学校から頼まれてその講堂でみんなに向うの国の話をしました。

お話がすんでから博士は校長さんたちと運動場に出てそれからあの虔十の林の方へ行きました。

すると若い紳士は愕《おど》ろいて何べんも眼鏡を直していましたがとうとう半分ひとりごとのように云いました。

「ああ、ここはすっかりもとの通りだ。木までもすっかりもとの通りだ。木は却《かえ》って小さくなったようだ。みんなも遊んでいる。ああ、あの中に私や私の昔の友達が居ないだろうか。」

博士は俄《にわ》かに気がついたように笑い顔になって校長さんに云いました。

「ここは今は学校の運動場ですか。」

「いいえ。ここはこの向うの家の地面なのですが家の人たちが一向かまわないで子供らの集まるままにして置くものですから、まるで学校の附属の運動場のようになってしまいましたが実はそうではありません。」

「それは不思議な方ですね、一体どう云うわけでしょう。」

「ここが町になってからみんなで売れ売れと申したそうですが年よりの方がここは虔十のただ一つのかたみだからいくら困っても、これをなくすることはどうしてもできないと答えるそうです。」

「ああそうそう、ありました、ありました。その虔十という人は少し足りないと私らは思っていたのです。いつでもはあはあ笑っている人でした。毎日丁度この辺に立って私らの遊ぶのを見ていたのです。この杉もみんなその人が植えたのだそうです。ああ全くたれがかしこくたれが賢くないかはわかりません。ただどこまでも十力《じゅうりき》の作用は不思議です。ここはもういつまでも子供たちの美しい公園地です。どうでしょう。ここに虔十公園林と名をつけていつまでもこの通り保存するようにしては。」

「これは全くお考えつきです。そうなれば子供らもどんなにしあわせか知れません。」

　さてみんなその通りになりました。

　芝生のまん中、子供らの林の前に
「虔十公園林」と彫った青い橄欖岩《かんらんがん》の碑が建ちました。

　昔のその学校の生徒、今はもう立派な検事になったり将校になったり海の向うに小さいながら農園を有《も》ったりしている人たちから沢山の手紙やお金が学校に集まって来ました。

虔十のうちの人たちはほんとうによろこんで泣きました。

全く全くこの公園林の杉の黒い立派な緑、さわやかな匂《におい》、夏のすずしい陰、月光色の芝生がこれから何千人の人たちに本当のさいわいが何だかを教えるか数えられませんでした。

そして林は虔十の居た時の通り雨が降ってはすき徹《とお》る冷たい雫《しずく》をみじかい草にポタリポタリと落しお日さまが輝いては新らしい奇麗《きれい》な空気をさわやかにはき出すのでした。

やまなし

やまなし

小さな谷川の底を写した二枚の青い幻灯です。

一、五月

二疋《ひき》の蟹《かに》の子供らが青じろい水の底で話《はなし》ていました。

『クラムボンはわらったよ。』

『クラムボンはかぷかぷわらったよ。』

『クラムボンは跳てわらったよ。』

『クラムボンはかぷかぷわらったよ。』

上の方や横の方は、青くくらく鋼のように見えます。そのなめらかな天井を、つぶつぶ暗い泡が流れて行きます。

『クラムボンはわらっていたよ。』

『クラムボンはかぷかぷわらったよ。』

『それならなぜクラムボンはわらったの。』

『知らない。』

つぶつぶ泡が流れて行きます。蟹の子供らもぽつぽつぽつとつづけて五六粒泡を吐きました。それはゆれながら水銀のように光って斜めに上の方へのぼって行きました。

つうと銀のいろの腹をひるがえして、一疋の魚が頭の上を過ぎて行きました。

『クラムボンは死んだよ。』

『クラムボンは殺されたよ。』

『クラムボンは死んでしまったよ………。』

『殺されたよ。』

『それならなぜ殺された。』兄さんの蟹は、その右側の四本の脚の中の二本を、弟の平べったい頭にのせながら云《い》いました。

『わからない。』

魚がまたツウと戻って下流の方へ行きました。

『クラムボンはわらったよ。』

『わらった。』

にわかにパッと明るくなり、日光の黄金《きん》は夢のように水の中に降って来ました。

波から来る光の網が、底の白い磐《いわ》の上で美しくゆらゆらのびたりちぢんだりしました。泡や小さなごみからはまっすぐな影の棒が、斜めに水の中に並んで立ちました。

魚がこんどはそこら中の黄金《きん》の光をまるっきりくちゃくちゃにしておまけに自分は

鉄いろに変に底びかりして、又上流《かみ》の方へのぼりました。

『お魚はなぜああ行ったり来たりするの。』

弟の蟹がまぶしそうに眼を動かしながらたずねました。

『何か悪いことをしてるんだよとってるんだよ。』

『とってるの。』

『うん。』

そのお魚がまた上流《かみ》から戻って来ました。今度はゆっくり落ちついて、ひれも尾も動かさずただ水にだけ流されながらお口を環《わ》のように円《まる》くしてやって来ました。その影は黒くしずかに底の光の網の上をすべりました。

『お魚は……。』

その時です。俄《にわか》に天井に白い泡がたって、青びかりのまるでぎらぎらする鉄砲弾《だま》のようなものが、いきなり飛込んで来ました。

兄さんの蟹ははっきりとその青いもののさきがコンパスのように黒く尖《とが》っているのも見ました。と思ううちに、魚の白い腹がぎらっと光って一ぺんひるがえり、上の方へのぼったようでしたが、それっきりもう青いものも魚のかたちも見えず光の黄金《きん》の網はゆらゆらゆれ、泡はつぶつぶ流れました。

二疋はまるで声も出ず居すくまってしまいました。

お父さんの蟹が出て来ました。

『どうしたい。ぶるぶるふるえているじゃないか。』

『お父さん、いまおかしなものが来たよ。』

『どんなもんだ。』

『青くてね、光るんだよ。はじがこんなに黒く尖ってるの。それが来たらお魚が上へのぼって行ったよ。』

『そいつの眼が赤かったかい。』

『わからない。』

『ふうん。しかし、そいつは鳥だよ。かわせみと云うんだ。大丈夫だ、安心しろ。おれたちはかまわないんだから。』

『お父さん、お魚はどこへ行ったの。』

『魚かい。魚はこわい所へ行った』

『こわいよ、お父さん。』

『いいいい、大丈夫だ。心配するな。そら、樺《かば》の花が流れて来た。ごらん、きれいだろう。』

　泡と一緒に、白い樺の花びらが天井をたくさんすべって来ました。

『こわいよ、お父さん。』弟の蟹も云いました。

光の網はゆらゆら、のびたりちぢんだり、花びらの影はしずかに砂をすべりました。

二、十二月

蟹の子供らはもうよほど大きくなり、底の景色も夏から秋の間にすっかり変りました。

白い柔かな円石もころがって来《き》小さな錐《きり》の形の水晶の粒や、金雲母《きんうんも》のかけらもながれて来てとまりました。

そのつめたい水の底まで、ラムネの瓶《びん》の月光がいっぱいに透《すき》とおり天井では波が青じろい火を、燃したり消したりしているよう、あたりはしんとして、ただいかにも遠くからというように、その波の音がひびいて来るだけです。

蟹の子供らは、あんまり月が明るく水がきれいなので睡《ねむ》らないで外に出て、しばらくだまって泡をはいて天井の方を見ていました。

『やっぱり僕の泡は大きいね。』

『兄さん、わざと大きく吐いてるんだい。僕だってわざとならもっと大きく吐けるよ。』

『吐いてごらん。おや、たったそれきりだろう。いいかい、兄さんが吐くから見ておいで。そら、ね、大きいだろう。』

『大きかないや、おんなじだい。』

『近くだから自分のが大きく見えるんだよ。そんなら一緒に吐いてみよう。いいかい、そら。』

『やっぱり僕の方大きいよ。』

『本当かい。じゃ、も一つはくよ。』

『だめだい、そんなにのびあがっては。』

またお父さんの蟹が出て来ました。

『もうねろねろ。遅いぞ、あしたイサドへ連れて行かんぞ。』

『お父さん、僕たちの泡どっち大きいの』

『それは兄さんの方だろう』

『そうじゃないよ、僕の方大きいんだよ』弟の蟹は泣きそうになりました。

そのとき、トブン。

黒い円い大きなものが、天井から落ちてずうっとしずんで又上へのぼって行きました。キラキラッと黄金《きん》のぶちがひかりました。

『かわせみだ』子供らの蟹は頸《くび》をすくめて云いました。

お父さんの蟹は、遠めがねのような両方の眼をあらん限り延ばして、よくよく見てから云いました。

『そうじゃない、あれはやまなしだ、流れて行くぞ、ついて行って見よう、ああいい匂《にお》いだな』

なるほど、そこらの月あかりの水の中は、やまなしのいい匂いでいっぱいでした。

三疋はぽかぽか流れて行くやまなしのあとを追いました。

その横あるきと、底の黒い三つの影法師が、合せて六つ踊るようにして、山なしの円い影を追いました。

間もなく水はサラサラ鳴り、天井の波はいよいよ青い焔《ほのお》をあげ、やまなしは横になって木の枝にひっかかってとまり、その上には月光の虹《にじ》がもかもか集まりました。

『どうだ、やっぱりやまなしだよ、よく熟している、いい匂いだろう。』

『おいしそうだね、お父さん』

『待て待て、もう二日ばかり待つとね、こいつは下へ沈んで来る、それからひとりでにおいしいお酒ができるから、さあ、もう帰って寝よう、おいで』

親子の蟹は三疋自分等の穴に帰って行きます。

波はいよいよ青じろい焔をゆらゆらとあげました、それは又金剛石の粉をはいているようでした。

＊

私の幻灯はこれでおしまいであります。

グスコーブドリの傳記

グスコーブドリのでんき

一、森

グスコーブドリは、イーハトーブの大きな森のなかに生れました。お父さんは、グスコーナドリという名高い木樵《きこ》りで、どんな巨《おお》きな木でも、まるで赤ん坊を寝かしつけるように訳《わけ》なく伐《き》ってしまう人でした。

ブドリにはネリという妹があって、二人は毎日森で遊びました。ごしっごしっとお父さんの樹《き》を鋸《ひ》く音が、やっと聴こえるくらいな遠くへも行きました。二人はそこで木苺《きいちご》の実をとって湧水《わきみず》に漬《つ》けたり、空を向いてかわるがわる山鳩の啼《な》くまねをしたりしました。するとあちらでもこちらでも、ぽう、ぽう、と鳥が睡《ねむ》そうに鳴き出すのでした。

お母さんが、家《うち》の前の小さな畑に麦を播《ま》いているときは、二人はみちにむしろをしいて座って、ブリキ缶で蘭《らん》の花を煮たりしました。するとこんどは、もういろいろの鳥が、二人のぱさぱさした頭の上を、まるで挨拶《あいさつ》するように啼きながらざあざあざあ通りすぎるのでした。

ブドリが学校へ行くようになりますと、森はひるの間大へんさびしくなりました。

そのかわりひるすぎには、ブドリはネリといっしょに、森じゅうの樹の幹に、赤い粘土や消し炭で、樹の名を書いてあるいたり、高く歌ったりしました。ホップの蔓《つる》が、両方からのびて、門のようになっている白樺《しらかば》の樹には、「カッコウドリ、トオルベカラズ」と書いたりもしました。

そして、ブドリは十になり、ネリは七つになりました。ところがどういうわけですか、その年は、お日さまが春から変に白くて、いつもなら雪がとけると間もなく、まっしろな花をつけるこぶしの樹もまるで咲かず、五月になってもたびたび霙《みぞれ》がぐしゃぐしゃ降り、七月の末になっても一向に暑さが来ないために去年播いた麦も粒の入らない白い穂しかできず、大抵の果物も、花が咲いただけで落ちてしまったのでした。

そしてとうとう秋になりましたが、やっぱり栗《くり》の木は青いからのいがばかりでしたし、みんなでふだんたべるいちばん大切なオリザという穀物も、一つぶもできませんでした。野原ではもうひどいさわぎになってしまいました。

ブドリのお父さんもお母さんも、たびたび薪《たきぎ》を野原の方へ持って行ったり、冬になってからは何べんも巨きな樹を町へそりで運んだりしたのでしたが、いつもがっかりしたようにして、わずかの麦の粉《こ》などもって帰ってくるのでした。それでもどうにかその冬は過ぎて次の春になり、畑には大切にしまって置いた種子《たね》も播かれましたが、その年もまたすっかり前の年の通りでした。そして秋になると、とうとうほんとうの饑饉《ききん》になってしまいました。もうそのころは学校へ来るこどももまるでありませんでした。ブドリのお父さんもお母さんも、すっかり仕事をやめていました。そしてたびたび心配そうに相談しては、かわるがわる町へ出て行って、やっとすこしばかりの黍《きび》の粒など持って帰ることもあれば、なんにも持たずに顔いろを悪くして帰ってくることもありました。そしてみんなは、こならの実や、葛《くず》やわらびの根や、木の柔らかな皮やいろんなものをたべて、その冬をすごしました。けれども春が来たころは、お父さんもお母さんも、何かひどい病気のようでした。

ある日お父さんは、じっと頭をかかえて、いつまでもいつまでも考えていましたが、俄《にわ》かに起きあがって、

「おれは森へ行って遊んでくるぞ。」と云《い》いながら、よろよろ家を出て行きましたが、まっくらになっても帰って来ませんでした。二人がお母さんに、お父さんはどうしたろうときいても、お母さんはだまって二人の顔を見ているばかりでした。

次の日の晩方になって、森がもう黒く見えるころ、お母さんは俄かに立って、炉に榾《ほだ》をたくさんくべて家じゅうすっかり明るくしました。それから、わたしはお父さんをさがしに行くから、お前たちはうちに居てあの戸棚にある粉を二人ですこしずつたべなさいと云って、やっぱりよろよろ家《うち》を出て行きました。二人が泣いてあとから追って行きますと、お母さんはふり向いて、

「何たらいうことをきかないこどもらだ。」と叱《しか》るように云いました。そしてまるで足早に、つまずきながら森へ入ってしまいました。二人は何べんも行ったり来たりして、そこらを泣いて廻りました。とうとうこらえ切れなくなって、まっくらな森の中へ入って、いつかのホップの門のあたりや、湧水《わきみず》のあるあたりをあちこちうろうろ歩きながら、お母さんを一晩呼びました。森の樹の間からは、星がちらちら何か云うようにひかり、鳥はたびたびおどろいたように暗《やみ》の中を飛びましたけれども、どこからも人の声はしませんでした。とうとう二人はぼんやり家へ帰って中へはいりますと、まるで死んだように睡《ねむ》ってしまいました。

ブドリが眼をさましたのは、その日のひるすぎでした。お母さんの云った粉のことを思いだして戸棚を開けて見ますと、なかには、袋に入れたそば粉やこならの実がまだたくさん入っていました。ブドリはネリをゆり起して二人でその粉《こ》をなめ、お父さんたちがいたときのように炉に火をたきました。

それから、二十日ばかりぼんやり過ぎましたら、ある日戸口で、

「今日は、誰《たれ》か居るかね。」と言うものがありました。お父さんが帰って来たのかと思ってブドリがはね出して見ますと、それは籠《かご》をしょった目の鋭い男でした。その男は籠の中から円《まる》い餅《もち》をとり出してぽんと投げながら言いました。

「私《わたし》はこの地方の飢饉を救《たす》けに来たものだ。さあ何でも喰べなさい。」二人はしばら

く呆《あき》れていましたら、「さあ喰べるんだ、喰べるんだ。」とまた云いました。二人がこわごわたべはじめますと、男はじっと見ていましたが、

「お前たちはいい子供だ。けれどもいい子供だというだけでは何にもならん。わしと一緒についておいで。尤《もっと》も男の子は強いし、わしも二人はつれて行けない。おい女の子、おまえはここにいても、もうたべるものがないんだ。おじさんと一緒に町へ行こう。毎日パンを食べさしてやるよ。」そしてぷいっとネリを抱きあげて、せなかの籠へ入れて、そのまま、「おおほいほい。おおほいほい。」とどなりながら、風のように家《うち》を出て行きました。ネリはおもてではじめてわっと泣き出し、ブドリは、「どろぼう、どろぼう。」と泣きながら叫んで追いかけましたが、男はもう森の横を通ってずうっと向うの草原《くさはら》を走っていて、そこからネリの泣き声が、かすかにふるえて聞えるだけでした。

ブドリは、泣いてどなって森のはずれまで追いかけて行きましたが、とうとう疲れてばったり倒れてしまいました。

二、てぐす工場

ブドリがふっと眼をひらいたとき、いきなり頭の上で、いやに平べったい声がしま

した。

「やっと眼がさめたな。まだお前は飢饉のつもりかい。起きておれに手伝わないか。」

見るとそれは茶いろなきのこしゃっぽをかぶって外套《がいとう》にすぐシャツを着た男で、何か針金でこさえたものをぶらぶら持っているのでした。

「もう飢饉は過ぎたの？　手伝いって何を手伝うの？」

ブドリがききました。

「網掛けさ。」

「ここへ網を掛けるの？」

「掛けるのさ。」

「網をかけて何にするの？」

「てぐすを飼うのさ。」

見るとすぐブドリの前の栗の木に、二人の男がはしごをかけてのぼっていて一生けん命何か網を投げたり、それを繰ったりしているようでしたが、網も糸も一向見えませんでした。

「あれでてぐすが飼えるの？」

「飼えるのさ。うるさいこどもだな。おい。縁起でもないぞ。てぐすも飼えないところにどうして工場なんか建てるんだ。飼えるともさ。現におれはじめ沢山のものが、それでくらしを立てているんだ。」

　ブドリはかすれた声で、やっと、「そうですか。」と云いました。

「それにこの森は、すっかりおれが買ってあるんだから、ここで手伝うならいいが、そうでもなければどこかへ行って貰いたいな。もっともお前はどこへ行ったって食うものもなかろうぜ。」

　ブドリは泣き出しそうになりましたが、やっとこらえて云いました。

「そんなら手伝うよ。けれどもどうして網をかけるの？」

「それは勿論《もちろん》教えてやる。こいつをね。」男は、手にもった針金の籠《かご》のようなものを両手で引き伸ばしました。

「いいか。こういう工合《ぐあい》にやるとはしごになるんだ。」

　男は大股《おおまた》に右手の栗の木に歩いて行って、下の枝に引っ掛けました。

「さあ、今度はおまえが、この網をもって上へのぼって行くんだ。さあ、のぼってごらん。」

　男は変なまりのようなものをブドリに渡しました。ブドリは仕方なくそれをもってはしごにとりついて登って行きましたが、はしごの段々がまるで細くて手や足に喰いこんでちぎれてしまいそうでした。

「もっと登るんだ。もっと。もっとさ。そしたらさっきのまりを投げてごらん。栗の木を越すようにさ。そいつを空へ投げるんだよ。何だい。ふるえてるのかい。意気地なしだなあ。投げるんだよ。投げるんだよ。そら、投げるんだよ。」

　ブドリは仕方なく力一杯にそれを青空に投げたと思いましたら俄《にわ》かにお日さまがまっ黒に見えて逆《さかさ》まに下へ落ちました。そしていつか、その男に受けとめられていたのでした。男はブドリを地面におろしながらぶりぶり憤《おこ》り出しました。

「お前もいくじのないやつだ。何というふにゃふにゃだ。俺が受け止めてやらなかったらお前は今ごろは頭がはじけていたろう。おれはお前の命の恩人だぞ。これからは、失礼なことを云ってはならん。ところで、さあ、こんどはあっちの木へ登れ。も少したったらごはんもたべさせてやるよ。」男はまたブドリへ新しいまりを渡しました。ブドリははしごをもって次の樹へ行ってまりを投げました。

「よし、なかなか上手になった。さあまりは沢山あるぞ。なまけるな。樹も栗の木ならどれでもいいんだ。」

　男はポケットから、まりを十ばかり出してブドリに渡すと、すたすた向うへ行ってしまいました。ブドリはまた三つばかりそれを投げましたが、どうしても息がはあはあしてからだがだるくてたまらなくなりました。もう家《うち》へ帰ろうと思って、そっちへ行って見ますと、愕《おどろ》いたことには、家にはいつか赤い土管の煙突がついて、戸口には、「イーハトーブてぐす工場」という看板がかかっているのでした。そして中からたばこをふかしながら、さっきの男が出て来ました。

「さあこども、たべものをもってきてやったぞ。これを食べて暗くならないうちにもう少し稼《かせ》ぐんだ。」

「ぼくはもういやだよ。うちへ帰るよ。」

「うちっていうのはあすこか。あすこはおまえのうちじゃない。おれのてぐす工場だよ。あの家もこの辺の森もみんなおれが買ってあるんだからな。」

ブドリはもうやけになって、だまってその男のよこした蒸しパンをむしゃむしゃたべて、またまりを十ばかり投げました。

その晩ブドリは、昔のじぶんのうち、いまはてぐす工場になっている建物の隅に、小さくなってねむりました。

さっきの男は、三、四人の知らない人たちと遅くまで炉ばたで火をたいて、何か呑《の》んだりしゃべったりして居ました。次の朝早くから、ブドリは森に出て、昨日のようにはたらきました。

それから一月ばかりたって、森じゅうの栗の木に網がかかってしまいますと、てぐす飼いの男は、こんどは粟《あわ》のようなものがいっぱいついた板きれを、どの木にも五六枚ずつ吊《つる》させました。そのうちに木は芽を出して森はまっ青になりました。すると、樹につるした板きれから、たくさんの小さな青じろい虫が、糸をつたわって列になって枝へ這《は》いあがって行きました。ブドリたちはこんどは毎日薪《たきぎ》とりをさせられました。その薪が、家のまわりに小山のように積み重なり、栗の木が青じろい紐《ひも》のかたちの花を枝いちめんにつけるころになりますと、あの板から這いあがって行った虫も、ちょうど栗の花のような色とかたちになりました。そして森じゅうの栗の葉は、まるで形もなくその虫に食い荒らされてしまいました。それから間もなく虫は、大きな黄いろな繭《まゆ》を、網の目ごとにかけはじめました。

するとてぐす飼いの男は、狂気のようになって、ブドリたちを叱《しか》りとばして、その繭を籠に集めさせました。それをこんどは片っぱしから鍋《なべ》に入れてぐらぐら煮て、手で車をまわしながら糸をとりました。夜も昼もがらがらがらがら三つの糸車をまわして糸をとりました。こうしてこしらえた黄いろな糸が小屋に半分ばかりたまったころ、外に置いた繭からは、大きな白い蛾《が》がぽろぽろぽろぽろ飛びだしはじめました。てぐす飼いの男は、まるで鬼みたいな顔つきになって、じぶんも一生けん命糸をとりましたし、野原の方からも四人人を連れてきて働かせました。けれども蛾の方は日ましに多く出るようになって、しまいには森じゅうまるで雪でも飛んでいるようになりました。するとある日、六七台の荷馬車が来て、いままでにできた糸をみんなつけて、町の方へ帰りはじめました。みんなも一人ずつ荷馬車について行きました。いちばんしまいの荷馬車がたつとき、てぐす飼いの男が、ブドリに、

「おい、お前の来春《らいはる》まで食うくらいのものは家の中に置いてやるからな。それまでここで森と工場の番をしているんだぞ。」

と云って変ににやにやしながら、荷馬車についてさっさと行ってしまいました。

ブドリはぼんやりあとへ残りました。うちの中はまるで汚くて、嵐のあとのようでしたし森は荒れはてて山火事にでもあったようでした。ブドリが次の日、家のなかやまわりを片附けはじめましたらてぐす飼いの男がいつも座っていた所から古いボール紙の函《はこ》を見附けました。中には十冊ばかりの本がぎっしり入って居りました。開いて見ると、てぐすの絵や機械の図がたくさんある、まるで読めない本もありましたし、いろいろな樹や草の図と名前の書いてあるものもありました。

ブドリは一生けん命、その本のまねをして字を書いたり図をうつしたりしてその冬を暮しました。

春になりますと亦《また》あの男が六、七人のあたらしい手下を連れて、大へん立派なりをしてやって来ました。そして次の日からすっかり去年のような仕事がはじまりました。

そして網はみんなかかり、黄いろな板もつるされ、虫は枝に這い上《のぼ》り、ブドリたちはまた、薪《たきぎ》作りにかかるころになりました。ある朝、ブドリたちが薪をつくっていましたら、俄かにぐらぐらっと地震がはじまりました。それからずうっと遠くでどーんという音がしました。

しばらくたつと日が変にくらくなり、こまかな灰がばさばさばさばさ降って来て、森はいちめんにまっ白になりました。ブドリたちが呆《あき》れて樹の下にしゃがんでいましたら、てぐす飼いの男が大へんあわててやってきました。

「おい、みんな、もうだめだぞ。噴火だ。噴火がはじまったんだ。てぐすはみんな灰をかぶって死んでしまった。みんな早く引き揚げてくれ。おい、ブドリ。お前ここに居たかったら居てもいいが、こんどはたべ物は置いてやらないぞ。それにここに居ても危いからなお前も野原へ出て何か稼ぐ方がいいぜ。」そう云ったかと思うと、もうどんどん走って行ってしまいました。ブドリが工場へ行って見たときはもう誰《たれ》も居りませんでした。そこでブドリは、しょんぼりとみんなの足痕《あしあと》のついた白い灰をふんで野原の方へ出て行きました。

三、沼ばたけ

ブドリは、いっぱいに灰をかぶった森の間を、町の方へ半日歩きつづけました。灰は風の吹くたびに樹からばさばさ落ちて、まるでけむりか吹雪のようでした。けれどもそれは野原へ近づくほど、だんだん浅く少なくなって、ついには樹も緑に見え、みちの足痕も見えないくらいになりました。

とうとう森を出切ったとき、ブドリは思わず眼をみはりました。野原の眼の前から、遠くのまっしろな雲まで、美しい桃いろと緑と灰いろのカードでできているようでした。そばへ寄って見ると、その桃いろなのには、いちめんにせいの低い花が咲いていて、蜜蜂《みつばち》がいそがしく花から花をわたってあるいていましたし、緑いろなのには小さな穂を出して草がぎっしり生え、灰いろなのは浅い泥の沼でした。そしてどれも、低い幅のせまい土手でくぎられ、人は馬を使ってそれを掘り起したり掻《か》き廻したりしてはたらいていました。

ブドリがその間を、しばらく歩いて行きますと、道のまん中に、二人の人が、大声で何か喧嘩《けんか》でもするように云い合っていました。右側の方の鬚《ひげ》の赭《あか》い人が云いました。

「何でもかんでも、おれは山師張るときめた。」

するとも一人の白い笠《かさ》をかぶったせいの高いおじいさんがいいました。

「やめろって云ったらやめるもんだ。そんなに肥料《こやし》うんと入れて、藁《わら》はとれるったって、実は一粒もとれるもんでない。」

「うんにゃ。おれの見込みでは、今年は今までの三年分暑いに相違ない。一年で三年分とって見せる。」

「やめろ。やめろ。やめろったら。」

「うんにゃ。やめない。花はみんな埋《うず》めてしまったから、こんどは豆玉《まめたま》を六十枚入れてそれから鶏《とり》の糞《かえし》、百駄《だん》入れるんだ。急がしったら何のこう忙しくなれば、ささげの蔓《つる》でもいいから手伝いに頼みたいもんだ。」

ブドリは思わず近寄っておじぎをしました。

「そんならぼくを使ってくれませんか。」

するとニ人は、ぎょっとしたように顔をあげて、あごに手をあててしばらくブドリを見ていましたが、赤鬚《あかひげ》が俄《にわ》かに笑い出しました。

「よしよし。お前に馬の指竿《させ》とりを頼むからな。すぐおれについて行くんだ。それではまず、のるかそるか、秋まで見ててくれ。さあ行こう。ほんとに、さ、さ、さ、げの蔓でもいいから頼みたい時でな。」赤鬚は、ブドリとおじいさんに交《かわ》る交《がわ》る云いながら、さっさと先に立って歩きました。あとではおじいさんが、

「年寄りの云うこと聞かないで、いまに泣くんだな。」とつぶやきながら、しばらくこっちを見送っているようすでした。

それからブドリは、毎日毎日沼ばたけへ入って馬を使って泥を掻き廻しました。一日ごとに桃いろのカードも緑のカードもだんだん潰《つぶ》されて、泥沼に変るのでした。馬はたびたびぴしゃっと泥水をはねあげて、みんなの顔へ打ちつけました。一つの沼ばたけがすめばすぐ次の沼ばたけへ入るのでした。一日がとても永くて、しまいには歩

いているのかどうかわからなくなったり、泥が飴《あめ》のような、水がスープのような気がしたりするのでした。風が何べんも吹いて来て近くの泥水に魚の鱗《うろこ》のような波をたて、遠くの水をブリキいろにして行きました。そらでは、毎日甘くすっぱいような雲が、ゆっくりゆっくりながれていて、それがじつにうらやましそうに見えました。こうして二十日ばかりたちますと、やっと沼ばたけはすっかりどろどろになりました。次の朝から主人はまるで気が立って、あちこちから集まって来た人たちといっしょに、その沼ばたけに緑いろの槍《やり》のようなオリザの苗をいちめん植えました。それが十日ばかりで済むと、今度はブドリたちを連れて、今まで手伝って貰った人たちの家《うち》へ毎日働きにでかけました。それもやっと一まわり済むと、こんどはまたじぶんの沼ばたけへ戻って来て、毎日毎日草取りをはじめました。ブドリの主人の苗は大きくなってまるで黒いくらいなのに、となりの沼ばたけはぼんやりしたうすい緑いろでしたから、遠くから見ても、二人の沼ばたけははっきり堺《さかい》まで見わかりました。七日ばかりで草取りが済むとまたほかへ手伝いに行きました。ところがある朝、主人はブドリを連れて、じぶんの沼ばたけを通りながら、俄かに「あっ」と叫んで棒立ちになってしまいました。見ると唇《くちびる》のいろまで水いろになって、ぼんやりまっすぐを見つめているのです。

「病気が出たんだ。」主人がやっと云いました。

「頭でも痛いんですか。」ブドリはききました。

「おれでないよ。オリザよ。それ。」主人は前のオリザの株を指さしました。ブドリはしゃがんでしらべてみますと、なるほどどの葉にも、いままで見たことのない赤い点々がついていました。主人はだまってしおしおと沼ばたけを一まわりしましたが、家《うち》へ帰りはじめました。ブドリも心配してついて行きますと、主人はだまって巾《きれ》を水でしぼって、頭にのせると、そのまま板の間に寝てしまいました。すると間もなく、主人のおかみさんが表からかけ込んで来ました。

「オリザへ病気が出たというのはほんとうかい。」

「ああ、もうだめだよ。」

「どうにかならないのかい。」

「だめだろう。すっかり五年前の通りだ。」

「だから、あたしはあんたに山師をやめろといったんじゃないか。おじいさんもあんなにとめたんじゃないか。」

おかみさんはおろおろ泣きはじめました。すると主人が俄かに元気になってむっくり起きあがりました。

「よし。イーハトーブの野原で、指折り数えられる大百姓のおれが、こんなことで参るか。よし。来年こそやるぞ。ブドリ。おまえおれのうちへ来てから、まだ一晩も寝たいくらい寝たことがないな。さあ、五日でも十日でもいいから、ぐうというくらい寝てしまえ。おれはそのあとで、あすこの沼ばたけでおもしろい手品《てづま》をやって見せるからな。その代り今年の冬は、家じゅうそばばかり食うんだぞ。おまえそばはすきだろうが。」それから主人はさっさと帽子をかぶって外へ出て行ってしまいました。ブドリは主人に云われた通り納屋へ入って睡《ねむ》ろうと思いましたが、何だかやっぱり沼ばたけが苦になって仕方ないので、またのろのろそっちへ行って見ました。するといつ来ていたのか、主人がたった一人腕組みをして土手に立って居りました。見ると沼ばたけには水がいっぱいで、オリザの株は葉をやっと出しているだけ、上にはぎらぎら石油が浮んでいるのでした。主人が云いました。

「いまおれこの病気を蒸《む》し殺してみるとこだ。」

「石油で病気の種が死ぬんですか。」とブドリがききますと、主人は、

「頭から石油に漬《つ》けられたら人だって死ぬだ。」と云いながら、ほうと息を吸って首をちぢめました。その時、水下《みずしも》の沼ばたけの持主が、肩をいからして息を切ってかけて来て、大きな声でどなりました。

「何だって油など水へ入れるんだ。みんな流れて来て、おれの方へはいってるぞ。」

主人は、やけくそに落ちついて答えました。

「何だって油など水へ入れるったって、オリザへ病気ついたから、油など水へ入れるのだ。」

「何だってそんならおれの方へ流すんだ。」

「何だってそんならおまえの方へ流すったって、水は流れるから油もついて流れるのだ。」

「そんなら何だっておれの方へ水来ないように水口《みなくち》とめないんだ。」

「何だっておまえの方へ水行かないように水口とめないかったって、あすこはおれのみな口でないから水とめないのだ。」

となりの男は、かんかん怒ってしまってもう物も云えず、いきなりがぶがぶ水へはいって、自分の水口に泥を積みあげはじめました。主人はにやりと笑いました。

「あの男むずかしい男でな。こっちで水をとめると、とめたといって怒るからわざと向うにとめさせたのだ。あすこさえとめれば今夜中に水はすっかり草の頭までかかるからな。さあ帰ろう。」主人はさきに立ってすたすた家《うち》へあるきはじめました。

次の朝ブドリはまた主人と沼ばたけへ行ってみました。主人は水の中から葉を一枚とってしきりにしらべていましたが、やっぱり浮かない顔でした。その次の日もそうでした。その次の日もそうでした。その次の日もそうでした。その次の朝、とうとう主人は決心したように云いました。

「さあブドリ、いよいよここへ蕎麦《そば》播《ま》きだぞ。おまえあすこへ行って、となりの水口こわして来い。」ブドリは、云われた通りこわして来ました。石油のはいった水は、恐ろしい勢でとなりの田へ流れて行きます。きっとまた怒ってくるなと思っていますと、ひるごろ例のとなりの持主が、大きな鎌《かま》をもってやってきました。

「やあ、何だってひとの田へ石油ながすんだ。」

主人がまた、腹の底から声を出して答えました。

「石油ながれれば何だって悪いんだ。」

「オリザみんな死ぬでないか。」

「オリザみんな死ぬか、オリザみんな死なないか、まずおれの沼ばたけのオリザ見なよ。今日で四日頭から石油かぶせたんだ。それでもちゃんとこの通りでないか。赤くなったのは病気のためで、勢のいいのは石油のためなんだ。おまえの所など、石油がただオリザの足を通るだけでないか。却《かえ》っていいかもしれないんだ。」

「石油こやしになるのか。」向うの男は少し顔いろをやわらげました。

「石油こやしになるか石油こやしにならないか知らないが、とにかく石油は油でないか。」

「それは石油は油だな。」男はすっかり機嫌を直してわらいました。水はどんどん退き、オリザの株は見る見る根もとまで出て来ました。すっかり赤い斑《まだら》ができて焼けたようになっています。

「さあおれの所ではもうオリザ刈りをやるぞ。」

主人は笑いながら云って、それからブドリといっしょに、片っぱしからオリザの株を刈り、跡へすぐ蕎麦を播いて土をかけて歩きました。そしてその年はほんとうに主人の云ったとおり、ブドリの家《うち》では蕎麦ばかり食べました。次の春になりますと主人が云いました。

「ブドリ、今年は沼ばたけは去年よりは三分の一減ったからな、仕事はよほど楽だ。その代りおまえは、おれの死んだ息子の読んだ本をこれから一生けん命勉強して、いままでおれを山師だといってわらったやつらを、あっと云わせるような立派なオリザを作る工夫をして呉《く》れ。」そして、いろいろな本を一山ブドリに渡しました。ブドリは仕事のひまに片っぱしからそれを読みました。殊にその中の、クーボーという人の物の考え方を教えた本は面白かったので何べんも読みました。またその人が、イーハトーブの市で一ヶ月の学校をやっているのを知って、大へん行って習いたいと思ったりしました。

そして早くもその夏、ブドリは大きな手柄をたてました。それは去年と同じ頃、またオリザに病気ができかかったのを、ブドリが木の灰と食塩《しお》を使って食いとめたのでした。そして八月のなかばになると、オリザの株はみんなそろって穂を出し、その穂の一枝ごとに小さな白い花が咲き、花はだんだん水いろの籾《もみ》にかわって、風にゆらゆら波をたてるようになりました。主人はもう得意の絶頂でした。来る人ごとに、

「何のおれも、オリザの山師で四年しくじったけれども、今年は一度に四年前とれる。これもまたなかなかいいもんだ。」などと云って自慢するのでした。

ところがその次の年はそうは行きませんでした。植え付けの頃からさっぱり雨が降らなかったために、水路は乾いてしまい、沼にはひびが入って、秋のとりいれはやっと冬じゅう食べるくらいでした。来年こそと思っていましたが次の年もまた同じようなひでりでした。それからも来年こそ来年こそと思いながら、ブドリの主人は、だんだんこやしを入れることができなくなり、馬も売り、沼ばたけもだんだん売ってしまったのでした。

ある秋の日、主人はブドリにつらそうに云いました。

「ブドリ、おれももとはイーハトーブの大百姓だったし、ずいぶん稼いでも来たのだが、たびたびの寒さと旱魃《かんばつ》のために、いまでは沼ばたけも昔の三分一になってしまったし、来年は、もう入れるこやしもないのだ。おれだけでない。来年こやしを買って入れれる人ったらもうイーハトーブにも何人もないだろう。こういうあんばいでは、いつになっておまえにはたらいて貰った礼をするというあてもない。おまえも若い働き盛りを、おれのとこで暮してしまってはあんまり気の毒だから、済まないがどうかこれを持って、どこへでも行っていい運を見つけてくれ。」そして主人は一ふくろのお金と新らしい紺で染めた麻の服と赤革の靴とをブドリにくれました。

ブドリはいままでの仕事のひどかったことも忘れてしまって、もう何にもいらないから、ここで働いていたいとも思いましたが、考えてみると、居てもやっぱり仕事もそんなにないので、主人に何べんも何べんも礼を云って、六年の間はたらいた沼ばたけと主人に別れて停車場をさして歩きだしました。

四、　クーボー大博士

ブドリは二時間ばかり歩いて、停車場へ来ました。それから切符を買って、イーハトーブ行きの汽車に乗りました。汽車はいくつもの沼ばたけをどんどんどんどんうしろへ送りながら、もう一散に走りました。その向うには、たくさんの黒い森が、次から次と形を変えて、やっぱりうしろの方へ残されて行くのでした。ブドリはいろいろな思いで胸がいっぱいでした。早くイーハトーブの市に着いて、あの親切な本を書いたクーボーという人に会い、できるなら、働きながら勉強して、みんながあんなにつらい思いをしないで沼ばたけを作れるよう、また火山の灰だのひでりだの寒さだのを除く工夫をしたいと思うと、汽車さえまどろこくってたまらないくらいでした。汽車はその日のひるすぎ、イーハトーブの市に着きました。停車場を一足出ますと、地面の底から何かのんのん湧くようなひびきやどんよりとしたくらい空気、行ったり来たりする沢山の自働車のあいだに、ブドリはしばらくぼうとしてつっ立ってしまいました。やっと気をとりなおして、そこらの人にクーボー博士の学校へ行くみちをたずねました。すると誰《たれ》へ訊《き》いても、みんなブドリのあまりまじめな顔を見て、吹き出しそうにしながら、「そんな学校は知らんね。」とか、「もう五六丁行って訊いて見な。」とかいうのでした。そしてブドリがやっと学校をさがしあてたのはもう夕方近くでした。その大きなこわれかかった白い建物の二階で、誰か大きな声でしゃべっていました。「今日は。」ブドリは高く叫びました。誰も出てきませんでした。「今日はあ。」ブドリはあらん限り高く叫びました。するとすぐ頭の上の二階の窓から、大きな灰いろの頭が出て、めがねが二つぎらりと光りました。それから、

「今授業中だよ。やかましいやつだ。用があるならはいって来い。」とどなりつけて、すぐ顔を引っ込めますと、中では大勢でどっと笑い、その人は構わずまた何か大声でしゃべっています。ブドリはそこで思い切って、なるべく足音をたてないように二階にあがって行きますと、階段のつき当りの扉《と》があいていて、じつに大きな教室が、ブドリのまっ正面にあらわれました。中にはさまざまの服装をした学生がぎっしりです。向うは大きな黒い壁になっていて、そこにたくさんの白い線が引いてあり、さっきのせいの高い眼がねをかけた人が、大きな櫓《やぐら》の形の模型を、あちこち指《ゆびさ》しながら、さっきのままの高い声で、みんなに説明して居りました。

ブドリはそれを一目見ると、ああこれは先生の本に書いてあった歴史の歴史ということの模型だなと思いました。先生は笑いながら、一つのとってを廻しました。模型はがちっと鳴って奇体《きたい》な船のような形になりました。またがちっととってを廻すと、模型はこんどは大きなむかでのような形に変りました。

みんなはしきりに首をかたむけて、どうもわからんという風にしていましたが、ブドリにはただ面白かったのです。

「そこでこういう図ができる。」先生は黒い壁へ別の込み入った図をどんどん書きました。左手にもチョークをもって、さっさっと書きました。学生たちもみんな一生けん命そのまねをしました。ブドリもふところから、いままで沼ばたけで持っていた汚ない手帳を出して図を書きとりました。先生はもう書いてしまって、壇の上にまっすぐに立って、じろじろ学生たちの席を見まわしています。ブドリも書いてしまって、その図を縦横から見ていますと、ブドリのとなりで一人の学生が、

「あああ。」とあくびをしました。ブドリはそっとききました。

「ね、この先生は何て云うんですか。」

すると学生はばかにしたように鼻でわらいながら答えました。

「クーボー大博士さお前知らなかったのかい。」それからじろじろブドリのようすを見ながら、

「はじめから、この図なんか書けるもんか。ぼくでさえ同じ講義をもう六年もきいているんだ。」と云って、じぶんのノートをふところへしまってしまいました。その時教室に、ぱっと電灯がつきました。もう夕方だったのです。大博士が向うで言いました。

「いまや夕《ゆうべ》ははるかに来り、拙講《せっこう》もまた全課を了《お》えた。諸君のうちの希望者は、けだしいつもの例により、そのノートをば拙者に示し、さらに数箇《すうこ》の試問を受けて、所属を決すべきである。」学生たちはわあと叫んで、みんなばたばたノートをとじました。それからそのまま帰ってしまうものが大部分でしたが、五六十人は一列になって大博士の前をとおりながらノートを開いて見せるのでした。すると大博士はそれを一寸見《ちょっとみ》て、一言か二言質問をして、それから白墨《はくぼく》でえりへ、「合」とか、「再来」とか「奮励」とか書くのでした。学生はその間、いかにも心配そうに首をちぢめているのでしたが、それからそっと肩をすぼめて廊下まで出て、友達にそのしるしを読んで貰って、よろこんだりしょげたりするのでした。

ぐんぐん試験が済んで、いよいよブドリ一人になりました。ブドリがその小さな汚ない手帳を出したとき、クーボー大博士は大きなあくびをやりながら、屈《かが》んで眼をぐっと手帳につけるようにしましたので、手帳はあぶなく大博士に吸い込まれそうになりました。

ところが大博士は、うまそうにこくっと一つ息をして、「よろしい。この図は非常に正しくできている。そのほかのところは、何だ、ははあ、沼ばたけのこやしのことに、馬のたべ物のことかね。では問題を答えなさい。工場の煙突から出るけむりには、どういう色の種類があるか。」

ブドリは思わず大声に答えました。

「黒、褐《かっ》、黄、灰、白、無色。それからこれらの混合です。」

大博士はわらいました。

「無色のけむりは大へんいい。形について云いたまえ。」

「無風で煙が相当あれば、たての棒にもなりますが、さきはだんだんひろがります。雲の非常に低い日は、棒は雲まで昇って行って、そこから横にひろがります。風のある日は、棒は斜めになりますが、その傾きは風の程度に従います。波や幾つもきれになるのは、風のためにもよりますが、一つはけむりや煙突のもつ癖のためです。あまり煙の少ないときは、コルク抜きの形にもなり、煙も重い瓦期《がす》がまじれば、煙突の口から房になって、一方乃至《ないし》四方に落ちることもあります。」　大博士はまたわらいました。

「よろしい。きみはどういう仕事をしているのか。」

「仕事をみつけに来たんです。」

「面白い仕事がある。名刺をあげるから、そこへすぐ行きなさい。」博士は名刺をとり出して何かするする書き込んでブドリに呉《く》れました。ブドリはおじぎをして、戸口を出て行こうとしますと、大博士はちょっと眼で答えて、

「何だ。ごみを焼いてるのかな。」と低くつぶやきながら、テーブルの上にあった鞄《かばん》に、白墨《チョーク》のかけらや、はんけちや本や、みんな一緒に投げ込んで小脇にかかえ、さっき顔を出した窓から、プイッと外へ飛び出しました。びっくりしてブドリが窓へかけよって見ますといつか大博士は玩具《おもちゃ》のような小さな飛行船に乗って、じぶんでハンドルをとりながら、もううす青いもやのこめた町の上を、まっすぐに向うへ飛んでいるのでした。ブドリがいよいよ呆《あき》れて見ていますと、間もなく大博士は、向うの大きな灰いろの建物の平屋根に着いて船を何かかぎのようなものにつなぐと、そのままぽろっと建物の中へ入って見えなくなってしまいました。

五、イーハトーブ火山局

ブドリが、クーボー大博士から貰った名刺の宛名《あてな》をたずねて、やっと着いたところは大きな茶いろの建物で、うしろには房のような形をした高い柱が夜のそらにくっきり白く立って居りました。ブドリは玄関に上って呼鈴《よびりん》を押しますと、すぐ人が出て来

て、ブドリの出した名刺を受け取り、一目見ると、すぐブドリを突き当りの大きな室《へや》へ案内しました。そこにはいままでに見たこともないような大きなテーブルがあって、そのまん中に一人の少し髪の白くなった人のよさそうな立派な人が、きちんと座って耳に受話器をあてながら何か書いていました。そしてブドリの入って来たのを見ると、すぐ横の椅子を指《ゆびさ》しながらまた続けて何か書きつけています。

　その室の右手の壁いっぱいに、イーハトーブ全体の地図が、美しく色どった巨《おお》きな模型に作ってあって、鉄道も町も川も野原もみんな一目でわかるようになって居り、そのまん中を走るせぼねのような山脈と、海岸に沿って縁《へり》をとったようになっている山脈、またそれから枝を出して海の中に点々の島をつくっている一列の山山には、みんな赤や橙《だいだい》や黄のあかりがついていて、それが代る代る色が変ったりジーと蟬《せみ》のように鳴ったり、数字が現われたり消えたりしているのです。下の壁に添った棚には、黒いタイプライターのようなものが三列に百でもきかないくらい並んで、みんなしずかに動いたり鳴ったりしているのでした。ブドリがわれを忘れて見とれて居りますと、その人が受話器をことっと置いてふところから名刺入れを出して、一枚の名刺をブドリに出しながら、

「あなたが、グスコーブドリ君ですか。私はこう云うものです。」と云いました。見ると、イーハトーブ火山局技師ペンネンナームと書いてありました。その人はブドリ

の挨拶《あいさつ》になれないでもじもじしているのを見ると、重ねて親切に云いました。

「さっきクーボー博士から電話があったのでお待ちしていました。まあこれから、ここで仕事しながらしっかり勉強してごらんなさい。ここの仕事は、去年はじまったばかりですが、じつに責任のあるもので、それに半分はいつ噴火するかわからない火山の上で仕事するものなのです。それに火山の癖というものは、なかなか学問でわかることではないのです。われわれはこれからよほどしっかりやらなければならんのです。では今晩はあっちにあなたの泊るところがありますから、そこでゆっくりお休みなさい。あしたこの建物中をすっかり案内しますから。」

　次の朝、ブドリはペンネン老技師に連れられて、建物のなかを一一《いちいち》つれて歩いて貰いさまざまの器械やしかけを詳しく教わりました。その建物のなかのすべての器械はみんなイーハトーブ中の三百幾つかの活火山や休火山に続いていて、それらの火山の煙や灰を噴いたり、熔岩を流したりしているようすは勿論、みかけはじっとしている古い火山でも、その中の熔岩や瓦斯《がす》のもようから、山の形の変りようまで、みんな数字になったり図になったりして、あらわれて来るのでした。そして烈《はげ》しい変化のある度に、模型はみんな別々の音で鳴るのでした。

　ブドリはその日からペンネン老技師について、すべての器械の扱い方や観測のしかたを習い、夜も昼も一心に働いたり勉強したりしました。そして二年ばかりたちますとブドリはほかの人たちと一緒に、あちこちの火山へ器械を据え付けに出されたり、据え付けてある器械の悪くなったのを修繕にやられたりもするようになりましたので、もうブドリにはイーハトーブの三百幾つの火山と、その働き工合は掌《てのひら》の中にあるようにわかって来ました。じつにイーハトーブには七十幾つの火山が毎日煙をあげたり、熔岩を流したりしているのでしたし、五十幾つかの休火山は、いろいろな瓦斯を噴いたり、熱い湯を出したりしていました。そして残りの百六七十の死火山のうちにもいつまた何をはじめるかわからないものもあるのでした。

ある日ブドリが老技師とならんで仕事をして居りますと、俄かにサンムトリという南の方の海岸にある火山が、むくむく器械に感じ出して来ました。老技師が叫びました。

「ブドリ君。サンムトリは、今朝まで何もなかったね。」

「はい、いままでサンムトリのはたらいたのを見たことがありません。」

「ああ、これはもう噴火が近い。今朝の地震が刺戟《しげき》したのだ。この山の北十キロのところにはサンムトリの市がある。今度爆発すれば、多分山は三分の一、北側をはねとばして、牛や卓子《テーブル》ぐらいの岩は熱い灰や瓦斯といっしょに、どしどしサンムトリ市に落ちてくる。どうでも今のうちにこの海に向いた方へボーリングを入れて傷口をこさえて、瓦斯を抜くか熔岩を出させるかしなければならない。今すぐ二人で見に行こう。」二人はすぐに支度して、サンムトリ行きの汽車に乗りました。

六、サンムトリ火山

二人は次の朝、サンムトリの市に着き、ひるころサンムトリ火山の頂近く、観測器械を置いてある小屋に登りました。そこは、サンムトリ山の古い噴火口の外輪山が、海の方へ向いて欠けた所で、その小屋の窓からながめますと、海は青や灰いろの幾つもの縞《しま》になって見え、その中を汽船は黒いけむりを吐き、銀いろの水脈《みお》を引いていくつも滑って居るのでした。

老技師はしずかにすべての観測機を調べ、それからブドリに云いました。

「きみはこの山はあと何日ぐらいで噴火すると思うか。」

「一月はもたないと思います。」

「一月はもたない。もう十日ももたない。早く工作をしてしまわないと、取り返しのつかないことになる。私はこの山の海に向いた方では、あすこが一番弱いと思う。」

老技師は山腹の谷の上のうす緑の草地を指さしました。そこを雲の影がしずかに青く滑っているのでした。

「あすこには熔岩の層が二つしかない。あとは柔らかな火山灰と火山礫《かざんれき》の層だ。それにあすこまでは牧場の道も立派にあるから、材料を運ぶことも造作《ぞうさ》ない。ぼくは工作隊を申請しよう。」老技師は忙《せわ》しく局へ発信をはじめました。その時脚の下では、つぶやくような微《かす》かな音がして、観測小屋はしばらくぎしぎし軋《きし》みました。老技師は機械をはなれました。

「局からすぐ工作隊を出すそうだ。工作隊といっても半分決死隊だ。私はいままでに、こんな危険に迫った仕事をしたことがない。」

「十日のうちにできるでしょうか。」

「きっとできる。装置には三日、サンムトリ市の発電所から、電線を引いてくるには五日かかるな。」

技師はしばらく指を折って考えていましたが、やがて安心したようにまたしずかに云いました。

「とにかくブドリ君。一つ茶をわかして呑もうではないか。あんまりいい景色だから。」

ブドリは持って来たアルコールランプに火を入れて茶をわかしはじめました。空にはだんだん雲が出て、それに日ももう落ちたのか、海はさびしい灰いろに変り、たくさんの白い波がしらは、一せいに火山の裾に寄せて来ました。

ふとブドリはすぐ眼の前にいつか見たことのあるおかしな形の小さな飛行船が飛ん

でいるのを見つけました。老技師もはねあがりました。

「あ、クーボー君がやって来た。」

ブドリも続いて小屋をとび出しました。飛行船はもう小屋の左側の大きな岩の壁の上にとまって中からせいの高いクーボー大博士がひらりと飛び下りていました。博士はしばらくその辺の岩の大きなさけ目をさがしていましたが、やっとそれを見つけたと見えて、手早くねじをしめて飛行船をつなぎました。

「お茶をよばれに来たよ。ゆれるかい。」大博士はにやにやわらって云いました。老技師が答えました。

「まだそんなでない。けれどもどうも岩がぽろぽろ上から落ちているらしいんだ。」

ちょうどその時、山は俄《にわ》かに怒ったように鳴り出し、ブドリは眼の前が青くなったように思いました。山はぐらぐら続けてゆれました。見るとクーボー大博士も老技師もしゃがんで岩へしがみついていましたし、飛行船も大きな波に乗った船のようにゆっくりゆれて居りました。地震はやっとやみクーボー大博士は、起きあがってすたすたと小屋へ入って行きました。中ではお茶がひっくり返って、アルコールが青くぽかぽか燃えていました。クーボー大博士は機械をすっかり調べて、それから老技師といろいろ談《はな》しました。そしてしまいに云いました。

「もうどうしても来年は潮汐《ちょうせき》発電所を全部作ってしまわなければならない。それができれば今度のような場合にもその日のうちに仕事ができるし、ブドリ君が云っている沼ばたけの肥料も降らせられるんだ。」

「旱魃《かんばつ》だってちっともこわくなくなるからな。」ペンネン技師も云いました。ブドリは胸がわくわくしました。山まで踊りあがっているように思いました。じっさい山は、その時烈《はげ》しくゆれ出して、ブドリは床へ投げ出されていたのです。大博士が云いました。

「やるぞ。やるぞ。いまのはサンムトリの市へも可成《かなり》感じたにちがいない。」

老技師が云いました。

「今のはぼくらの足もとから、北へ一キロばかり地表下七百米《メートル》ぐらいの所で、この小屋の六七十倍ぐらいの岩の塊が熔岩の中へ落ち込んだらしいのだ。ところが瓦斯がいよいよ最後の岩の皮をはね飛ばすまでにはそんな塊を百も二百も、じぶんのからだの中にとらなければならない。」

大博士はしばらく考えていましたが、「そうだ、僕はこれで失敬しよう。」と云って小屋を出て、いつかひらりと船に乗ってしまいました。老技師とブドリは、大博士があかりを二三度振って挨拶しながら山をまわって向うへ行くのを見送ってまた小屋に入り、かわるがわる眠ったり観測したりしました。そして暁方麓《あけがたふもと》へ工作隊がつきますと、老技師はブドリを一人小屋に残して、昨日指さしたあの草地まで降りて行きました。みんなの声や、鉄の材料の触れ合う音は、下から風が吹き上げるときは、手にとるように聴えました。ペンネン技師からはひっきりなしに、向うの仕事の進み工合も知らせてよこし、瓦斯の圧力や山の形の変りようも尋ねて来ました。それから三日の間は、はげしい地震や地鳴りのなかでブドリの方も、麓の方もほとんど眠るひまさえありませんでした。その四日目の午前、老技師からの発信が云ってきました。

「ブドリ君だな。すっかり支度ができた。急いで降りてきたまえ。観測の器械は一ぺん調べてそのままにして、表は全部持ってくるのだ。もうその小屋は今日の午后にはなくなるんだから。」

　ブドリはすっかり云われた通りにして山を下りて行きました。そこにはいままで局の倉庫にあった大きな鉄材が、すっかり櫓《やぐら》に組み立っていて、いろいろな機械はもう電流さえ来ればすぐに働き出すばかりになっていました。ペンネン技師の頰はげっそり落ち、工作隊の人たちも青ざめて眼ばかり光らせながら、それでもみんな笑ってブドリに挨拶しました。老技師が云いました。

「では引き上げよう。みんな支度して車に乗り給え。」みんなは大急ぎで二十台の自働車に乗りました。車は列になって山の裾を一散にサンムトリの市に走りました。丁度《ちょうど》山と市とのまん中ごろで、技師は自働車をとめさせました。

「ここへ天幕《てんと》を張り給え。そしてみんなで眠るんだ。」

みんなは、物を一言も云えずにその通りにして倒れるように睡《ねむ》ってしまいました。

その午后、老技師は受話器を置いて叫びました。

「さあ電線は届いたぞ。ブドリ君、始めるよ。」老技師はスイッチを入れました。ブドリたちは、天幕の外に出て、サンムトリの中腹を見つめました。野原には、白百合がいちめん咲き、その向うにサンムトリが青くひっそり立っていました。

俄かにサンムトリの左の裾がぐらぐらっとゆれまっ黒なけむりがぱっと立ったと思うとまっすぐに天にのぼって行って、おかしなきのこの形になり、その足もとから黄《き》金色《ん》の熔岩がきらきら流れ出して、見るまにずうっと扇形にひろがりながら海へ入りました。と思うと地面は烈しくぐらぐらゆれ、百合の花もいちめんゆれ、それからごうっというような大きな音が、みんなを倒すくらい強くやってきました。それから風がどうっと吹いて行きました。

「やったやった。」とみんなはそっちに手を延《の》ばして高く叫びました。この時サンムトリの煙は、崩れるようにそらいっぱいひろがって来ましたが、忽《たちま》ちそらはまっ暗になって、熱いこいしがぱらぱらぱらぱら降ってきました。みんなは天幕の中にはいって心配そうにしていましたが、ペンネン技師は、時計を見ながら、

「ブドリ君、うまく行った。危険はもう全くない。市の方へは灰をすこし降らせるだけだろう。」と云いました。こいしはだんだん灰にかわりました。それもまもなく薄

くなってみんなはまた天幕の外へ飛び出しました。野原はまるで一めん鼠いろになって、灰は一寸《ちょっと》ばかり積り、百合の花はみんな折れて灰に埋まり、空は変に緑いろでした。そしてサンムトリの裾には小さな瘤《こぶ》ができて、そこから灰いろの煙が、まだどんどん登って居りました。

その夕方みんなは、灰やこいしを踏んで、もう一度山へのぼって、新らしい観測の機械を据え着けて帰りました。

七、　雲の海

それから四年の間に、クーボー大博士の計画通り、潮汐発電所は、イーハトーブの海岸に沿って、二百も配置されました。イーハトーブをめぐる火山には、観測小屋といっしょに、白く塗られた鉄の櫓が順々に建ちました。

ブドリは技師心得《こころえ》になって、一年の大部分は火山から火山と廻ってあるいたり、危くなった火山を工作したりしていました。

次の年の春、イーハトーブの火山局では、次のようなポスターを村や町へ張りました。

「窒素肥料を降らせます。

今年の夏、雨といっしょに、硝酸アムモニアをみなさんの沼ばたけや蔬菜《そさい》ばたけに降らせますから、肥料を使う方は、その分を入れて計算してください。分量は百メートル四方につき百二十キログラムです。

雨もすこしは降らせます。

旱魃の際には、とにかく作物の枯れないぐらいの雨は降らせることができますから、いままで水が来なくなって作付しなかった沼ばたけも、今年は心配せずに植え付けてください。」


その年の六月、ブドリはイーハトーブのまん中にあたるイーハトーブ火山の頂上の小屋に居りました。下はいちめん灰いろをした雲の海でした。そのあちこちからイーハトーブ中の火山のいただきが、ちょうど島のように黒く出て居りました。その雲のすぐ上を一隻の飛行船が、船尾からまっ白な煙を噴いて一つの峯から一つの峯へちょうど橋をかけるように飛びまわっていました。そのけむりは、時間がたつほどだんだん太くはっきりなってしずかに下の雲の海に落ちかぶさり、まもなく、いちめんの雲の海にはうす白く光る大きな網が、山から山へ張り亘《わた》されました。いつか飛行船はけむりを納めて、しばらく挨拶するように輪を描《か》いていましたが、やがて船首を垂れてしずかに雲の中へ沈んで行ってしまいました。受話器がジーと鳴りました。ペンネン技師の声でした。

「船はいま帰って来た。下の方の支度はすっかりいい。雨はざあざあ降っている。もうよかろうと思う。はじめてくれ給え。」

　ブドリはぼたんを押しました。見る見るさっきのけむりの網は、美しい桃いろや青や紫に、パッパッと眼もさめるようにかがやきながら、点《つ》いたり消えたりしました。ブドリはまるでうっとりとしてそれに見とれました。そのうちにだんだん日は暮れて、雲の海もあかりが消えたときは、灰いろか鼠いろかわからないようになりました。

　受話器が鳴りました。

「硝酸アムモニアはもう雨の中へでてきている。量もこれぐらいならちょうどいい。移動のぐあいもいいらしい。あと四時間やれば、もうこの地方は今月中は沢山だろう。つづけてやってくれたまえ。」

　ブドリはもううれしくってはね上りたいくらいでした。この雲の下で昔の赤鬚《あかひげ》の主人もとなりの石油がこやしになるかと云った人も、みんなよろこんで雨の音を聞いている。そしてあすの朝は、見違えるように緑いろになったオリザの株を手で撫《な》でたりするだろう、まるで夢のようだと思いながら雲のまっくらになったり、また美しく輝いたりするのを眺めて居りました。ところが短い夏の夜はもう明けるらしかったのです。電光の合間に、東の雲の海のはてがぼんやり黄ばんでいるのでした。

ところがそれは月が出るのでした。大きな黄いろな月がしずかに登ってくるのでした。そして雲が青く光るときは変に白っぽく見え、桃いろに光るときは何かわらっているように見えるのでした。ブドリは、もうじぶんが誰《だれ》なのか何をしているのか忘れてしまって、ただぼんやりそれをみつめていました。受話器がジーと鳴りました。「こっちでは大分雷が鳴り出して来た。網があちこちちぎれたらしい。あんまり鳴らすとあしたの新聞が悪口を云うからもう十分ばかりでやめよう。」

ブドリは受話器を置いて耳をすましました。雲の海はあっちでもこっちでもぶつぶつぶつぶつ呟《つぶや》いているのです。よく気をつけて聞くとやっぱりそれはきれぎれの雷の音でした。ブドリはスイッチを切りました。俄かに月のあかりだけになった雲の海は、やっぱりしずかに北へ流れています。ブドリは毛布をからだに巻いてぐっすり睡りました。

八、秋

その年の農作物の収穫は、気候のせいもありましたが、十年の間にもなかったほど、よく出来ましたので、火山局にはあっちからもこっちからも感謝状や激励の手紙が届きました。ブドリははじめてほんとうに生きた甲斐があるように思いました。

　ところがある日、ブドリがタチナという火山へ行った帰り、とりいれの済んでがらんとした沼ばたけの中の小さな村を通りかかりました。ちょうどひるころなので、パンを買おうと思って、一軒の雑貨や菓子を売っている店へ寄って、

「パンはありませんか。」とききました。すると、そこには三人のはだしの人たちが、眼をまっか赤にして酒を呑んで居りましたが、一人が立ち上って、

「パンはあるが、どうも食われないパンでな。石盤だもな。」とおかしなことを云いますと、みんなは面白そうにブドリの顔を見てどっと笑いました。ブドリはいやになって、ぷいっと表へ出ましたら、向うから髪を角刈りにしたせいの高い男が来て、いきなり、

「おい、お前、今年の夏、電気でこやし降らせたブドリだな。」と云いました。

「そうだ。」ブドリは何気なく答えました。その男は高く叫びました。

「火山局のブドリ来たぞ。みんな集れ。」

　すると今の家《うち》の中やそこらの畑から、七八人の百姓たちが、げらげらわらってかけて来ました。

「この野郎、きさまの電気のお陰で、おいらのオリザ、みんな倒れてしまったぞ。何してあんなまねしたんだ。」一人が云いました。

ブドリはしずかに云いました。

「倒れるなんて、きみらは春に出したポスターを見なかったのか。」

「何この野郎。」いきなり一人がブドリの帽子を叩き落しました。それからみんなは寄ってたかってブドリをなぐったりふんだりしました。ブドリはとうとう何が何だかわからなくなって倒れてしまいました。

　気がついて見るとブドリはどこか病院らしい室《へや》の白いベッドに寝ていました。枕もとには見舞の電報や、たくさんの手紙がありました。ブドリのからだ中は痛くて熱く、動くことができませんでした。けれどもそれから一週間ばかりたちますと、もうブドリはもとの元気になっていました。そして新聞で、あのときの出来事は、肥料の入れ様をまちがって教えた農業技師が、オリザの倒れたのをみんな火山局のせいにして、ごまかしていたためだということを読んで、大きな声で一人で笑いました。その次の日の午后、病院の小使が入って来て、

「ネリというご婦人のお方が訪ねておいでになりました。」と云いました。ブドリは夢ではないかと思いましたら、まもなく一人の日に焼けた百姓のおかみさんのような人が、おずおずと入って来ました。それはまるで変ってはいましたが、あの森の中から誰《たれ》かにつれて行かれたネリだったのです。二人はしばらく物も言えませんでしたが、やっとブドリが、その後《のち》のことをたずねますと、ネリもぽつぽつとイーハトーブの百

姓のことばで、今までのことを談《はな》しました。ネリを連れて行ったあの男は、三日ばかりの後、面倒臭くなったのかある小さな牧場の近くへネリを残してどこかへ行ってしまったのでした。

ネリがそこらを泣いて歩いていますと、その牧場の主人が可哀そうに思って家へ入れて赤ん坊のお守をさせたりしていましたが、だんだんネリは何でも働けるようになったのでとうとう三四年前にその小さな牧場の一番上の息子と結婚したというのでした。そして今年は肥料も降ったので、いつもなら厩肥《うまやごえ》を遠くの畑まで運び出さなければならず、大へん難儀したのを、近くのかぶら畑へみんな入れたし、遠くの玉蜀黍《とうもろこし》もよくできたので、家《うち》じゅうみんな悦《よろこ》んでいるというようなことも云いました。またあの森の中へ主人の息子といっしょに何べんも行って見たけれども、家はすっかり壊れていたし、ブドリはどこへ行ったかわからないのでいつもがっかりして帰っていたら、昨日新聞で主人がブドリのけがをしたことを読んだのでやっとこっちへ訪ねて来たということも云いました。ブドリは、直ったらきっとその家へ訪ねて行ってお礼を云う約束をしてネリを帰しました。

九、カルボナード島

それからの五年は、ブドリにはほんとうに楽しいものでした。赤鬚の主人の家にも何べんもお礼に行きました。

もうよほど年は老《と》っていましたが、やはり非常な元気で、こんどは毛の長い兎《うさぎ》を千疋《びき》以上飼ったり、赤い甘藍《かんらん》ばかり畑に作ったり、相変らずの山師はやっていましたが、暮しはずうっといいようでした。

ネリには、可愛いらしい男の子が生れました。冬に仕事がひまになると、ネリはその子にすっかりこどもの百姓のようなかたちをさせて、主人といっしょに、ブドリの家に訪ねて来て、泊って行ったりするのでした。

ある日、ブドリのところへ、昔てぐす飼いの男にブドリといっしょに使われていた人が訪ねて来て、ブドリたちのお父さんのお墓が森のいちばんはずれの大きな榧《かや》の木の下にあるということを教えて行きました。それは、はじめ、てぐす飼いの男が森に来て、森じゅうの樹を見てあるいたとき、ブドリのお父さんたちの冷くなったからだを見附けて、ブドリに知らせないように、そっと土に埋めて、上へ一本の樺《かば》の枝をたてて置いたというのでした。ブドリは、すぐネリたちをつれてそこへ行って、白い石灰岩の墓をたてて、それからもその辺を通るたびにいつも寄ってくるのでした。

そしてちょうどブドリが二十七の年でした。どうもあの恐ろしい寒い気候がまた来るような模様でした。測候所では、太陽の調子や北の海の氷の様子からその年の二月にみんなへそれを予報しました。それが一足ずつだんだん本当になってこぶしの花が咲かなかったり、五月に十日もみぞれが降ったりしますと、みんなはもう、この前の凶作を思い出して生きたそらもありませんでした。クーボー大博士も、たびたび気象や農業の技師たちと相談したり、意見を新聞へ出したりしましたが、やっぱりこの烈《はげ》しい寒さだけはどうともできないようすでした。

ところが六月もはじめになって、まだ黄いろなオリザの苗や、芽を出さない樹を見ますと、ブドリはもう居ても立ってもいられませんでした。このままで過ぎるなら、森にも野原にも、ちょうどあの年のブドリの家族のようになる人がたくさんできるのです。ブドリはまるで物も食べずに幾晩も幾晩も考えました。ある晩ブドリは、クーボー大博士のうちを訪ねました。

「先生、気層のなかに炭酸瓦斯《たんさんがす》が増えて来れば暖くなるのですか。」

「それはなるだろう。地球ができてからいままでの気温は、大抵空気中の炭酸瓦斯の量できまっていたと云われる位だからね。」

「カルボナード火山島が、いま爆発したら、この気候を変える位の炭酸瓦斯を噴くでしょうか。」

「それは僕も計算した。あれがいま爆発すれば、瓦斯はすぐ大循環の上層の風にまじって地球ぜんたいを包むだろう。そして下層の空気や地表からの熱の放散を防ぎ、地球全体を平均で五度位温《あたたか》にするだろうと思う。」

「先生、あれを今すぐ噴かせられないでしょうか。」

「それはできるだろう。けれども、その仕事に行ったもののうち、最後の一人はどうしても遁《に》げられないのでね。」

「先生、私にそれをやらしてください。どうか先生からペンネン先生へお許しの出るようお詞《ことば》を下さい。」

「それはいけない。きみはまだ若いし、いまのきみの仕事に代《かわ》れるものはそうはない。」

「私のようなものは、これから沢山できます。私よりもっともっと何でもできる人が、私よりもっと立派にもっと美しく、仕事をしたり笑ったりして行くのですから。」

「その相談は僕はいかん。ペンネン技師に談《はな》したまえ。」

　ブドリは帰って来て、ペンネン技師に相談しました。技師はうなずきました。

「それはいい。けれども僕がやろう。僕は今年もう六十三なのだ。ここで死ぬなら全く本望というものだ。」

「先生、けれどもこの仕事はまだあんまり不確かです。一ぺんうまく爆発しても間もなく瓦斯が雨にとられてしまうかもしれませんし、また何もかも思った通りいかないかもしれません。先生が今度お出《い》でになってしまっては、あと何とも工夫がつかなくなると存じます。」

老技師はだまって首を垂れてしまいました。

それから三日の後、火山局の船が、カルボナード島へ急いで行きました。そこへいくつものやぐらは建ち、電線は連結されました。

すっかり仕度ができると、ブドリはみんなを船で帰してしまって、じぶんは一人島に残りました。

そしてその次の日、イーハトーブの人たちは、青ぞらが緑いろに濁り、日や月が銅《あかがね》いろになったのを見ました。けれどもそれから三四日たちますと、気候はぐんぐん暖くなってきて、その秋はほぼ普通の作柄《さくがら》になりました。そしてちょうど、このお話のはじまりのようになる筈《はず》の、たくさんのブドリのお父さんやお母さんは、たくさんのブドリやネリといっしょに、その冬を暖いたべものと、明るい薪《たきぎ》で楽しく暮すことができたのでした。

セロ弾きのゴーシュ

セロひきのゴーシュ

ゴーシュは町の活動写真館でセロを弾《ひ》く係りでした。けれどもあんまり上手でないという評判でした。上手でないどころではなく実は仲間の楽手のなかではいちばん下手《へた》でしたから、いつでも楽長にいじめられるのでした。

ひるすぎみんなは楽屋に円《まる》くならんで今度の町の音楽会へ出す第六交響曲の練習をしていました。

トランペットは一生けん命歌っています。

ヴァイオリンも二いろ風のように鳴っています。

クラリネットもボーボーとそれに手伝っています。

ゴーシュも口をりんと結んで眼を皿のようにして楽譜を見つめながらもう一心に弾いています。

にわかにぱたっと楽長が両手を鳴らしました。みんなぴたりと曲をやめてしんとしました。楽長がどなりました。

「セロがおくれた。トォテテ　テテテイ、ここからやり直し。はいっ。」

みんなは今の所の少し前の所からやり直しました。ゴーシュは顔をまっ赤にして額に汗を出しながらやっといま云《い》われたところを通りました。ほっと安心しながら、つづけて弾いていますと楽長がまた手をぱっと拍《う》ちました。

「セロっ。糸が合わない。困るなあ。ぼくはきみにドレミファを教えてまでいるひまはないんだがなあ。」

　みんなは気の毒そうにしてわざとじぶんの譜をのぞき込んだりじぶんの楽器をはじいて見たりしています。ゴーシュはあわてて糸を直しました。これはじつはゴーシュも悪いのですがセロもずいぶん悪いのでした。

「今の前の小節から。はいっ。」

　みんなはまたはじめました。ゴーシュも口をまげて一生けん命です。そしてこんどはかなり進みました。いいあんばいだと思っていると楽長がおどすような形をしてまたぱたっと手を拍ちました。またかとゴーシュはどきっとしましたがありがたいことにはこんどは別の人でした。ゴーシュはそこでさっきじぶんのときみんながしたようにわざとじぶんの譜へ眼を近づけて何か考えるふりをしていました。

「ではすぐ今の次。はいっ。」

　そらと思って弾き出したかと思うといきなり楽長が足をどんと踏んでどなり出しました。

「だめだ。まるでなっていない。このへんは曲の心臓なんだ。それがこんながさがさしたことで。諸君。演奏までもうあと十日しかないんだよ。音楽を専門にやっているぼくらがあの金沓鍛冶《かなぐつかじ》だの砂糖屋の丁稚《でっち》なんかの寄り集りに負けてしまったらいったいわれわれの面目はどうなるんだ。おいゴーシュ君。君には困るんだがなあ。表情ということがまるでできてない。怒るも喜ぶも感情というものがさっぱり出ないんだ。それにどうしてもぴたっと外《ほか》の楽器と合わないもなあ。いつでもきみだけとけた靴のひもを引きずってみんなのあとをついてあるくようなんだ、困るよ、しっかりしてくれないとねえ。光輝あるわが金星音楽団がきみ一人のために悪評をとるようなことでは、みんなへもまったく気の毒だからな。では今日は練習はここまで、休んで六時にはかっきりボックスへ入ってくれ給《たま》え。」

みんなはおじぎをして、それからたばこをくわえてマッチをすったりどこかへ出て行ったりしました。ゴーシュはその粗末な箱みたいなセロをかかえて壁の方へ向いて口をまげてぼろぼろ泪《なみだ》をこぼしましたが、気をとり直してじぶんだけたったひとりいまやったところをはじめからしずかにもいちど弾きはじめました。

その晩遅くゴーシュは何か巨《おお》きな黒いものをしょってじぶんの家へ帰ってきました。家といってもそれは町はずれの川ばたにあるこわれた水車小屋で、ゴーシュはそこにたった一人ですんでいて午前は小屋のまわりの小さな畑でトマトの枝をきったり甘藍《キャベジ》の虫をひろったりしてひるすぎになるといつも出て行っていたのです。ゴーシュがうちへ入ってあかりをつけるとさっきの黒い包みをあけました。それは何でもない。あの夕方のごつごつしたセロでした。ゴーシュはそれを床の上にそっと置くと、いきなり棚からコップをとってバケツの水をごくごくのみました。

それから頭を一つふって椅子へかけるとまるで虎《とら》みたいな勢《いきおい》でひるの譜を弾きはじめました。譜をめくりながら弾いては考え考えては弾き一生けん命しまいまで行くとまたはじめからなんべんもなんべんもごうごうごうごう弾きつづけました。

夜中もとうにすぎてしまいはもうじぶんが弾いているのかもわからないようになって顔もまっ赤になり眼もまるで血走ってとても物凄《ものすご》い顔つきになりいまにも倒れるかと思うように見えました。

そのとき誰《たれ》かうしろの扉《と》をとんとんと叩《たた》くものがありました。

「ホーシュ君か。」ゴーシュはねぼけたように叫びました。ところがすうと扉を押してはいって来たのはいままで五六ぺん見たことのある大きな三毛猫《みけねこ》でした。ゴーシュの畑からとった半分熟したトマトをさも重そうに持って来てゴーシュの前におろして云いました。

「ああくたびれた。なかなか運搬はひどいやな。」

「何だと」ゴーシュがききました。

「これおみやです。たべてください。」三毛猫が云いました。

ゴーシュはひるからのむしゃくしゃを一ぺんにどなりつけました。

「誰がきさまにトマトなど持ってこいと云った。第一おれがきさまらのもってきたものなど食うか。それからそのトマトだっておれの畑のやつだ。何だ。赤くもならないやつをむしって。いままでもトマトの茎をかじったりけちらしたりしたのはおまえだろう。行ってしまえ。ねこめ。」

するとさ猫は肩をまるくして眼をすぼめてはいましたが口のあたりでにやにやわらって云いました。

「先生、そうお怒りになっちゃ、おからだにさわります。それよりシューマンのトロメライをひいてごらんなさい。きいてあげますから。」

「生意気なことを云うな。ねこのくせに。」

セロ弾きはしゃくにさわってこのねこのやつどうしてくれようとしばらく考えました。

「いやご遠慮はありません。どうぞ。わたしはどうも先生の音楽をきかないとねむれないんです。」

「生意気だ。生意気だ。生意気だ。」

ゴーシュはすっかりまっ赤になってひるま楽長のしたように足ぶみしてどなりましたがにわかに気を変えて云いました。

「では弾くよ。」

　ゴーシュは何と思ったか扉《と》にかぎをかって窓もみんなしめてしまい、それからセロをとりだしてあかしを消しました。すると外から二十日過ぎの月のひかりが室《へや》のなかへ半分ほどはいってきました。

「何をひけと。」

「トロメライ、ロマチックシューマン作曲。」猫は口を拭《ふ》いて済まして云いました。

「そうか。トロメライというのはこういうのか。」

　セロ弾きは何と思ったかまずはんけちを引きさいてじぶんの耳の穴へぎっしりつめました。それからまるで嵐のような勢で「印度の虎狩《とらがり》」という譜を弾きはじめました。

　すると猫はしばらく首をまげて聞いていましたがいきなりパチパチパチッと眼をしたかと思うとぱっと扉の方へ飛びのきました。そしていきなりどんと扉へからだをぶっつけましたが扉はあきませんでした。猫はさあこれはもう一生一代の失敗をしたという風にあわてだして眼や額《ひたい》からぱちぱち火花を出しました。するとこんどは口のひげからも鼻からも出ましたから猫はくすぐったがってしばらくくしゃみをするような顔をしてそれからまたさあこうしてはいられないぞというようにはせあるきだしました。ゴーシュはすっかり面白くなってますます勢よくやり出しました。

「先生もうたくさんです。たくさんですよ。ご生《しょう》ですからやめてください。これからもう先生のタクトなんかとりませんから。」

「だまれ。これから虎をつかまえる所だ。」

猫はくるしがってはねあがってまわったり壁にからだをくっつけたりしましたが壁についたあとはしばらく青くひかるのでした。しまいは猫はまるで風車のようにぐるぐるぐるゴーシュをまわりました。

ゴーシュもすこしぐるぐるして来ましたので、

「さあこれで許してやるぞ」と云いながらようようやめました。

すると猫もけろりとして

「先生、こんやの演奏はどうかしてますね。」と云いました。

セロ弾きはまたぐっとしゃくにさわりましたが何気ない風で巻たばこを一本だして口にくわえそれからマッチを一本とって

「どうだい。工合《ぐあい》をわるくしないかい。舌を出してごらん。」

猫はばかにしたように尖《とが》った長い舌をベロリと出しました。

「ははあ、少し荒れたね。」セロ弾きは云いながらいきなりマッチを舌でシュッとすってじぶんのたばこへつけました。さあ猫は愕《おどろ》いたの何の舌を風車のようにふりまわしながら入り口の扉へ行って頭でどんとぶっつかってはよろよろとしてまた戻って来てどんとぶっつかってはよろよろまた戻って来てまたぶっつかってはよろよろにげみちをこさえようとしました。

ゴーシュはしばらく面白そうに見ていましたが

「出してやるよ。もう来るなよ。ばか。」

セロ弾きは扉をあけて猫が風のように萱《かや》のなかを走って行くのを見てちょっとわらいました。それから、やっとせいせいしたというようにぐっすりねむりました。

次の晩もゴーシュがまた黒いセロの包みをかついで帰ってきました。そして水をごくごくのむとそっくりゆうべのとおりぐんぐんセロを弾きはじめました。十二時は間もなく過ぎ一時もすぎ二時もすぎてもゴーシュはまだやめませんでした。それからもう何時だかもわからず弾いているかもわからずごうごうやっていますと誰《たれ》か屋根裏をこっこっと叩くものがあります。

「猫、まだこりないのか。」

ゴーシュが叫びますといきなり天井の穴からぼろんと音がして一疋《ぴき》の灰いろの鳥が降りて来ました。床へとまったのを見るとそれはかっこうでした。

「鳥まで来るなんて。何の用だ。」ゴーシュが云いました。

「音楽を教わりたいのです。」

かっこう鳥はすまして云いました。

ゴーシュは笑って

「音楽だと。おまえの歌は、かっこう、かっこうというだけじゃあないか。」

するとかっこうが大へんまじめに
「ええ、それなんです。けれどもむずかしいですからねえ。」と云いました。

「むずかしいもんか。おまえたちのはたくさん啼《な》くのがひどいだけで、なきようは何でもないじゃないか。」

「ところがそれがひどいんです。たとえばかっこうとこうなくのとかっこうとこうなくのとでは聞いていてもよほどちがうでしょう。」

「ちがわないね。」

「ではあなたにはわからないんです。わたしらのなかまならかっこうと一万云えば一万みんなちがうんです。」

「勝手だよ。そんなにわかってるなら何もおれの処《ところ》へ来なくてもいいではないか。」

「ところが私はドレミファを正確にやりたいんです。」

「ドレミファもくそもあるか。」

「ええ、外国へ行く前にぜひ一度いるんです。」

「外国もくそもあるか。」

「先生どうかドレミファを教えてください。わたしはついてうたいますから。」

「うるさいなあ。そら三べんだけ弾いてやるからすんだらさっさと帰るんだぞ。」

ゴーシュはセロを取り上げてボロンボロンと糸を合せてドレミファソラシドとひき

ました。するとかっこうはあわてて羽をばたばたしました。

「ちがいます、ちがいます。そんなんでないんです。」

「うるさいなあ。ではおまえやってごらん。」

「こうですよ。」かっこうはからだをまえに曲げてしばらく構えてから
「かっこう」と一つなきました。

「何だい。それがドレミファかい。おまえたちには、それではドレミファも第六交響楽も同じなんだな。」

「それはちがいます。」

「どうちがうんだ。」

「むずかしいのはこれをたくさん続けたのがあるんです。」

「つまりこうだろう。」セロ弾きはまたセロをとって、かっこうかっこうかっこうかっこうかっこうとつづけてひきました。

　するとかっこうはたいへんよろこんで途中からかっこうかっこうかっこうかっこうとついて叫びました。それももう一生けん命からだをまげていつまでも叫ぶのです。

　ゴーシュはとうとう手が痛くなって
「こら、いいかげんにしないか。」と云いながらやめました。するとかっこうは残念そうに眼をつりあげてまだしばらくないていましたがやっと

「……かっこうかくうかっかっかっかっか」と云ってやめました。

ゴーシュがすっかりおこってしまって、

「こらとり、もう用が済んだらかえれ」と云いました。

「どうかもういっぺん弾《ひ》いてください。あなたのはいいようだけれどもすこしちがうんです。」

「何だと、おれがきさまに教わってるんではないんだぞ。帰らんか。」

「どうかたったもう一ぺんおねがいです。どうか。」かっこうは頭を何べんもこんこん下げました。

「ではこれっきりだよ。」

ゴーシュは弓をかまえました。かっこうは「くっ」とひとつ息をして
「ではなるべく永くおねがいいたします。」といってまた一つおじぎをしました。

「いやになっちまうなあ。」ゴーシュはにが笑いしながら弾きはじめました。するとかっこうはまたまるで本気になって「かっこうかっこうかっこう」とからだをまげてじつに一生けん命叫びました。ゴーシュははじめはむしゃくしゃしていましたがいつまでもつづけて弾いているうちにふっと何だかこれは鳥の方がほんとうのドレミファにはまっているかなという気がしてきました。どうも弾けば弾くほどかっこうの方がいいような気がするのでした。

「えいこんなばかなことしていたらおれは鳥になってしまうんじゃないか。」とゴーシュはいきなりぴたりとセロをやめました。

するとかっこうはどしんと頭を叩かれたようにふらふらっとしてそれからまたさっきのように

「かっこうかっこうかっこうかっかっかっかっかっ」と云ってやめました。それから恨めしそうにゴーシュを見て

「なぜやめたんですか。ぼくらならどんな意気地ないやつでものどから血が出るまでは叫ぶんですよ。」と云いました。

「何を生意気な。こんなばかなまねをいつまでしていられるか。もう出て行け。見ろ。夜があけるんじゃないか。」ゴーシュは窓を指さしました。

東のそらがぼうっと銀いろになってそこをまっ黒な雲が北の方へどんどん走っています。

「ではお日さまの出るまでどうぞ。もう一ぺん。ちょっとですから。」

かっこうはまた頭を下げました。

「黙れっ。いい気になって。このばか鳥め。出て行かんとむしって朝飯に食ってしまうぞ。」ゴーシュはどんと床をふみました。

するとかっこうはにわかにびっくりしたようにいきなり窓をめがけて飛び立ちまし

た。そして硝子《ガラス》にはげしく頭をぶっつけてばたっと下へ落ちました。

「何だ、硝子へばかだなあ。」ゴーシュはあわてて立って窓をあけようとしましたが元来この窓はそんなにいつでもするする開く窓ではありませんでした。ゴーシュが窓のわくをしきりにがたがたしているうちにまたかっこうがばっとぶっつかって下へ落ちました。見ると嘴《くちばし》のつけねからすこし血が出ています。

「いまあけてやるから待っていろったら。」ゴーシュがやっと二寸ばかり窓をあけたとき、かっこうは起きあがって何が何でもこんどこそというようにじっと窓の向うの東のそらをみつめて、あらん限りの力をこめた風でぱっと飛びたちました。もちろんこんどは前よりひどく硝子につきあたってかっこうは下へ落ちたまましばらく身動きもしませんでした。つかまえてドアから飛ばしてやろうとゴーシュが手を出しましたらいきなりかっこうは眼をひらいて飛びのきました。そしてまたガラスへ飛びつきそうにするのです。ゴーシュは思わず足を上げて窓をばっとけりました。ガラスは二三枚物すごい音して砕け窓はわくのまま外へ落ちました。そのがらんとなった窓のあとをかっこうが矢のように外へ飛びだしました。そしてもうどこまでもどこまでもまっすぐに飛んで行ってとうとう見えなくなってしまいました。ゴーシュはしばらく呆《あき》れたように外を見ていましたが、そのまま倒れるように室《へや》のすみへころがって睡《ねむ》ってしまいました。

次の晩もゴーシュは夜中すぎまでセロを弾いてつかれて水を一杯のんでいますと、また扉《と》をこつこつ叩くものがあります。

今夜は何が来てもゆうべのかっこうのようにはじめからおどかして追い払ってやろうと思ってコップをもったまま待ち構えて居りますと、扉がすこしあいて一疋《ぴき》の狸《たぬき》の子がはいってきました。ゴーシュはそこでその扉をもう少し広くひらいて置いてどんと足をふんで、

「こら、狸、おまえは狸汁ということを知っているかっ。」とどなりました。すると狸の子はぼんやりした顔をしてきちんと床へ座ったままどうもわからないというように首をまげて考えていましたが、しばらくたって

「狸汁ってぼく知らない。」と云いました。ゴーシュはその顔を見て思わず吹き出そうとしましたが、まだ無理に恐い顔をして、

「では教えてやろう。狸汁というのはな。おまえのような狸をな、キャベジや塩とまぜてくたくたと煮ておれさまの食うようにしたものだ。」と云いました。すると狸の子はまたふしぎそうに

「だってぼくのお父さんがね、ゴーシュさんはとてもいい人でこわくないから行って習えと云ったよ。」と云いました。そこでゴーシュもとうとう笑い出してしまいました。

「何を習えと云ったんだ。おれはいそがしいんじゃないか。それに睡いんだよ。」

狸の子は俄《にわか》に勢がついたように一足前へ出ました。

「ぼくは小太鼓の係りでねえ。セロへ合せてもらって来いと云われたんだ。」

「どこにも小太鼓がないじゃないか。」

「そら、これ」狸の子はせなかから棒きれを二本出しました。

「それでどうするんだ。」

「ではね、『愉快な馬車屋』を弾いてください。」

「何だ愉快な馬車屋ってジャズか。」

「ああこの譜だよ。」狸の子はせなかからまた一枚の譜をとり出しました。ゴーシュは手にとってわらい出しました。

「ふう、変な曲だなあ。よし、さあ弾くぞ。おまえは小太鼓を叩くのか。」ゴーシュは狸の子がどうするのかと思ってちらちらそっちを見ながら弾きはじめました。

するとの子は棒をもってセロの駒《こま》の下のところを拍子をとってぽんぽん叩きはじめました。それがなかなかうまいので弾いているうちにゴーシュはこれは面白いぞと思いました。

おしまいまでひいてしまうと狸の子はしばらく首をまげて考えました。

それからやっと考えついたというように云いました。

「ゴーシュさんはこの二番目の糸をひくときはきたいに遅れるねえ。なんだかぼくがつまずくようになるよ。」

ゴーシュははっとしました。たしかにその糸はどんなに手早く弾いてもすこしたってからでないと音が出ないような気がゆうべからしていたのでした。

「いや、そうかもしれない。このセロは悪いんだよ。」とゴーシュはかなしそうに云いました。すると狸は気の毒そうにしてまたしばらく考えていましたが

「どこが悪いんだろうなあ。ではもう一ぺん弾いてくれますか。」

「いいとも弾くよ。」ゴーシュははじめました。狸の子はさっきのようにとんとん叩きながら時々頭をまげてセロに耳をつけるようにしました。そしておしまいまで来たときは今夜もまた東がぼうと明るくなっていました。

「あ、夜が明けたぞ。どうもありがとう。」狸の子は大へんあわてて譜や棒きれをせなかへしょってゴムテープでぱちんととめておじぎを二つ三つすると急いで外へ出て行ってしまいました。

ゴーシュはぼんやりしてしばらくゆうべのこわれたガラスからはいってくる風を吸っていましたが、町へ出て行くまで睡って元気をとり戻そうと急いでねどこへもぐり込みました。

次の晩もゴーシュは夜通しセロを弾いて明方近く思わずつかれて楽譜をもったまま

うとうとしていますとまた誰《たれ》か扉《と》をこつこつと叩くものがあります。それもまるで聞えるか聞えないかの位でしたが毎晩のことなのでゴーシュはすぐ聞きつけて「おはいり。」と云いました。すると戸のすきまからはいって来たのは一ぴきの野ねずみでした。そして大へんちいさなこどもをつれてちょろちょろとゴーシュの前へ歩いてきました。そのまた野ねずみのこどもときたらまるでけしごむのくらいしかないのでゴーシュはおもわずわらいました。すると野ねずみは何をわらわれたろうというようにきょろきょろしながらゴーシュの前に来て、青い栗《くり》の実を一つぶ前においてちゃんとおじぎをして云いました。

「先生、この児《こ》があんばいがわるくて死にそうでございますが先生お慈悲になおしてやってくださいまし。」

「おれが医者などやれるもんか。」ゴーシュはすこしむっとして云いました。すると野ねずみのお母さんは下を向いてしばらくだまっていましたがまた思い切ったように云いました。

「先生、それはうそでございます。先生は毎日あんなに上手にみんなの病気をなおしておいでになるではありませんか。」

「何のことだかわからんね。」

「だって先生先生のおかげで、兎《うさぎ》さんのおばあさんもなおりましたし狸さんのお父さんもなおりましたしあんな意地悪のみみずくまでなおしていただいたのにこの子ばかりお助けをいただけないとはあんまり情ないことでございます。」

「おいおい、それは何かの間ちがいだよ。おれはみみずくの病気なんどなおしてやったことはないからな。もっとも狸の子はゆうべ来て楽隊のまねをして行ったがね。ははん。」ゴーシュは呆《あき》れてその子ねずみを見おろしてわらいました。

するとと野鼠のお母さんは泣きだしてしまいました。

「ああこの児はどうせ病気になるならもっと早くなればよかった。さっきまであれ位ごうごうと鳴らしておいでになったのに、病気になるといっしょにぴたっと音がとまってもうあとはいくらおねがいしても鳴らしてくださらないなんて。何てふしあわせな子どもだろう。」

ゴーシュはびっくりして叫びました。

「何だと、ぼくがセロを弾けばみみずくや兎の病気がなおると。どういうわけだ。それは。」

野ねずみは眼を片手でこすりこすり云いました。

「はい、ここらのものは病気になるとみんな先生のおうちの床下にはいって療《なお》すのでございます。」

「すると療るのか。」

「はい。からだ中とても血のまわりがよくなって大へんいい気持ちですぐ療る方もあればうちへ帰ってから療る方もあります。」

「ああそうか。おれのセロの音がごうごうひびくと、それがあんまの代りになっておまえたちの病気がなおるというのか。よし。わかったよ。やってやろう。」ゴーシュはちょっとギウギウと糸を合せてそれからいきなりのねずみのこどもをつまんでセロの孔《あな》から中へ入れてしまいました。

「わたしもいっしょについて行きます。どこの病院でもそうですから。」おっかさんの野ねずみはきちがいのようになってセロに飛びつきました。

「おまえさんもはいるかね。」セロ弾きはおっかさんの野ねずみをセロの孔からくぐしてやろうとしましたが顔が半分しかはいりませんでした。

野ねずみはばたばたしながら中のこどもに叫びました。

「おまえそこはいいかい。落ちるときいつも教えるように足をそろえてうまく落ちたかい。」

「いい。うまく落ちた。」こどものねずみはまるで蚊のような小さな声でセロの底で返事しました。

「大丈夫さ。だから泣き声出すなというんだ。」ゴーシュはおっかさんのねずみを下におろしてそれから弓をとって何とかラプソディとかいうものをごうごうがあがあ弾

きました。するとおっかさんのねずみはいかにも心配そうにその音の工合をきいていましたがとうとうこらえ切れなくなったふうで

「もう沢山です。どうか出してやってください。」と云いました。

「なあんだ、これでいいのか。」ゴーシュはセロをまげて孔のところに手をあてて待っていましたら間もなくこどものねずみが出てきました。ゴーシュは、だまってそれをおろしてやりました。見るとすっかり目をつぶってぶるぶるぶるぶるふるえていました。

「どうだったの。いいかい。気分は。」

こどものねずみはすこしもへんじもしないでまだしばらく眼をつぶったままぶるぶるぶるぶるふるえていましたがにわかに起きあがって走りだした。

「ああよくなったんだ。ありがとうございます。ありがとうございます。」おっかさんのねずみもいっしょに走っていましたが、まもなくゴーシュの前に来てしきりにおじぎをしながら

「ありがとうございますありがとうございます」と十ばかり云いました。

ゴーシュは何がなかあいそうになって

「おい、おまえたちはパンはたべるのか。」とききました。

すると野鼠はびっくりしたようにきょろきょろあたりを見まわしてから

「いえ、もうおパンというものは小麦の粉をこねたりむしたりしてこしらえたものでふくふく膨《ふく》らんでいておいしいものなそうでございますが、そうでなくても私どもはおうちの戸棚へなど参ったこともございませんし、ましてこれ位お世話になりながらどうしてそれを運びになんど参れましょう。」と云いました。

「いや、そのことではないんだ。ただたべるのかときいたんだ。ではたべるんだな。ちょっと待てよ。その腹の悪いこどもへやるからな。」

ゴーシュはセロを床へ置いて戸棚からパンを一つまみむしって野ねずみの前へ置きました。

野ねずみはもうまるでばかのようになって泣いたり笑ったりおじぎをしたりしてから大《だい》じそうにそれをくわえてこどもをさきに立てて外へ出て行きました。

「あああ。鼠と話するのもなかなかつかれるぞ。」ゴーシュはねどこへどっかり倒れてすぐぐうぐうねむってしまいました。

それから六日目の晩でした。金星音楽団の人たちは町の公会堂のホールの裏にある控室へみんなぱっと顔をほてらしてめいめい楽器をもって、ぞろぞろホールの舞台から引きあげて来ました。首尾よく第六交響曲を仕上げたのです。ホールでは拍手の音がまだ嵐のように鳴って居《お》ります。楽長はポケットへ手をつっ込んで拍手なんかどうでもいいというようにのそのそみんなの間を歩きまわっていましたが、じつはどうして嬉しさでいっぱいなのでした。みんなはたばこをくわえてマッチをすったり楽器をケースへ入れたりしました。

ホールではまだぱちぱち手が鳴っています。それどころではなくいよいよそれが高くなって何だかこわいような手がつけられないような音になりました。大きな白いリボンを胸につけた司会者がはいって来ました。

「アンコールをやっていますが、何かみじかいものでもきかせてやってくださいませんか。」

するとと楽長がきっとなって答えました。

「いけませんな。こういう大物のあとへ何を出したってこっちの気の済むようには行くもんでないんです。」

「では楽長さん出て一寸挨拶《ちょっとあいさつ》して下さい。」

「だめだ。おい、ゴーシュ君、何か出て弾いてやってくれ。」

「わたしがですか。」ゴーシュは呆気《あっけ》にとられました。

「君だ、君だ。」ヴァイオリンの一番の人がいきなり顔をあげて云いました。

「さあ出て行きたまえ。」楽長が云いました。みんなもセロをむりにゴーシュに持たせて扉《と》をあけるといきなり舞台へゴーシュを押し出してしまいました。ゴーシュがその孔のあいたセロをもってじつに困ってしまって舞台へ出るとみんなはそら見ろというように一そうひどく手を叩きました。わあと叫んだものもあるようでした。

「どこまでひとをばかにするんだ。よし見ていろ。印度の虎狩をひいてやるから。」ゴーシュはすっかり落ちついて舞台のまん中へ出ました。

それからあの猫の来たときのようにまるで怒った象のような勢で虎狩りを弾きました。ところが聴衆はしいんとなって一生けん命聞いています。ゴーシュはどんどん弾きました。猫が切《せつ》ながってぱちぱち火花を出したところも過ぎました。扉へからだを何べんもぶっつけた所も過ぎました。

曲が終るとゴーシュはもうみんなの方などは見もせずちょうどその猫のようにすばやくセロをもって楽屋へ遁《に》げ込みました。すると楽屋では楽長はじめ仲間がみんな火事にでもあったあとのように眼をじっとしてひっそりとすわり込んでいます。ゴーシュはやぶれかぶれだと思ってみんなの間をさっさとあるいて行って向うの長椅子へどっかりとからだをおろして足を組んですわりました。

するとみんなが一ぺんに顔をこっちへ向けてゴーシュを見ましたがやはりまじめでべつにわらっているようでもありませんでした。

「こんやは変な晩だなあ。」

ゴーシュは思いました。ところが楽長は立って云いました。

「ゴーシュ君、よかったぞお。あんな曲だけれどもここではみんなかなり本気になって聞いてたぞ。一週間か十日の間にずいぶん仕上げたなあ。十日前とくらべたらまるで赤ん坊と兵隊だ。やろうと思えばいつでもやれたんじゃないか、君。」

仲間もみんな立って来て「よかったぜ」とゴーシュに云いました。

「いや、からだが丈夫だからこんなこともできるよ。普通の人なら死んでしまうからな。」楽長が向うで云っていました。

その晩遅くゴーシュは自分のうちへ帰って来ました。

そしてまた水をがぶがぶ呑みました。それから窓をあけていつかかっこうの飛んで行ったと思った遠くのそらをながめながら

「ああかっこう。あのときはすまなかったなあ。おれは怒ったんじゃなかったんだ。」

と云いました。

よだかの星

よだかのほし

よだかは、実にみにくい鳥です。

顔は、ところどころ、味噌《みそ》をつけたようにまだらで、くちばしは、ひらたくて、耳までさけています。

足は、まるでよぼよぼで、一間とも歩けません。

ほかの鳥は、もう、よだかの顔を見ただけでも、いやになってしまうという工合《ぐあい》でした。

たとえば、ひばりも、あまり美しい鳥ではありませんが、よだかよりは、ずっと上だと思っていましたので、夕方など、よだかにあうと、さもさもいやそうに、しんねりと目をつぶりながら、首をそっ方へ向けるのでした。もっとちいさなおしゃべりの鳥などは、いつでもよだかのまっこうから悪口をしました。

「ヘン。又出て来たね。まあ、あのざまをごらん。ほんとうに、鳥の仲間のつらよごしだよ。」

「ね、まあ、あのくちの大きいことさ。きっと、かえるの親類か何かなんだよ。」

こんな調子です。おお、よだかでないただのたかならば、こんな生《なま》はんかのちいさい鳥は、もう名前を聞いただけでも、ぶるぶるふるえて、顔色を変えて、からだをちぢめて、木の葉のかげにでもかくれたでしょう。ところが夜だかは、ほんとうは鷹《たか》の兄弟でも親類でもありませんでした。かえって、よだかは、あの美しいかわせみや、鳥の中の宝石のような蜂《はち》すずめの兄さんでした。蜂すずめは花の蜜をたべ、かわせみはお魚を食べ、夜だかは羽虫をとってたべるのでした。それによだかには、するどい爪《つめ》もするどいくちばしもありませんでしたから、どんなに弱い鳥でも、よだかをこわがる筈《はず》はなかったのです。

それなら、たかという名のついたことは不思議なようですが、これは、一つはよだかのはねが無暗《むやみ》に強くて、風を切って翔《か》けるときなどは、まるで鷹のように見えたことと、も一つはなきごえがするどくて、やはりどこか鷹に似ていた為です。もちろん、鷹は、これをひじょうに気にかけて、いやがっていました。それですから、よだかの顔さえ見ると、肩をいからせて、早く名前をあらためろ、名前をあらためろと、いうのでした。

ある夕方、とうとう、鷹がよだかのうちへやって参りました。

「おい。居るかい。まだお前は名前をかえないのか。ずいぶんお前も恥知らずだな。お前とおれでは、よっぽど人格がちがうんだよ。たとえばおれは、青いそらをどこまででも飛んで行く。おまえは、曇ってうすぐらい日か、夜でなくちゃ、出て来ない。それから、おれのくちばしやつめを見ろ。そして、よくお前のとくらべて見るがいい。」

「鷹さん。それはあんまり無理です。私の名前は私が勝手につけたのではありません。神さまから下さったのです。」

「いいや。おれの名なら、神さまから貰ったのだと云ってもよかろうが、お前のは、云《い》わば、おれと夜と、両方から借りてあるんだ。さあ返せ。」

「鷹さん。それは無理です。」

「無理じゃない。おれがいい名を教えてやろう。市蔵《いちぞう》というんだ。市蔵とな。いい名だろう。そこで、名前を変えるには、改名の披露というものをしないといけない。いいか。それはな、首へ市蔵と書いたふだをぶらさげて、私は以来市蔵と申しますと、口上を云って、みんなの所をおじぎしてまわるのだ。」

「そんなことはとても出来ません。」

「いいや。出来る。そうしろ。もしあさっての朝までに、お前がそうしなかったら、もうすぐ、つかみ殺すぞ。つかみ殺してしまうから、そう思え。おれはあさっての朝早く、鳥のうちを一軒ずつまわって、お前が来たかどうかを聞いてあるく。一軒でも来なかったという家があったら、もう貴様もその時がおしまいだぞ。」

「だってそれはあんまり無理じゃありませんか。そんなことをする位なら、私はもう死んだ方がましです。今すぐ殺して下さい。」

「まあ、よく、あとで考えてごらん。市蔵なんてそんなにわるい名じゃないよ。」鷹は大きなはねを一杯にひろげて、自分の巣の方へ飛んで帰って行きました。

よだかは、じっと目をつぶって考えました。

（一たい僕は、なぜこうみんなにいやがられるのだろう。僕の顔は、味噌をつけたようで、口は裂けてるからなあ。それだって、僕は今まで、なんにも悪いことをしたことがない。赤ん坊のめじろが巣から落ちていたときは、助けて巣へ連れて行ってやった。そしたらめじろは、赤ん坊をまるでぬす人からでもとりかえすように僕からひきはなしたんだなあ。それからひどく僕を笑ったっけ。それにああ、今度は市蔵だなんて、首へふだをかけるなんて、つらいはなしだなあ。）

あたりは、もううすくらくなっていました。夜だかは巣から飛び出しました。雲が意地悪く光って、低くたれています。夜だかはまるで雲とすれすれになって、音なく空を飛びまわりました。

それからにわかによだかは口を大きくひらいて、はねをまっすぐに張って、まるで矢のようにそらをよこぎりました。小さな羽虫が幾匹も幾匹もその咽喉《のど》にはいりました。

からだがつちにつくかつかないうちに、よだかはひらりとまたそらへはねあがりました。もう雲は鼠色になり、向うの山には山焼けの火がまっ赤です。

夜だかが思い切って飛ぶときは、そらがまるで二つに切れたように思われます。一疋の甲虫《かぶとむし》が、夜だかの咽喉にはいって、ひどくもがきました。よだかはすぐそれを呑《の》みこみましたが、その時何だかせなかがぞっとしたように思いました。

雲はもうまっくろく、東の方だけ山やけの火が赤くうつって、恐ろしいようです。よだかはむねがつかえたように思いながら、又そらへのぼりました。

また一疋の甲虫が、夜だかののどに、はいりました。そしてまるでよだかの咽喉をひっかいてばたばたしました。よだかはそれを無理にのみこんでしまいましたが、その時、急に胸がどきっとして、夜だかは大声をあげて泣き出しました。泣きながらぐるぐるぐるぐる空をめぐったのです。

(ああ、かぶとむしや、たくさんの羽虫が、毎晩僕に殺される。そしてそのただ一つの僕がこんどは鷹に殺される。それがこんなにつらいのだ。ああ、つらい、つらい。僕はもう虫をたべないで餓《う》えて死のう。いやその前にもう鷹が僕を殺すだろう。いや、その前に、僕は遠くの遠くの空の向うに行ってしまおう。)

山焼けの火は、だんだん水のように流れてひろがり、雲も赤く燃えているようです。

よだかはまっすぐに、弟の川せみの所へ飛んで行きました。きれいな川せみも、丁度起きて遠くの山火事を見ていた所でした。そしてよだかの降りて来たのを見て云いました。

「兄さん。今晩は。何か急のご用ですか。」

「いいや、僕は今度遠い所へ行くからね、その前一寸《ちょっと》お前に遭いに来たよ。」

「兄さん。行っちゃいけませんよ。蜂雀《はちすずめ》もあんな遠くにいるんですし、僕ひとりぼっちになってしまうじゃありませんか。」

「それはね。どうも仕方ないのだ。もう今日は何も云わないで呉れ。そしてお前もね、どうしてもとらなければならない時のほかはいたずらにお魚を取ったりしないようにして呉れ。ね、さよなら。」

「兄さん。どうしたんです。まあもう一寸お待ちなさい。」

「いや、いつまで居てもおんなじだ。はちすずめへ、あとでよろしく云ってやって呉れ。さよなら。もうあわないよ。さよなら。」

よだかは泣きながら自分のお家へ帰って参りました。みじかい夏の夜はもうあけかかっていました。

羊歯《しだ》の葉は、よあけの霧を吸って、青くつめたくゆれました。よだかは高くきしきしきしと鳴きました。そして巣の中をきちんとかたづけ、きれいにからだ中のはねや毛をそろえて、また巣から飛び出しました。

霧がはれて、お日さまが丁度《ちょうど》東からのぼりました。夜だかはぐらぐらするほどまぶしいのをこらえて、矢のように、そっちへ飛んで行きました。

でもかまいません。私のようなみにくいからだでも灼《や》けるときには小さなひかりを出すでしょう。どうか私を連れてって下さい。」

行っても行っても、お日さまは近くなりませんでした。かえってだんだん小さく遠くなりながらお日さまが云いました。

「お前はよだかだな。なるほど、ずいぶんつらかろう。今夜そらを飛んで、星にそうたのんでごらん。お前はひるの鳥ではないのだからな。」

夜だかはおじぎを一つしたと思いましたが、急にぐらぐらしてとうとう野原の草の上に落ちてしまいました。そしてまるで夢を見ているようでした。からだがずうっと赤や黄の星のあいだをのぼって行ったり、どこまでも風に飛ばされたり、又鷹が来てからだをつかんだりしたようでした。

つめたいものがにわかに顔に落ちました。よだかは眼をひらきました。一本の若いすすきの葉から露がしたたったのでした。もうすっかり夜になって、空は青ぐろく、一面の星がまたたいていました。よだかはそらへ飛びあがりました。今夜も山やけの火はまっかです。よだかはその火のかすかな照りと、つめたいほしあかりの中をとびめぐりました。それからもう一ぺん飛びめぐりました。そして思い切って西のそらのあの美しいオリオンの星の方に、まっすぐに飛びながら叫びました。

「お星さん。西の青じろいお星さん。どうか私をあなたのところへ連れてって下さい。灼けて死んでもかまいません。」

オリオンは勇ましい歌をつづけながらよだかなどはてんで相手にしませんでした。よだかは泣きそうになって、よろよろと落ちて、それからやっとふみとまって、もう一ぺんとびめぐりました。それから、南の大犬座の方へまっすぐに飛びながら叫びました。

「お星さん。南の青いお星さん。どうか私をあなたの所へつれてって下さい。やけて死んでもかまいません。」

大犬は青や紫や黄やうつくしくせわしくまたたきながら云いました。

「馬鹿を云うな。おまえなんか一体どんなものだい。たかが鳥じゃないか。おまえのはねでここまで来るには、億年兆年億兆年だ。」そしてまた別の方を向きました。

よだかはがっかりして、よろよろ落ちて、それから又二へん飛びめぐりました。それから又思い切って北の大熊星《おおぐまぼし》の方へまっすぐに飛びながら叫びました。

「北の青いお星さま、あなたの所へどうか私を連れてって下さい。」

大熊星はしずかに云いました。

「余計なことを考えるものではない。少し頭をひやして来なさい。そう云うときは、氷山の浮いている海の中へ飛び込むか、近くに海がなかったら、氷をうかべたコップの水の中へ飛び込むのが一等だ。」

よだかはがっかりして、よろよろ落ちて、それから又、四へんそらをめぐりました。そしてもう一度、東から今のぼった天の川の向う岸の鷲《わし》の星に叫びました。

「東の白いお星さま、どうか私をあなたの所へ連れてって下さい。やけて死んでもかまいません。」

鷲は大風《おおふう》に云いました。

「いいや、とてもとても、話にも何にもならん。星になるには、それ相応の身分でなくちゃいかん。又よほど金もいるのだ。」

よだかはもうすっかり力を落してしまって、はねを閉じて、地に落ちて行きました。そしてもう一尺で地面にその弱い足がつくというとき、よだかは俄《にわ》かにのろしのようにそらへとびあがりました。そらのなかほどへ来て、よだかはまるで鷲が熊を襲うときするように、ぶるっとからだをゆすって毛をさかだてました。

それからキシキシキシキシキシッと高く高く叫びました。その声はまるで鷹でした。野原や林にねむっていたほかのとりは、みんな目をさまして、ぶるぶるふるえながら、いぶかしそうにほしぞらを見あげました。

夜だかは、どこまでも、どこまでも、まっすぐに空へのぼって行きました。もう山焼けの火はたばこの吸殻《すいがら》のくらいにしか見えません。よだかはのぼってのぼって行きました。

寒さにいきはむねに白く凍りました。空気がうすくなった為に、はねをそれはそれはせわしくうごかさなければなりませんでした。

それだのに、ほしの大きさは、さっきと少しも変りません。つくいきはふいごのようです。寒さや霜がまるで剣のようによだかを刺しました。よだかははねがすっかりしびれてしまいました。そしてなみだぐんだ目をあげてもう一ぺんそらを見ました。そうです。これがよだかの最後でした。もうよだかは落ちているのか、のぼっているのか、さかさになっているのか、上を向いているのかも、わかりませんでした。ただこころもちはやすらかに、その血のついた大きなくちばしは、横にまがっては居ましたが、たしかに少しわらって居りました。

それからしばらくたってよだかははっきりまなこをひらきました。そして自分のからだがいま燐《りん》の火のような青い美しい光になって、しずかに燃えているのを見ました。すぐとなりは、カシオピア座でした。天の川の青じろいひかりが、すぐうしろになっていました。

そしてよだかの星は燃えつづけました。いつまでもいつまでも燃えつづけました。

今でもまだ燃えています。

銀河鐵道の夜

ぎんがてつどうのよる

一、午后の授業

「ではみなさんは、そういうふうに川だと云われたり、乳の流れたあとだと云われたりしていたこのぼんやりと白いものがほんとうは何かご承知ですか。」先生は、黒板に吊《つる》した大きな黒い星座の図の、上から下へ白くけぶった銀河帯のようなところを指しながら、みんなに問《とい》をかけました。

カムパネルラが手をあげました。それから四五人手をあげました。ジョバンニも手をあげようとして、急いでそのままやめました。たしかにあれがみんな星だと、いつか雑誌で読んだのでしたが、このごろはジョバンニはまるで毎日教室でもねむく、本を読むひまも読む本もないので、なんだかどんなこともよくわからないという気持がするのでした。

ところが先生は早くもそれを見附けたのでした。

「ジョバンニさん。あなたはわかっているのでしょう。」

ジョバンニは勢よく立ちあがりましたが、立って見るともうはっきりとそれを答えることができないのでした。ザネリが前の席からふりかえって、ジョバンニを見てくすっとわらいました。ジョバンニはもうどぎまぎしてまっ赤になってしまいました。先生がまた云《い》いました。

「大きな望遠鏡で銀河をよっく調べると銀河は大体何でしょう。」

やっぱり星だとジョバンニは思いましたがこんどもすぐに答えることができませんでした。

先生はしばらく困ったようすでしたが、眼をカムパネルラの方へ向けて、

「ではカムパネルラさん。」と名指しました。するとあんなに元気に手をあげたカムパネルラが、やはりもじもじ立ち上ったままやはり答えができませんでした。

先生は意外なようにしばらくじっとカムパネルラを見ていましたが、急いで「では。よし。」と云いながら、自分で星図を指しました。

「このぼんやりと白い銀河を大きないい望遠鏡で見ますと、もうたくさんの小さな星に見えるのです。ジョバンニさんそうでしょう。」

ジョバンニはまっ赤になってうなずきました。けれどもいつかジョバンニの眼のなかには涙がいっぱいになりました。そうだ僕は知っていたのだ。勿論《もちろん》カムパネルラも知っている、それはいつかカムパネルラのお父さんの博士のうちでカムパネルラといっしょに読んだ雑誌のなかにあったのだ。それどこでなくカムパネルラは、その雑誌を読むと、すぐお父さんの書斎から巨《おお》きな本をもってきて、ぎんがというところをひ

ろげ、まっ黒な頁《ページ》いっぱいに白い点々のある美しい写真を二人でいつまでも見たのでした。それをカムパネルラが忘れる筈《はず》もなかったのに、すぐに返事をしなかったのは、このごろぼくが、朝にも午后にも仕事がつらく、学校に出てもうみんなともはきはき遊ばず、カムパネルラともあんまり物を云わないようになったので、カムパネルラがそれを知って気の毒がってわざと返事をしなかったのだ、そう考えるとたまらないほど、じぶんもカムパネルラもあわれなような気がするのでした。

先生はまた云いました。

「ですからもしもこの天の川がほんとうに川だと考えるなら、その一つ一つの小さな星はみんなその川のそこの砂や砂利の粒にもあたるわけです。またこれを巨きな乳の流れと考えるならもっと天の川とよく似ています。つまりその星はみな、乳のなかにまるで細かにうかんでいる脂油の球にもあたるのです。そんなら何がその川の水にあたるかと云いますと、それは真空という光をある速さで伝えるもので、太陽や地球もやっぱりそのなかに浮《うか》んでいるのです。つまりは私どもも天の川の水のなかに棲《す》んでいるわけです。そしてその天の川の水のなかから四方を見ると、ちょうど水が深いほど青く見えるように、天の川の底の深く遠いところほど星がたくさん集って見えしたがって白くぼんやり見えるのです。この模型をごらんなさい。」

先生は中にたくさん光る砂のつぶの入った大きな両面の凸《とつ》レンズを指しました。

「天の川の形はちょうどこんななのです。このいちいちの光るつぶがみんな私どもの太陽と同じようにじぶんで光っている星だと考えます。私どもの太陽がこのほぼ中ごろにあって地球がそのすぐ近くにあるとします。みなさんは夜にこのまん中に立ってこのレンズの中を見まわすとしてごらんなさい。こっちの方はレンズが薄いのでわずかの光る粒即《すなわ》ち星しか見えないのでしょう。こっちやこっちの方はガラスが厚いので、光る粒即ち星がたくさん見えその遠いのはぼうっと白く見えるというこれがつまり今日の銀河の説なのです。そんならこのレンズの大きさがどれ位あるかまたその中のさまざまの星についてはもう時間ですからこの次の理科の時間にお話します。では今日はその銀河のお祭なのですからみなさんは外へでてよくそらをごらんなさい。ではここまでです。本やノートをおしまいなさい。」

そして教室中はしばらく机の蓋《ふた》をあけたりしめたり本を重ねたりする音がいっぱいでしたがまもなくみんなはきちんと立って礼をすると教室を出ました。

二、活版所

ジョバンニが学校の門を出るとき、同じ組の七八人は家へ帰らずカムパネルラをまん中にして校庭の隅《すみ》の桜の木のところに集まっていました。それはこんやの星祭に青いあかりをこしらえて川へ流す烏瓜《からすうり》を取りに行く相談らしかったのです。

けれどもジョバンニは手を大きく振ってどしどし学校の門を出て来ました。すると町の家々ではこんやの銀河の祭りにいちいの葉の玉をつるしたりひのきの枝にあかりをつけたりいろいろ仕度をしているのでした。

家へは帰らずジョバンニが町を三つ曲ってある大きな活版処《かっぱんじょ》にはいってすぐ入口の計算台に居ただぶだぶの白いシャツを着た人におじぎをしてジョバンニは靴をぬいで上りますと、突き当りの大きな扉《と》をあけました。中にはまだ昼なのに電灯がついてたくさんの輪転器《りんてんき》がばたりばたりとまわり、きれで頭をしばったりラムプシェードをかけたりした人たちが、何か歌うように読んだり数えたりしながらたくさん働いて居《お》りました。

ジョバンニはすぐ入口から三番目の高い卓子《テーブル》に座った人の所へ行っておじぎをしました。その人はしばらく棚をさがしてから、

「これだけ拾って行けるかね。」と云いながら、一枚の紙切れを渡しました。ジョバンニはその人の卓子の足もとから一つの小さな平たい函《はこ》をとりだして向うの電灯のたくさんついた、たてかけてある壁の隅の所へしゃがみ込むと小さなピンセットでまるで粟粒《あわつぶ》ぐらいの活字を次から次と拾いはじめました。青い胸あてをした人がジョバン

ニのうしろを通りながら、

「よう、虫めがね君、お早う。」と云いますと、近くの四五人の人たちが声もたてずこっちも向かずに冷くわらいました。

ジョバンニは何べんも眼を拭《ぬぐ》いながら活字をだんだんひろいました。

六時がうってしばらくたったころ、ジョバンニは拾った活字をいっぱいに入れた平たい箱をもういちど手にもった紙きれと引き合せてから、さっきの卓子の人へ持って来ました。その人は黙ってそれを受け取って微《かす》かにうなずきました。

ジョバンニはおじぎをすると扉をあけてさっきの計算台のところに来ました。するとさっきの白服を着た人がやっぱりだまって小さな銀貨を一つジョバンニに渡しました。ジョバンニは俄《にわ》かに顔いろがよくなって威勢よくおじぎをすると台の下に置いた鞄《かばん》をもっておもてへ飛びだしました。それから元気よく口笛を吹きながらパン屋へ寄ってパンの塊《かたまり》を一つと角砂糖を一袋買いますと一目散に走りだしました。

三、家

ジョバンニが勢よく帰って来たのは、ある裏町の小さな家でした。その三つならんだ入口の一番左側には空箱に紫いろのケールやアスパラガスが植えてあって小さな二つの窓には日覆《おお》いが下りたままになっていました。

「お母さん。いま帰ったよ。工合《ぐあい》悪くなかったの。」ジョバンニは靴をぬぎながら云いました。

「ああ、ジョバンニ、お仕事がひどかったろう。今日は涼しくてね。わたしはずうっと工合がいいよ。」

ジョバンニは玄関を上って行きますとジョバンニのお母さんがすぐ入口の室《へや》に白い巾《きれ》を被《かぶ》って寝《やす》んでいたのでした。ジョバンニは窓をあけました。

「お母さん。今日は角砂糖を買ってきたよ。牛乳に入れてあげようと思って。」

「ああ、お前さきにおあがり。あたしはまだほしくないんだから。」

「お母さん。姉さんはいつ帰ったの。」

「ああ三時ころ帰ったよ。みんなそこらをしてくれてね。」

「お母さんの牛乳は来ていないんだろうか。」

「来なかったろうかねえ。」

「ぼく行ってとって来よう。」

「ああたしはゆっくりでいいんだからお前さきにおあがり、姉さんがね、トマトで何かこしらえてそこへ置いて行ったよ。」

「ではぼくたべよう。」

ジョバンニは窓のところからトマトの皿をとってパンといっしょにしばらくむしゃむしゃたべました。

「ねえお母さん。ぼくお父さんはきっと間もなく帰ってくると思うよ。」

「あああたしもそう思う。けれどもおまえはどうしてそう思うの。」

「だって今朝《けさ》の新聞に今年は北の方の漁は大へんよかったと書いてあったよ。」

「ああだけどねえ、お父さんは漁へ出ていないかもしれない。」

「きっと出ているよ。お父さんが監獄へ入るようなそんな悪いことをした筈《はず》がないんだ。この前お父さんが持ってきて学校へ寄贈した巨きな蟹《かに》の甲らだのとなかいの角だの今だってみんな標本室にあるんだ。六年生なんか授業のとき先生がかわるがわる教室へ持って行くよ。一昨年修学旅行で〔以下数文字分空白〕

「お父さんはこの次はおまえにラッコの上着をもってくるといったねえ。」

「みんながぼくにあうとそれを云うよ。ひやかすように云うんだ。」

「おまえに悪口を云うの。」

「うん、けれどもカムパネルラなんか決して云わない。カムパネルラはみんながそんなことを云うときは気の毒そうにしているよ。」

「あの人はうちのお父さんとはちょうどおまえたちのように小さいときからのお友達

だったそうだよ。」

「ああだからお父さんはぼくをつれてカムパネルラのうちへもつれて行ったよ。あのころはよかったなあ。ぼくは学校から帰る途中たびたびカムパネルラのうちに寄った。カムパネルラのうちにはアルコールランプで走る汽車があったんだ。レールを七つ組み合せると円《まる》くなってそれに電柱や信号標もついていて信号標のあかりは汽車が通るときだけ青くなるようになっていたんだ。いつかアルコールがなくなったとき石油をつかったら、缶《かま》がすっかり煤《すす》けたよ。」

「そうかねえ。」

「いまも毎朝新聞をまわしに行くよ。けれどもいつでも家中まだしぃんとしているからな。」

「早いからねえ。」

「ザウエルという犬がいるよ。しっぽがまるで箒《ほうき》のようだ。ぼくが行くと鼻を鳴らしてついてくるよ。ずうっと町の角までついてくる。もっとついてくることもあるよ。今夜はみんなで烏瓜のあかりを川へながしに行くんだって。きっと犬もついて行くよ。」

「そうだ。今晩は銀河のお祭だねえ。」

「うん。ぼく牛乳をとりながら見てくるよ。」

「ああ行っておいで。川へははいらないでね。」

「ああぼく岸から見るだけなんだ。一時間で行ってくるよ。」

「もっと遊んでおいで。カムパネルラさんと一緒なら心配はないから。」

「ああきっと一緒だよ。お母さん、窓をしめて置こうか。」

「ああ、どうか。もう涼しいからね」

ジョバンニは立って窓をしめお皿やパンの袋を片附けると勢よく靴をはいて「では一時間半で帰ってくるよ。」と云いながら暗い戸口を出ました。

四、ケンタウル祭の夜

ジョバンニは、口笛を吹いているようなさびしい口付きで、檜《ひのき》のまっ黒にならんだ町の坂を下りて来たのでした。

坂の下に大きな一つの街灯が、青白く立派に光って立っていました。ジョバンニが、どんどん電灯の方へ下りて行きますと、いままでばけもののように、長くぼんやり、うしろへ引いていたジョバンニの影ぼうしは、だんだん濃く黒くはっきりなって、足をあげたり手を振ったり、ジョバンニの横の方へまわって来るのでした。

（ぼくは立派な機関車だ。ここは勾配《こうばい》だから速いぞ。ぼくはいまその電灯を通り越す。そうら、こんどはぼくの影法師はコムパスだ。あんなにくるっとまわって、前の方へ来た。）

とジョバンニが思いながら、大股にその街灯の下を通り過ぎたとき、いきなりひるまのザネリが、新らしいえりの尖《とが》ったシャツを着て電灯の向う側の暗い小路《こうじ》から出て来て、ひらっとジョバンニとすれちがいました。

「ザネリ、烏瓜ながしに行くの。」ジョバンニがまだそう云ってしまわないうちに、

「ジョバンニ、お父さんから、らっこの上着が来るよ。」その子が投げつけるようにうしろから叫びました。

ジョバンニは、ばっと胸がつめたくなり、そこら中きぃんと鳴るように思いました。

「何だい。ザネリ。」とジョバンニは高く叫び返しましたがもうザネリは向うのひばの植《う》った家の中へはいっていました。

「ザネリはどうしてぼくがなんにもしないのにあんなことを云うのだろう。走るときはまるで鼠《ねずみ》のようなくせに。ぼくがなんにもしないのにあんなことを云うのはザネリがばかなからだ。」

ジョバンニは、せわしくいろいろのことを考えながら、さまざまの灯や木の枝で、すっかりきれいに飾られた街を通って行きました。時計屋の店には明るくネオン灯が

ついて、一秒ごとに石でこさえたふくろうの赤い眼が、くるっくるっとうごいたり、いろいろな宝石が海のような色をした厚い硝子《ガラス》の盤に載《の》って星のようにゆっくり循《めぐ》ったり、また向う側から、銅の人馬がゆっくりこっちへまわって来たりするのでした。そのまん中に円い黒い星座早見が青いアスパラガスの葉で飾ってありました。

ジョバンニはわれを忘れて、その星座の図に見入りました。

それはひる学校で見たあの図よりはずうっと小さかったのですがその日と時間に合せて盤をまわすと、そのとき出ているそらがそのまま楕円形のなかにめぐってあらわれるようになって居りやはりそのまん中には上から下へかけて銀河がぼうとけむったような帯になってその下の方ではかすかに爆発して湯気でもあげているように見えるのでした。またそのうしろには三本の脚のついた小さな望遠鏡が黄いろに光って立っていましたしいちばんうしろの壁には空じゅうの星座をふしぎな獣や蛇や魚や瓶《びん》の形に書いた大きな図がかかっていました。ほんとうにこんなような蝎《さそり》だの勇士だのそらにぎっしり居るだろうか、ああぼくはその中をどこまでも歩いて見たいと思ってたりしてしばらくぼんやり立って居ました。

それから俄かにお母さんの牛乳のことを思いだしてジョバンニはその店をはなれました。そしてきゅうくつな上着の肩を気にしながらそれでもわざと胸を張って大きく手を振って町を通って行きました。

空気は澄みきって、まるで水のように通りや店の中を流れましたし、街灯はみなまっ青なもみや楢《なら》の枝で包まれ、電気会社の前の六本のプラタヌスの木などは、中に沢山の豆電灯がついて、ほんとうにそこらは人魚の都のように見えるのでした。子どもらは、みんな新らしい折のついた着物を着て、星めぐりの口笛を吹いたり、

「ケンタウルス、露をふらせ。」と叫んで走ったり、青いマグネシヤの花火を燃したりして、たのしそうに遊んでいるのでした。けれどもジョバンニは、いつかまた深く首を垂れて、そこらのにぎやかさとはまるでちがったことを考えながら、牛乳屋の方へ急ぐのでした。


ジョバンニは、いつか町はずれのポプラの木が幾本も幾本も、高く星ぞらに浮んでいるところに来ていました。その牛乳屋の黒い門を入り、牛の匂《におい》のするうすくらい台所の前に立って、ジョバンニは帽子をぬいで「今晩は、」と云いましたら、家の中はしぃんとして誰《たれ》も居たようではありませんでした。

「今晩は、ごめんなさい。」ジョバンニはまっすぐに立ってまた叫びました。するとしばらくたってから、年老《と》った女の人が、どこか工合が悪いようにそろそろと出て来て何か用かと口の中で云いました。

「あの、今日、牛乳が僕んとこへ来なかったので、貰いにあがったんです。」ジョバンニが一生けん命勢よく云いました。

「いま誰もいないでわかりません。あしたにして下さい。」

その人は、赤い眼の下のとこを擦《こす》りながら、ジョバンニを見おろして云いました。

「おっかさんが病気なんですから今晩でないと困るんです。」

「ではもう少したってから来てください。」その人はもう行ってしまいそうでした。

「そうですか。ではありがとう。」ジョバンニは、お辞儀をして台所から出ました。

十字になった町のかどを、まがろうとしましたら、向うの橋へ行く方の雑貨店の前で、黒い影やぼんやり白いシャツが入り乱れて、六七人の生徒らが、口笛を吹いたり笑ったりして、めいめい烏瓜の灯火《あかり》を持ってやって来るのを見ました。その笑い声も口笛も、みんな聞きおぼえのあるものでした。ジョバンニの同級の子供らだったのです。ジョバンニは思わずどきっとして戻ろうとしましたが、思い直して、一そう勢よくそっちへ歩いて行きました。

「川へ行くの。」ジョバンニが云おうとして、少しのどがつまったように思ったとき、

「ジョバンニ、らっこの上着が来るよ。」さっきのザネリがまた叫びました。

「ジョバンニ、らっこの上着が来るよ。」すぐみんなが、続いて叫びました。ジョバンニはまっ赤になって、もう歩いているかもわからず、急いで行きすぎようとしましたら、そのなかにカムパネルラが居たのです。カムパネルラは気の毒そうに、だまって少しわらって、怒らないだろうかというようにジョバンニの方を見ていました。

ジョバンニは、遁《に》げるようにその眼を避け、そしてカムパネルラのせいの高いかたちが過ぎて行って間もなく、みんなはてんでに口笛を吹きました。町かどを曲るとき、ふりかえって見ましたら、ザネリがやはりふりかえって見ていました。そしてカムパネルラもまた、高く口笛を吹いて向うにぼんやり見える橋の方へ歩いて行ってしまったのでした。ジョバンニは、なんとも云えずさびしくなって、いきなり走り出しました。すると耳に手をあてて、わああと云いながら片足でぴょんぴょん跳んでいた小さな子供らは、ジョバンニが面白くてかけるのだと思ってわあいと叫びました。まもなくジョバンニは黒い丘の方へ急ぎました。

五、天気輪の柱

牧場のうしろはゆるい丘になって、その黒い平らな頂上は、北の大熊星《おおぐまぼし》の下に、ぼんやりふだんよりも低く連《つらな》って見えました。

ジョバンニは、もう露の降りかかった小さな林のこみちを、どんどんのぼって行きました。まっくらな草や、いろいろな形に見えるやぶのしげみの間を、その小さなみちが、一すじ白く星あかりに照らしだされてあったのです。草の中には、ぴかぴか青びかりを出す小さな虫もいて、ある葉は青くすかし出され、ジョバンニは、さっきみんなの持って行った烏瓜のあかりのようだとも思いました。

そのまっ黒な、松や楢の林を越えると、俄かにがらんと空がひらけて、天の川がしらしらと南から北へ亘《わた》っているのが見え、また頂《いただき》の、天気輪の柱も見わけられたのでした。つりがねそうか野ぎくかの花が、そこらいちめんに、夢の中からでも薫《かお》りだしたというように咲き、鳥が一疋《ぴき》、丘の上を鳴き続けながら通って行きました。

ジョバンニは、頂の天気輪の柱の下に来て、どかどかするからだを、つめたい草に投げました。

町の灯は、暗《やみ》の中をまるで海の底のお宮のけしきのようにともり、子供らの歌う声や口笛、きれぎれの叫び声もかすかに聞えて来るのでした。風が遠くで鳴り、丘の草もしずかにそよぎ、ジョバンニの汗でぬれたシャツもつめたく冷《ひや》されました。ジョバンニは町のはずれから遠く黒くひろがった野原を見わたしました。

そこから汽車の音が聞えてきました。その小さな列車の窓は一列小さく赤く見え、その中にはたくさんの旅人が、苹果《りんご》を剝《む》いたり、わらったり、いろいろな風にしているると考えますと、ジョバンニは、もう何とも云えずかなしくなって、また眼をそらに挙げました。

ああああの白いそらの帯がみんな星だというぞ。

ところがいくら見ていても、そのそらはひる先生の云ったような、がらんとした冷いとこだとは思われませんでした。それどころでなく、見れば見るほど、そこは小さな林や牧場やらある野原のように考えられて仕方なかったのです。そしてジョバンニは青い琴の星が、三つにも四つにもなって、ちらちら瞬《またた》き、脚が何べんも出たり引っ込んだりして、とうとう蕈《きのこ》のように長く延びるのを見ました。またすぐ眼の下のまちまでがやっぱりぼんやりしたたくさんの星の集りか一つの大きなけむりかのように見えるように思いました。

六、銀河ステーション

そしてジョバンニはすぐうしろの天気輪の柱がいつかぼんやりした三角標の形になって、しばらく蛍《ほたる》のように、ぺかぺか消えたりともったりしているのを見ました。それはだんだんはっきりして、とうとうりんとうごかないようになり、濃い鋼青のそらの野原にたちました。いま新らしく灼《や》いたばかりの青い鋼の板のような、そらの野原に、まっすぐにすきっと立ったのです。

するとどこかで、ふしぎな声が、銀河ステーション、銀河ステーションと云う声がしたと思うといきなり眼の前が、ぱっと明るくなって、まるで億万の蛍《ほたる》烏賊《いか》の火を一ぺんに化石させて、そら中に沈めたという工合、またダイアモンド会社で、ねだんがやすくならないために、わざと穫《と》れないふりをして、かくして置いた金剛石を、誰《たれ》かがいきなりひっくりかえして、ばら撒《ま》いたという風に、眼の前がさあっと明るくなって、ジョバンニは、思わず何べんも眼を擦《こす》ってしまいました。

　気がついてみると、さっきから、ごとごとごとごと、ジョバンニの乗っている小さな列車が走りつづけていたのでした。ほんとうにジョバンニは、夜の軽便鉄道の、小さな黄いろの電灯のならんだ車室に、窓から外を見ながら座っていたのです。車室の中は、青い天鵞絨《びろうど》を張った腰掛けが、まるでがら明きで、向うの鼠いろのワニスを塗った壁には、真鍮《しんちゅう》の大きなぼたんが二つ光っているのでした。

　すぐ前の席に、ぬれたようにまっ黒な上着を着た、せいの高い子供が、窓から頭を出して外を見ているのに気が付きました。そしてそのこどもの肩のあたりが、どうも見たことのあるような気がして、そう思うと、もうどうしても誰だかわかりたくて、たまらなくなりました。いきなりこっちも窓から顔を出そうとしたとき、俄かにその子供が頭を引っ込めて、こっちを見ました。

　それはカムパネルラだったのです。

　ジョバンニが、カムパネルラ、きみは前からここに居たのと云おうと思ったとき、

カムパネルラが
「みんなはねずいぶん走ったけれども遅れてしまったよ。ザネリもね、ずいぶん走ったけれども追いつかなかった。」と云いました。

ジョバンニは、(そうだ、ぼくたちはいま、いっしょにさそって出掛けたのだ。)とおもいながら、

「どこかで待っていようか。」と云いました。するとカムパネルラは
「ザネリはもう帰ったよ。お父さんが迎いにきたんだ。」

カムパネルラは、なぜかそう云いながら、少し顔いろが青ざめて、どこか苦しいというふうでした。するとジョバンニも、なんだかどこかに、何か忘れたものがあるというような、おかしな気持ちがしてだまってしまいました。

ところがカムパネルラは、窓から外をのぞきながら、もうすっかり元気が直って、勢よく云いました。

「ああしまった。ぼく、水筒を忘れてきた。スケッチ帳も忘れてきた。けれど構わない。もうじき白鳥の停車場だから。ぼく、白鳥を見るなら、ほんとうにすきだ。川の遠くを飛んでいたって、ぼくはきっと見える。」そして、カムパネルラは、円い板のようになった地図を、しきりにぐるぐるまわして見ていました。まったくその中に、白くあらわされた天の川の左の岸に沿って一条の鉄道線路が、南へ南へとたどって行

くのでした。そしてその地図の立派なことは、夜のようにまっ黒な盤の上に、一一の停車場や三角標、泉水や森が、青や橙《だいだい》や緑や、うつくしい光でちりばめられてありました。ジョバンニはなんだかその地図をどこかで見たようにおもいました。

「この地図はどこで買ったの。黒曜石でできてるねえ。」

ジョバンニが云いました。

「銀河ステーションで、もらったんだ。君もらわなかったの。」

「ああ、ぼく銀河ステーションを通ったろうか。いまぼくたちの居るとこ、ここだろう。」

ジョバンニは、白鳥と書いてある停車場のしるしの、すぐ北を指しました。

「そうだ。おや、あの河原は月夜だろうか。」

そっちを見ますと、青白く光る銀河の岸に、銀いろの空のすすきが、もうまるでいちめん、風にさらさらさらさら、ゆられてうごいて、波を立てているのでした。

「月夜でないよ。銀河だから光るんだよ。」ジョバンニは云いながら、まるではね上りたいくらい愉快になって、足をこつこつ鳴らし、窓から顔を出して、高く高く星めぐりの口笛を吹きながら一生けん命延びあがって、その天の川の水を、見きわめようとしましたが、はじめはどうしてもそれが、はっきりしませんでした。けれどもだんだん気をつけて見ると、そのきれいな水は、ガラスよりも水素よりもすきとおって、ときどき眼の加減か、ちらちら紫いろのこまかな波をたてたり、虹のようにぎらっと光ったりしながら、声もなくどんどん流れて行き、野原にはあっちにもこっちにも、燐光《りんこう》の三角標が、うつくしく立っていたのです。遠いものは小さく、近いものは大きく、遠いものは橙や黄いろではっきりし、近いものは青白く少しかすんで、或《ある》いは三角形、或いは四辺形、あるいは電《いなずま》や鎖の形、さまざまにならんで、野原いっぱい光っているのでした。ジョバンニは、まるでどきどきして、頭をやけに振りました。するとほんとうに、そのきれいな野原中の青や橙や、いろいろかがやく三角標も、てんでに息をつくように、ちらちらゆれたり顫《ふる》えたりしました。

「ぼくはもう、すっかり天の野原に来た。」ジョバンニは云いました。

「それにこの汽車石炭をたいていないねえ。」ジョバンニが左手をつき出して窓から前の方を見ながら云いました。

「アルコールか電気だろう。」カムパネルラが云いました。

ごとごとごとごと、その小さなきれいな汽車は、そらのすすきの風にひるがえる中を、天の川の水や、三角点の青じろい微光の中を、どこまでもどこまでもと、走って行くのでした。

「ああ、りんどうの花が咲いている。もうすっかり秋だねえ。」カムパネルラが、窓の外を指さして云いました。

線路のへりになったみじかい芝草の中に、月長石ででも刻まれたような、すばらしい紫のりんどうの花が咲いていていました。

「ぼく、飛び下りて、あいつをとって、また飛び乗ってみせようか。」ジョバンニは胸を躍《おど》らせて云いました。

「もうだめだ。あんなにうしろへ行ってしまったから。」

カムパネルラが、そう云ってしまうかしまわないうち、次のりんどうの花が、いっぱいに光って過ぎて行きました。

と思ったら、もう次から次から、たくさんのきいろな底をもったりんどうの花のコップが、湧くように、雨のように、眼の前を通り、三角標の列は、けむるように燃えるように、いよいよ光って立ったのです。

七、北十字とプリオシン海岸

「おっかさんは、ぼくをゆるして下さるだろうか。」

いきなり、カムパネルラが、思い切ったというように、少しどもりながら、急《せ》きこんで云いました。

ジョバンニは、

(ああ、そうだ、ぼくのおっかさんは、あの遠い一つのちりのように見える橙いろの三角標のあたりにいらっしゃって、いまぼくのことを考えているんだった。)と思いながら、ぼんやりしてだまっていました。

「ぼくはおっかさんが、ほんとうに幸《さいわい》になるなら、どんなことでもする。けれども、いったいどんなことが、おっかさんのいちばんの幸なんだろう。」カムパネルラは、なんだか、泣きだしたいのを、一生けん命こらえているようでした。

「きみのおっかさんは、なんにもひどいことないじゃないの。」ジョバンニはびっくりして叫びました。

「ぼくわからない。けれども、誰《たれ》だって、ほんとうにいいことをしたら、いちばん幸なんだねえ。だから、おっかさんは、ぼくをゆるして下さると思う。」カムパネルラは、なにかほんとうに決心しているように見えました。

俄かに、車のなかが、ぱっと白く明るくなりました。見ると、もうじつに、金剛石や草の露やあらゆる立派さをあつめたような、きらびやかな銀河の河床の上を水は声もなくかたちもなく流れ、その流れのまん中に、ぼうっと青白く後光の射《さ》した一つの島が見えるのでした。その島の平らないただきに、立派な眼もさめるような、白い十字架がたって、それはもう凍った北極の雲で鋳《い》たといったらいいか、すきっとした金いろの円光をいただいて、しずかに永久に立っているのでした。「ハルレヤ、ハルレヤ。」前からもうしろからも声が起りました。ふりかえって見ると、車室の中の旅人たちは、みなまっすぐにきもののひだを垂れ、黒いバイブルを胸にあてたり、水晶の珠数《じゅず》をかけたり、どの人もつつましく指を組み合せて、そっちに祈っているのでした。思わず二人もまっすぐに立ちあがりました。カムパネルラの頬《ほお》は、まるで熟した苹果《りんご》のあかしのようにうつくしくかがやいて見えました。

そして島と十字架とは、だんだんうしろの方へうつって行きました。

向う岸も、青じろくぽうっと光ってけむり、時々、やっぱりすすきが風にひるがえるらしく、さっとその銀いろがけむって、息でもかけたように見え、また、たくさんのりんどうの花が、草をかくれたり出たりするのは、やさしい狐火《きつねび》のように思われました。

それもほんのちょっとの間、川と汽車との間は、すすきの列でさえぎられ、白鳥の島は、二度ばかり、うしろの方に見えましたが、じきもうずうっと遠く小さく、絵のようになってしまい、またすすきがざわざわ鳴って、とうとうすっかり見えなくなってしまいました。ジョバンニのうしろには、いつから乗っていたのか、せいの高い、黒いかつぎをしたカトリック風の尼さんが、まん円な緑の瞳《ひとみ》を、じっとまっすぐに落して、まだ何かことばか声かが、そっちから伝わって来るのを、虔《つつし》んで聞いているというように見えました。旅人たちはしずかに席に戻り、二人も胸いっぱいのかなしみに似た新らしい気持ちを、何気なくちがった語《ことば》で、そっと談《はな》し合ったのです。

「もうじき白鳥の停車場だねえ。」

「ああ、十一時かっきりには着くんだよ。」

早くも、シグナルの緑の灯と、ぼんやり白い柱とが、ちらっと窓のそとを過ぎ、それから硫黄《いおう》のほのおのようなくらいぼんやりした転てつ機の前のあかりが窓の下を通り、汽車はだんだんゆるやかになって、間もなくプラットホームの一列の電灯が、うつくしく規則正しくあらわれ、それがだんだん大きくなってひろがって、二人は丁度《ちょうど》白鳥停車場の、大きな時計の前に来てとまりました。

さわやかな秋の時計の盤面《ダイアル》には、青く灼かれたはがねの二本の針が、くっきり十一時を指しました。みんなは、一ぺんに下りて、車室の中はがらんとなってしまいました。

〔二十分停車〕と時計の下に書いてありました。

「ぼくたちも降りて見ようか。」ジョバンニが云いました。

「降りよう。」

二人は一度にはねあがってドアを飛び出して改札口へかけて行きました。ところが改札口には、明るい紫がかった電灯が、一つ点《つ》いているばかり、誰《たれ》も居ませんでした。

そこら中を見ても、駅長や赤帽らしい人の、影もなかったのです。

二人は、停車場の前の、水晶細工のように見える銀杏《いちょう》の木に囲まれた、小さな広場に出ました。そこから幅の広いみちが、まっすぐに銀河の青光の中へ通っていました。

さきに降りた人たちは、もうどこへ行ったか一人も見えませんでした。二人がその白い道を、肩をならべて行きますと、二人の影は、ちょうど四方に窓のある室《へや》の中の、二本の柱の影のように、また二つの車輪の輻《や》のように幾本も幾本も四方へ出るのでした。そして間もなく、あの汽車から見えたきれいな河原に来ました。

カムパネルラは、そのきれいな砂を一つまみ、掌《てのひら》にひろげ、指できしきしさせながら、夢のように云っているのでした。

「この砂はみんな水晶だ。中で小さな火が燃えている。」

「そうだ。」どこでぼくは、そんなこと習ったろうと思いながら、ジョバンニもぼんやり答えていました。

河原の礫《こいし》は、みんなすきとおって、たしかに水晶や黄玉や、またくしゃくしゃの皺《しゅう》曲《きょく》をあらわしたのや、また稜《かど》から霧のような青白い光を出す鋼玉やらでした。ジョバンニは、走ってその渚《なぎさ》に行って、水に手をひたしました。けれどもあやしいその銀河の水は、水素よりももっとすきとおっていたのです。それでもたしかに流れていたことは、二人の手首の、水にひたったとこが、少し水銀いろに浮いたように見え、その手首にぶっつかってできた波は、うつくしい燐光をあげて、ちらちらと燃えるように見えたのでもわかりました。

川上の方を見ると、すすきのいっぱいに生えている崖《がけ》の下に、白い岩が、まるで運動場のように平らに川に沿って出ているのでした。そこに小さな五六人の人かげが、何か掘り出すか埋めるかしているらしく、立ったり屈《かが》んだり、時々なにかの道具が、ピカッと光ったりしました。

「行ってみよう。」二人は、まるで一度に叫んで、そっちの方へ走りました。その白い岩になった処《ところ》の入口に、

〔プリオシン海岸〕という、瀬戸物のつるつるした標札が立って、向うの渚には、ところどころ、細い鉄の欄干《らんかん》も植えられ、木製のきれいなベンチも置いてありました。

「おや、変なものがあるよ。」カムパネルラが、不思議そうに立ちどまって、岩から黒い細長いさきの尖ったくるみの実のようなものをひろいました。

「くるみの実だよ。そら、沢山ある。流れて来たんじゃない。岩の中に入ってるんだ。」

「大きいね、このくるみ、倍あるね。こいつはすこしもいたんでない。」

「早くあすこへ行って見よう。きっと何か掘ってるから。」

二人は、ぎざぎざの黒いくるみの実を持ちながら、またさっきの方へ近よって行き

ました。左手の渚には、波がやさしい稲妻のように燃えて寄せ、右手の崖には、いちめん銀や貝殻でこさえたようなすすきの穂がゆれたのです。

だんだん近付いて見ると、一人のせいの高い、ひどい近眼鏡をかけ、長靴をはいた学者らしい人が、手帳に何かせわしそうに書きつけながら、鶴嘴《つるはし》をふりあげたり、スコープをつかったりしている、三人の助手らしい人たちに夢中でいろいろ指図をしていました。

「そこのその突起を壊さないように。スコープを使いたまえ、スコープを。おっと、も少し遠くから掘って。いけない、いけない。なぜそんな乱暴をするんだ。」

見ると、その白い柔らかな岩の中から、大きな大きな青じろい獣の骨が、横に倒れて潰《つぶ》れたという風になって、半分以上掘り出されていました。そして気をつけて見ると、そこらには、蹄《ひづめ》の二つある足跡のついた岩が、四角に十ばかり、きれいに切り取られて番号がつけられてありました。

「君たちは参観かね。」その大学士らしい人が、眼鏡をきらっとさせて、こっちを見て話しかけました。

「くるみが沢山あったろう。それはまあ、ざっと百二十万年ぐらい前のくるみだよ。ごく新らしい方さ。ここは百二十万年前、第三紀のあとのころは海岸でね、この下からは貝がらも出る。いま川の流れているとこに、そっくり塩水が寄せたり引いたりもしていたのだ。このけものかね、これはボスといってね、おいおい、そこつるはしはよしたまえ。ていねいに鑿《のみ》でやってくれたまえ。ボスといってね、いまの牛の先祖で、昔はたくさん居たさ。」

「標本にするんですか。」

「いや、証明するに要るんだ。ぼくらからみると、ここは厚い立派な地層で、百二十万年ぐらい前にできたという証拠もいろいろあがるけれども、ぼくらとちがったやつからみてもやっぱりこんな地層に見えるかどうか、あるいは風か水やがらんとした空かに見えやしないかということなのだ。わかったかい。けれども、おいおい。そこもスコープではいけない。そのすぐ下に肋骨《ろっこつ》が埋もれてる筈じゃないか。」大学士はあわてて走って行きました。

「もう時間だよ。行こう。」カムパネルラが地図と腕時計とをくらべながら云いました。

「ああ、ではわたくしどもは失礼いたします。」ジョバンニは、ていねいに大学士におじぎしました。

「そうですか。いや、さよなら。」大学士は、また忙がしそうに、あちこち歩きまわって監督をはじめました。二人は、その白い岩の上を、一生けん命汽車におくれないように走りました。そしてほんとうに、風のように走れたのです。息も切れず膝もあつくなりませんでした。

こんなにしてかけるなら、もう世界中だってかけれると、ジョバンニは思いました。

そして二人は、前のあの河原を通り、改札口の電灯がだんだん大きくなって、間もなく二人は、もとの車室の席に座って、いま行って来た方を、窓から見ていました。

八、鳥を捕る人

「ここへかけてもようございますか。」

がさがさした、けれども親切そうな、大人の声が、二人のうしろで聞えました。

それは、茶いろの少しぼろぼろの外套《がいとう》を着て、白い巾《きれ》でつつんだ荷物を、二つに分けて肩に掛けた、赤髯《あかひげ》のせなかのかがんだ人でした。

「ええ、いいんです。」ジョバンニは、少し肩をすぼめて挨拶《あいさつ》しました。その人は、ひげの中でかすかに微笑《わら》いながら、荷物をゆっくり網棚にのせました。ジョバンニは、なにか大へんさびしいようなかなしいような気がして、だまって正面の時計を見ていましたら、ずうっと前の方で、硝子《ガラス》の笛のようなものが鳴りました。汽車はもう、しずかにうごいていたのです。カムパネルラは、車室の天井を、あちこち見ていました。

その一つのあかりに黒い甲虫《かぶとむし》がとまってその影が大きく天井にうつっていたのです。赤ひげの人は、なにかなつかしそうにわらいながら、ジョバンニやカムパネルラのようすを見ていました。汽車はもうだんだん早くなって、すすきと川と、かわるがわる窓の外から光りました。

赤ひげの人が、少しおずおずしながら、二人に訊《き》きました。

「あなた方は、どちらへいらっしゃるんですか。」

「どこまでも行くんです。」ジョバンニは、少しきまり悪そうに答えました。

「それはいいね。この汽車は、じっさい、どこまででも行きますぜ。」

「あなたはどこへ行くんです。」カムパネルラが、いきなり、喧嘩《けんか》のようにたずねましたので、ジョバンニは、思わずわらいました。すると、向うの席に居た、尖った帽子をかぶり、大きな鍵を腰に下げた人も、ちらっとこっちを見てわらいましたので、カムパネルラも、つい顔を赤くして笑いだしてしまいました。ところがその人は別に怒ったでもなく、頬をぴくぴくしながら返事しました。

「わっしはすぐそこで降ります。わっしは、鳥をつかまえる商売でね。」

「何鳥ですか。」

「鶴や雁《がん》です。さぎも白鳥もです。」

「鶴はたくさんいますか。」

「居ますとも、さっきから鳴いてまさあ。聞かなかったのですか。」

「いいえ。」

「いまでも聞えるじゃありませんか。そら、耳をすまして聴いてごらんなさい。」

二人は眼を挙げ、耳をすましました。ごとごと鳴る汽車のひびきと、すすきの風との間から、ころんころんと水の湧くような音が聞えて来るのでした。

「鶴、どうしてとるんですか。」

「鶴ですか、それとも鷺《さぎ》ですか。」

「鷺です。」ジョバンニは、どっちでもいいと思いながら答えました。

「そいつはな、雑作《ぞうさ》ない。さぎというものは、みんな天の川の砂が凝《こご》って、ぼおっとできるもんですからね、そして始終川へ帰りますからね、川原で待っていて、鷺がみんな、脚をこういう風にして下りてくるとこを、そいつが地べたへつくかつかないうちに、ぴたっと押えちまうんです。するともう鷺は、かたまって安心して死んじまいます。あとはもう、わかり切ってまさあ。押し葉にするだけです。」

「鷺を押し葉にするんですか。標本ですか。」

「標本じゃありません。みんなたべるじゃありませんか。」

「おかしいねえ。」カムパネルラが首をかしげました。

「おかしいも不審もありませんや。そら。」その男は立って、網棚から包みをおろして、手ばやくくるくると解きました。

「さあ、ごらんなさい。いまとって来たばかりです。」

「ほんとうに鷺だねえ。」二人は思わず叫びました。まっ白な、あのさっきの北の十字架のように光る鷺のからだが、十ばかり、少しひらべったくなって、黒い脚をちぢめて、浮彫のようにならんでいたのです。

「眼をつぶってるね。」カムパネルラは、指でそっと、鷺の三日月がたの白い瞑《つぶ》った眼にさわりました。頭の上の槍《やり》のような白い毛もちゃんとついていました。

「ね、そうでしょう。」鳥捕りは風呂敷を重ねて、またくるくると包んで紐《ひも》でくくりました。誰《たれ》がいったいここらで鷺なんぞ喰べるだろうとジョバンニは思いながら訊きました。

「鷺はおいしいんですか。」

「ええ、毎日注文があります。しかし雁の方が、もっと売れます。雁の方がずっと柄がいいし、第一手数がありませんからな。そら。」鳥捕りは、また別の方の包みを解きました。すると黄と青じろとまだらになって、なにかのあかりのようにひかる雁が、ちょうどさっきの鷺のように、くちばしを揃《そろ》えて、少し扁《ひら》べったくなって、ならんでいました。

「こっちはすぐ喰べられます。どうです、少しおあがりなさい。」鳥捕りは、黄いろな雁の足を、軽くひっぱりました。するとそれは、チョコレートででもできているように、すっときれいにはなれました。

「どうです。すこしたべてごらんなさい。」鳥捕りは、それを二つにちぎってわたしました。ジョバンニは、ちょっと喰べてみて、（なんだ、やっぱりこいつはお菓子だ。チョコレートよりも、もっとおいしいけれども、こんな雁が飛んでいるもんか。この男は、どこかそこらの野原の菓子屋だ。けれどもぼくは、このひとをばかにしながら、この人のお菓子をたべているのは、大へん気の毒だ。）とおもいながら、やっぱりぽくぽくそれをたべていました。

「も少しおあがりなさい。」鳥捕りがまた包みを出しました。ジョバンニは、もっとたべたかったのですけれども、

「ええ、ありがとう。」と云って遠慮しましたら、鳥捕りは、こんどは向うの席の、鍵をもった人に出しました。

「いや、商売ものを貰っちゃすみません な。」その人は、帽子をとりました。

「いいえ、どういたしまして。どうです、今年の渡り鳥の景気は。」

「いや、すてきなもんですよ。一昨日《おととい》の第二限ころなんか、なぜ灯台の灯を、規則以外に間〔一字分空白〕させるかって、あっちからもこっちからも、電話で故障が来ましたが、なあに、こっちがやるんじゃなくて、渡り鳥どもが、まっ黒にかたまって、

あかしの前を通るのですから仕方ありませんや。わたしぁ、べらぼうめ、そんな苦情は、おれのとこへ持って来たって仕方がねえや、ばさばさのマントを着て脚と口との途方もなく細い大将へやれって、斯《こ》う云ってやりましたがね、はっは。」

すすきがなくなったために、向うの野原から、ぱっとあかりが射《さ》して来ました。

「鷺の方はなぜ手数なんですか。」カムパネルラは、さっきから、訊こうと思っていたのです。

「それはね、鷺を喰べるには、」鳥捕りは、こっちに向き直りました。

「天の川の水あかりに、十日もつるして置くかね、そうでなけぁ、砂に三四日うずめなけぁいけないんだ。そうすると、水銀がみんな蒸発して、喰べられるようになるよ。」

「こいつは鳥じゃない。ただのお菓子でしょう。」やっぱりおなじことを考えていたとみえて、カムパネルラが、思い切ったというように、尋ねました。鳥捕りは、何か大へんあわてた風で、

「そうそう、ここで降りなけぁ。」と云いながら、立って荷物をとったと思うと、もう見えなくなっていました。

「どこへ行ったんだろう。」

二人は顔を見合せましたら、灯台守は、にやにや笑って、少し伸びあがるようにし

ながら、二人の横の窓の外をのぞきました。二人もそっちを見ましたら、たったいまの鳥捕りが、黄いろと青じろの、うつくしい燐光を出す、いちめんのかわらははこぐさの上に立って、まじめな顔をして両手をひろげて、じっとそらを見ていたのです。

「あすこへ行ってる。ずいぶん奇体《きたい》だねえ。きっとまた鳥をつかまえるとこだねえ。汽車が走って行かないうちに、早く鳥がおりるといいな。」と云った途端、がらんとした桔梗《ききょう》いろの空から、さっき見たような鷺が、まるで雪の降るように、ぎゃあぎゃあ叫びながら、いっぱいに舞いおりて来ました。するとあの鳥捕りは、すっかり注文通りだというようにほくほくして、両足をかっきり六十度に開いて立って、鷺のちぢめて降りて来る黒い脚を両手で片っ端から押えて、布の袋の中に入れるのでした。すると鷺は、蛍のように、袋の中でしばらく、青くぺかぺか光ったり消えたりしていましたが、おしまいとうとう、みんなぼんやり白くなって、眼をつぶるのでした。ところが、つかまえられる鳥よりは、つかまえられないで無事に天の川の砂の上に降りるものの方が多かったのです。それは見ていると、足が砂へつくや否や、まるで雪の融けるように、縮まって扁《ひら》べったくなって、間もなく熔鉱炉から出た銅の汁のように、砂や砂利の上にひろがり、しばらくは鳥の形が、砂についているのでしたが、それも二三度明るくなったり暗くなったりしているうちに、もうすっかりまわりと同じいろになってしまうのでした。

鳥捕りは二十疋ばかり、袋に入れてしまうと、急に両手をあげて、兵隊が鉄砲弾にあたって、死ぬときのような形をしました。と思ったら、もうそこに鳥捕りの形はなくなって、却《かえ》って、

「ああせいせいした。どうもからだに恰度合《ちょうどあ》うほど稼《かせ》いでいるくらい、いいことはありませんな。」というききおぼえのある声が、ジョバンニの隣りにしました。見ると鳥捕りは、もうそこでとって来た鷺を、きちんとそろえて、一つずつ重ね直しているのでした。

「どうしてあすこから、いっぺんにここへ来たんですか。」ジョバンニが、なんだかあたりまえのような、あたりまえでないような、おかしな気がして問いました。

「どうしてって、来ようとしたから来たんです。ぜんたいあなた方は、どちらからおいでですか。」

ジョバンニは、すぐ返事しようと思いましたけれども、さあ、ぜんたいどこから来たのか、もうどうしても考えつきませんでした。カムパネルラも、顔をまっ赤にして何か思い出そうとしているのでした。

「ああ、遠くからですね。」鳥捕りは、わかったというように雑作《ぞうさ》なくうなずきました。

九、ジョバンニの切符

「もうここらは白鳥区のおしまいです。ごらんなさい。あれが名高いアルビレオの観測所です。」

窓の外の、まるで花火でいっぱいのような、あまの川のまん中に、黒い大きな建物が四棟《むね》ばかり立って、その一つの平屋根の上に、眼もさめるような、青宝玉《サファイア》と黄玉《トパース》の大きな二つのすきとおった球が、輪になってしずかにくるくるとまわっていました。黄いろのがだんだん向うへまわって行って、青い小さいのがこっちへ進んで来、間もなく二つのはじは、重なり合って、きれいな緑いろの両面凸《とつ》レンズのかたちをつくり、それもだんだん、まん中がふくらみ出して、とうとう青いのは、すっかりトパースの正面に来ましたので、緑の中心と黄いろな明るい環《わ》とができました。それがまただんだん横へ外《そ》れて、前のレンズの形を逆に繰り返し、とうとうすっとはなれて、サファイアは向うへめぐり、黄いろのはこっちへ進み、また丁度さっきのような風になりました。銀河の、かたちもなく音もない水にかこまれて、ほんとうにその黒い測候所が、睡《ねむ》っているように、しずかによこたわったのです。

「あれは、水の速さをはかる器械です。水も……。」鳥捕りが云いかけたとき、

「切符を拝見いたします。」三人の席の横に、赤い帽子をかぶったせいの高い車掌が、いつかまっすぐに立っていて云いました。鳥捕りは、だまってかくしから、小さな紙きれを出しました。車掌はちょっと見て、すぐ眼をそらして、（あなた方のは？）というように、指をうごかしながら、手をジョバンニたちの方へ出しました。

「さあ、」ジョバンニは困って、もじもじしていましたら、カムパネルラは、わけもないという風で、小さな鼠いろの切符を出しました。ジョバンニは、すっかりあわててしまって、もしか上着のポケットにでも、入っていたかとおもいながら、手を入れて見ましたら、何か大きな畳《たた》んだ紙きれにあたりました。こんなもの入っていたろうかと思って、急いで出してみましたら、それは四つに折ったはがきぐらいの大きさの緑いろの紙でした。車掌が手を出しているもんですから何でも構わない、やっちまえと思って渡しましたら、車掌はまっすぐに立ち直って叮嚀《ていねい》にそれを開いて見ていました。そして読みながら上着のぼたんやなんかしきりに直したりしていましたし灯台看守も下からそれを熱心にのぞいていましたから、ジョバンニはたしかにあれは証明書か何かだったと考えて少し胸が熱くなるような気がしました。

「これは三次空間の方からお持ちになったのですか。」車掌がたずねました。

「何だかわかりません。」もう大丈夫だと安心しながらジョバンニはそっちを見あげてくつくつ笑いました。

「よろしゅうございます。南十字《サウザンクロス》へ着きますのは、次の第三時ころになります。」車掌は紙をジョバンニに渡して向うへ行きました。

カムパネルラは、その紙切れが何だったか待ち兼ねたというように急いでのぞきこみました。ジョバンニも全く早く見たかったのです。ところがそれはいちめん黒い唐草《からくさ》のような模様の中に、おかしな十ばかりの字を印刷したものでだまって見ていると何だかその中へ吸い込まれてしまうような気がするのでした。すると鳥捕りが横からちらっとそれを見てあわてたように云いました。

「おや、こいつは大したもんですぜ。こいつはもう、ほんとうの天上へさえ行ける切符だ。天上どこじゃない、どこでも勝手にあるける通行券です。こいつをお持ちになれぁ、なるほど、こんな不完全な幻想第四次の銀河鉄道なんか、どこまででも行ける筈《はず》でさあ、あなた方大したもんですね。」

「何だかわかりません。」ジョバンニが赤くなって答えながらそれを又畳んでかくしに入れました。そしてきまりが悪いのでカムパネルラと二人、また窓の外をながめていましたが、その鳥捕りの時々大したもんだというようにちらちらこっちを見ているのがぼんやりわかりました。

「もうじき鷲《わし》の停車場だよ。」カムパネルラが向う岸の、三つならんだ小さな青じろい三角標と地図とを見較《みくら》べて云いました。

ジョバンニはなんだかわけもわからずににわかにとなりの鳥捕りが気の毒でたまらなくなりました。鷺をつかまえてせいせいしたとよろこんだり、白いきれでそれをくるくる包んだり、ひとの切符をびっくりしたように横目で見てあわててほめだしたり、そんなことを一一《いちいち》考えていると、もうその見ず知らずの鳥捕りのために、ジョバンニの持っているものでも食べるものでもなんでもやってしまいたい、もうこの人のほんとうの幸《さいわい》になるなら自分があの光る天の川の河原に立って百年つづけて立って鳥をとってやってもいいというような気がして、どうしてももう黙っていられなくなりました。ほんとうにあなたのほしいものは一体何ですか、と訊こうとして、それではあんまり出し抜けだから、どうしようかと考えて振り返って見ましたら、そこにはもうあの鳥捕りが居ませんでした。網棚の上には白い荷物も見えなかったのです。また窓の外で足をふんばってそらを見上げて鷺を捕る支度をしているのかと思って、急いでそっちを見ましたが、外はいちめんのうつくしい砂子と白いすすきの波ばかり、あの鳥捕りの広いせなかも尖った帽子も見えませんでした。

「あの人どこへ行ったろう。」カムパネルラもぼんやりそう云っていました。

「どこへ行ったろう。一体どこでまたあうのだろう。僕はどうしても少しあの人に物を言わなかったろう。」

「ああ、僕もそう思っているよ。」

「僕はあの人が邪魔なような気がしたんだ。だから僕は大へんつらい。」ジョバンニはこんな変てこな気もちは、ほんとうにはじめてだし、こんなこと今まで云ったこともないと思いました。

「何だか苹果《りんご》の匂《におい》がする。僕いま苹果のこと考えたためだろうか。」カムパネルラが不思議そうにあたりを見まわしました。

「ほんとうに苹果の匂だよ。それから野茨《のいばら》の匂もする。」ジョバンニもそこらを見ましたがやっぱりそれは窓からでも入って来るらしいのでした。いま秋だから野茨の花の匂のする筈はないとジョバンニは思いました。

　そしたら俄かにそこに、つやつやした黒い髪の六つばかりの男の子が赤いジャケツのぼたんもかけずひどくびっくりしたような顔をしてがたがたふるえてはだしで立っていました。隣りには黒い洋服をきちんと着たせいの高い青年が一ぱいに風に吹かれているけやきの木のような姿勢で、男の子の手をしっかりひいて立っていました。

「あら、ここどこでしょう。まあ、きれいだわ。」青年のうしろにもひとり十二ばかりの眼の茶いろな可愛らしい女の子が黒い外套を着て青年の腕にすがって不思議そうに窓の外を見ているのでした。

「ああ、ここはランカシャイヤだ。いや、コンネクテカット州だ。いや、ああ、ぼくたちはそらへ来たのだ。わたしたちは天へ行くのです。ごらんなさい。あのしるしは天上のしるしです。もうなんにもこわいことありません。わたくしたちは神さまに召されているのです。」黒服の青年はよろこびにかがやいてその女の子に云いました。けれどもなぜかまた額に深く皺《しわ》を刻んで、それに大へんつかれているらしく、無理に笑いながら男の子をジョバンニのとなりに座らせました。

それから女の子にやさしくカムパネルラのとなりの席を指さしました。女の子はすなおにそこへ座って、きちんと両手を組み合せました。

「ぼくおおねえさんのとこへ行くんだよう。」腰掛けたばかりの男の子は顔を変にして灯台看守の向うの席に座ったばかりの青年に云いました。青年は何とも云えず悲しそうな顔をして、じっとその子の、ちぢれてぬれた頭を見ました。女の子は、いきなり両手を顔にあててしくしく泣いてしまいました。

「お父さんやきくよねえさんはまだいろいろお仕事があるのです。けれどももうすぐあとからいらっしゃいます。それよりも、おっかさんはどんなに永く待っていらっしゃったでしょう。わたしの大事なタダシはいまどんな歌をうたっているだろう、雪の降る朝にみんなと手をつないでぐるぐるにわとこのやぶをまわってあそんでいるだろうかと考えたりほんとうに待って心配していらっしゃるんですから、早く行っておっかさんにお目にかかりましょうね。」

「うん、だけど僕、船に乗らなけぁよかったなあ。」

「ええ、けれど、ごらんなさい、そら、どうです、あの立派な川、ね、あすこはあの夏中、ツインクル、ツインクル、リトル、スター　をうたってやすむとき、いつも窓からぼんやり白く見えていたでしょう。あすこですよ。ね、きれいでしょう、あんなに光っています。」

泣いていた姉もハンケチで眼をふいて外を見ました。青年は教えるようにそっと姉弟にまた云いました。

「わたしたちはもうなんにもかなしいことないのです。わたしたちはこんないいとこを旅して、じき神さまのとこへ行きます。そこならもうほんとうに明るくて匂がよくて立派な人たちでいっぱいです。そしてわたしたちの代りにボートへ乗れた人たちは、きっとみんな助けられて、心配して待っているめいめいのお父さんやお母さんや自分のお家へやら行くのです。さあ、もうじきですから元気を出しておもしろくうたって行きましょう。」青年は男の子のぬれたような黒い髪をなで、みんなを慰めながら、自分もだんだん顔いろがかがやいて来ました。

「あなた方はどちらからいらっしゃったのですか。どうなすったのですか。」さっきの灯台看守がやっと少しわかったように青年にたずねました。青年はかすかにわらいました。

「いえ、氷山にぶっつかって船が沈みましてね、わたしたちはこちらのお父さんが急な用で二ヶ月前一足さきに本国へお帰りになったのであとから発《た》ったのです。私は大学へはいっていて、家庭教師にやとわれていたのです。ところがちょうど十二日目、今日か昨日のあたりです、船が氷山にぶっつかって一ぺんに傾きもう沈みかけました。月のあかりはどこかぼんやりありましたが、霧が非常に深かったのです。ところがボートは左舷《さげん》の方半分はもうだめになっていましたから、とてもみんなは乗り切らないのです。もうそのうちにも船は沈みますし、私は必死となって、どうか小さな人たちを乗せて下さいと叫びました。近くの人たちはすぐみちを開いてそして子供たちのためにに祈って呉《く》れました。けれどもそこからボートまでのところにはまだまだ小さな子どもたちや親たちやなんか居て、とても押しのける勇気がなかったのです。それでもわたくしはどうしてもこの方たちをお助けするのが私の義務だと思いましたから前にいる子供らを押しのけようとしました。けれどもまたそんなにして助けてあげるよりはこのまま神のお前にみんなで行く方がほんとうにこの方たちの幸福だとも思いました。それからまたその神にそむく罪はわたくしひとりでしょってぜひとも助けてあげようと思いました。けれどもどうして見ているとそれができないのでした。子どもらばかりボートの中へはなしてやってお母さんが狂気のようにキスを送りお父さんがかなしいのをじっとこらえてまっすぐに立っているなどとてももう腸《はらわた》もちぎれるようでした。そのうち船はもうずんずん沈みますから、私はもうすっかり覚悟してこの人たち二人を抱いて、浮べるだけは浮ぼうとかたまって船の沈むのを待っていました。誰《たれ》が投げたかライフブイが一つ飛んで来ましたけれども滑《すべ》ってずうっと向うへ行ってしまいました。私は一生けん命で甲板の格子になったとこをはなして、三人それにしっかりとりつきました。どこからともなく〔約二字分空白〕番の声があがりました。たちまちみんなはいろいろな国語で一ぺんにそれをうたいました。そのとき俄かに大きな音がして私たちは水に落ちました。もう渦《うず》に入ったと思いながらしっかりこの人たちをだいてそれからぼうっとしたと思ったらもうここへ来ていたのです。この方たちのお母さんは一昨年没《な》くなられました。ええボートはきっと助かったにちがいありません、何せよほど熟練な水夫たちが漕《こ》いですばやく船からはなれていましたから。」

そこらから小さないのりの声が聞えジョバンニもカムパネルラもいままで忘れていたいろいろのことをぼんやり思い出して眼が熱くなりました。

（ああ、その大きな海はパシフィックというのではなかったろうか。その氷山の流れる北のはての海で、小さな船に乗って、風や凍りつく潮水や、烈《はげ》しい寒さとたたかって、たれかが一生けんめいはたらいている。ぼくはそのひとにほんとうに気の毒でそしてすまないような気がする。ぼくはそのひとのさいわいのためにいったいどうしたらいいのだろう。）ジョバンニは首を垂れて、すっかりふさぎ込んでしまいました。

「なにがしあわせかわからないです。ほんとうにどんなつらいことでもそれがただしいみちを進む中でのできごとなら峠の上りも下りもみんなほんとうの幸福に近づく一あしずつですから。」

灯台守がなぐさめていました。

「ああそうです。ただいちばんのさいわいに至るためにいろいろのかなしみもみんなおぼしめしです。」

青年が祈るようにそう答えました。

そしてあの姉弟はもうつかれてめいめいぐったり席によりかかって睡《ねむ》っていました。さっきのあのはだしだった足にはいつか白い柔らかな靴をはいていたのです。

ごとごとごとごと汽車はきらびやかな燐光の川の岸を進みました。向うの方の窓を見ると、野原はまるで幻灯のようでした。百も千もの大小さまざまの三角標、その大きなものの上には赤い点点をうった測量旗も見え、野原のはてはそれらがいちめん、たくさんたくさん集ってぼおっと青白い霧のよう、そこからかまたはもっと向うからかときどきさまざまの形のぼんやりした狼煙《のろし》のようなものが、かわるがわるきれいな桔梗いろのそらにうちあげられるのでした。じつにそのすきとおった奇麗《きれい》な風は、ばらの匂でいっぱいでした。

「いかがですか。こういう苹果《りんご》はおはじめてでしょう。」向うの席の灯台看守がいつか黄金《きん》と紅でうつくしくいろどられた大きな苹果を落さないように両手で膝の上にかかえていました。

「おや、どっから来たのですか。立派ですねえ。ここらではこんな苹果ができるのですか。」青年はほんとうにびっくりしたらしく灯台看守の両手にかかえられた一もりの苹果を眼を細くしたり首をまげたりしながらわれを忘れてながめていました。

「いや、まああおとり下さい。どうか、まああおとり下さい。」

青年は一つとってジョバンニたちの方をちょっと見ました。

「さあ、向うの坊ちゃんがた。いかがですか。おとり下さい。」

ジョバンニは坊ちゃんといわれたのですこししゃくにさわってだまっていましたがカムパネルラは
「ありがとう、」と云いました。すると青年は自分でとって一つずつ二人に送ってよこしましたのでジョバンニも立ってありがとうと云いました。

灯台看守はやっと両腕があいたのでこんどは自分で一つずつ睡っている姉弟の膝にそっと置きました。

「どうもありがとう。どこでできるのですか。こんな立派な苹果は。」

青年はつくづく見ながら云いました。

「この辺ではもちろん農業はいたしますけれども大ていひとりでにいいものができるような約束になって居ります。農業だってそんなに骨は折れはしません。たいてい自分の望む種子《たね》さえ播《ま》けばひとりでにどんどんできます。米だってパシフィック辺のように殻もないし十倍も大きくて匂もいいのです。けれどもあなたがたのいらっしゃる方なら農業はもうありません。苹果だってお菓子だってかすが少しもありませんからみんなそのひとそのひとによってちがったわずかのいいかおりになって毛あなからちらけてしまうのです。」

にわかに男の子がぱっちり眼をあいて云いました。

「ああぼくいまお母さんの夢をみていたよ。お母さんがね立派な戸棚や本のあるとこに居てね、ぼくの方を見て手をだしてにこにこにこにこわらったよ。ぼくおっかさん。りんごをひろってきてあげましょうか云ったら眼がさめちゃった。ああここさっきの汽車のなかだねえ。」

「その苹果がそこにあります。このおじさんにいただいたのですよ。」青年が云いました。

「ありがとうおじさん。おや、かおるねえさんまだねてるねえ、ぼくおこしてやろう。ねえさん。ごらん、りんごをもらったよ。おきてごらん。」

姉はわらって眼をさましまぶしそうに両手を眼にあててそれから苹果を見ました。男の子はまるでパイを喰《た》べるようにもうそれを喰べていました、また折角剝《せっかくむ》いたそのきれいな皮も、くるくるコルク抜きのような形になって床へ落ちるまでの間にはすうっと、灰いろに光って蒸発してしまうのでした。

二人はりんごを大切にポケットにしまいました。

川下の向う岸に青く茂った大きな林が見え、その枝には熟してまっ赤に光る円い実がいっぱい、その林のまん中に高い高い三角標が立って、森の中からはオーケストラベルやジロフォンにまじって何とも云えずきれいな音いろが、とけるように浸《し》みるように風につれて流れて来るのでした。

青年はぞくっとしてからだをふるうようにしました。

だまってその譜を聞いていると、そこらにいちめん黄いろやうすい緑の明るい野原か敷物かがひろがり、またまっ白な蠟《ろう》のような露が太陽の面を擦《かす》めて行くように思われました。

「まあ、あの鳥。」カムパネルラのとなりのかおると呼ばれた女の子が叫びました。

「からすでない。みんなかささぎだ。」カムパネルラがまた何気なく叱《しか》るように叫びましたので、ジョバンニはまた思わず笑い、女の子はきまり悪そうにしました。まったく河原の青じろいあかりの上に、黒い鳥がたくさんたくさんいっぱいに列になってとまってじっと川の微光を受けているのでした。

「かささぎですねえ、頭のうしろのとこに毛がぴんと延びてますから。」青年はとりなすように云いました。

向うの青い森の中の三角標はすっかり汽車の正面に来ました。そのとき汽車のずうっとうしろの方からあの聞きなれた〔約二字分空白〕番の讃美歌のふしが聞えてきました。よほどの人数で合唱しているらしいのでした。青年はさっと顔いろが青ざめ、たって一ぺんそっちへ行きそうにしましたが思いかえしてまた座りました。かおる子はハンケチを顔にあててしまいました。ジョバンニまで何だか鼻が変になりました。けれどもいつともなく誰《たれ》ともなくその歌は歌い出されだんだんはっきり強くなりました。思わずジョバンニもカムパネルラも一緒にうたい出したのです。

そして青い橄欖《かんらん》の森が見えない天の川の向うにさめざめと光りながらだんだんうしろの方へ行ってしまいそこから流れて来るあやしい楽器の音ももう汽車のひびきや風の音にすり耗《へ》らされてずうっとかすかになりました。

「あ孔雀《くじゃく》が居るよ。」

「ええたくさん居たわ。」女の子がこたえました。

ジョバンニはその小さく小さくなっていまはもう一つの緑いろの貝ぼたんのように見える森の上にさっさっと青じろく時々光ってその孔雀がはねをひろげたりとじたりする光の反射を見ました。

「そうだ、孔雀の声だってさっき聞えた。」カムパネルラがかおる子に云いました。

「ええ、三十疋ぐらいはたしかに居たわ。ハープのように聞えたのはみんな孔雀よ。」

女の子が答えました。ジョバンニは俄かに何とも云えずかなしい気がして思わず「カムパネルラ、ここからはねおりて遊んで行こうよ。」とこわい顔をして云おうとしたくらいでした。

　川は二つにわかれました。そのまっくらな島のまん中に高い高いやぐらが一つ組まれてその上に一人の寛《ゆる》い服を着て赤い帽子をかぶった男が立っていました。そして両手に赤と青の旗をもってそらを見上げて信号しているのでした。ジョバンニが見ている間その人はしきりに赤い旗をふっていましたが俄かに赤旗をおろしてうしろにかくすようにし青い旗を高く高くあげてまるでオーケストラの指揮者のように烈《はげ》しく振りました。すると空中にざあっと雨のような音がして何かまっくらなものがいくかたまりもいくかたまりも鉄砲丸《てっぽうだま》のように川の向うの方へ飛んで行くのでした。ジョバンニは思わず窓からからだを半分出してそっちを見あげました。美しい美しい桔梗いろのがらんとした空の下を実に何万という小さな鳥どもが幾組も幾組もめいめいせわしくせわしく鳴いて通って行くのでした。

「鳥が飛んで行くな。」ジョバンニが窓の外で云いました。

「どら、」カムパネルラもそらを見ました。そのときあのやぐらの上のゆるい服の男は俄かに赤い旗をあげて狂気のようにふりうごかしました。するとぴたっと鳥の群は通らなくなりそれと同時にぴしゃぁんという潰れたような音が川下の方で起ってそれからしばらくしいんとしました。と思ったらあの赤帽の信号手がまた青い旗をふって叫んでいたのです。

「いまこそわたれわたり鳥、いまこそわたれわたり鳥。」その声もはっきり聞えました。それといっしょにまた幾万という鳥の群がそらをまっすぐにかけたのです。二人の顔を出しているまん中の窓からあの女の子が顔を出して美しい頰をかがやかせながらそらを仰ぎました。

「まあ、この鳥、たくさんですわねえ、あらまあそらのきれいなこと。」女の子はジョバンニにはなしかけましたけれどもジョバンニは生意気ないやだいと思いながらだまって口をむすんでそらを見あげていました。女の子は小さくほっと息をしてだまって席へ戻りました。カムパネルラが気の毒そうに窓から顔を引っ込めて地図を見ていました。

「あの人鳥へ教えてるんでしょうか。」女の子がそっとカムパネルラにたずねました。

「わたり鳥へ信号してるんです。きっとどこからかのろしがあがるためでしょう。」カムパネルラが少しおぼつかなそうに答えました。そして車の中はしぃんとなりました。ジョバンニはもう頭を引っ込めたかったのですけれども明るいとこへ顔を出すのがつらかったのでだまってこらえてそのまま立って口笛を吹いていました。

(どうして僕はこんなにかなしいのだろう。僕はもっとこころもちをきれいに大きくもたなければいけない。あすこの岸のずうっと向うにまるでけむりのような小さな青い火が見える。あれはほんとうにしずかでつめたい。僕はあれをよく見てこころもちをしずめるんだ。）ジョバンニは熱《ほて》って痛いあたまを両手で押えるようにしてそっちの方を見ました。（ああほんとうにどこまでもどこまでも僕といっしょに行くひとはないだろうか。カムパネルラだってあんな女の子とおもしろそうに談《はな》しているし僕はほんとうにつらいなあ。）ジョバンニの眼はまた泪《なみだ》でいっぱいになり天の川もまるで遠くへ行ったようにぼんやり白く見えるだけでした。

そのとき汽車はだんだん川からはなれて崖の上を通るようになりました。向う岸もまた黒いいろの崖が川の岸を下流に下るにしたがってだんだん高くなって行くのでした。そしてちらっと大きなとうもろこしの木を見ました。その葉はぐるぐるに縮れ葉の下にはもう美しい緑いろの大きな苞《ほう》が赤い毛を吐いて真珠のような実もちらっと見えたのでした。それはだんだん数を増して来てもういまは列のように崖と線路との間にならび思わずジョバンニが窓から顔を引っ込めて向う側の窓を見ましたときは美しいそらの野原の地平線のはてまでその大きなとうもろこしの木がほとんどいちめんに植えられてさやさや風にゆらぎその立派なちぢれた葉のさきからはまるでひるの間にいっぱい日光を吸った金剛石のように露がいっぱいについて赤や緑やきらきら燃えて光っているのでした。カムパネルラが「あれとうもろこしだねえ」とジョバンニに云いましたけれどもジョバンニはどうしても気持がなおりませんでしたからただぶっきり棒に野原を見たまま「そうだろう。」と答えました。そのとき汽車はだんだんしずかになっていくつかのシグナルとてんてつ器の灯を過ぎ小さな停車場にとまりました。

その正面の青じろい時計はかっきり第二時を示しその振子は風もなくなり汽車もうごかずしずかなしずかな野原のなかにカチッカチッと正しく時を刻んで行くのでした。

そしてまったくその振子の音のたえまを遠くの遠くの野原のはてから、かすかなかすかな旋律が糸のように流れて来るのでした。「新世界交響楽だわ。」姉がひとりごとのようにこっちを見ながらそっと云いました。全くもう車の中ではあの黒服の丈高い青年も誰《たれ》もみんなやさしい夢を見ているのでした。

（こんなしずかないいとこで僕はどうしてもっと愉快になれないだろう。どうしてこんなにひとりさびしいのだろう。けれどもカムパネルラなんかあんまりひどい、僕といっしょに汽車に乗っていながらまるであんな女の子とばかり談《はな》しているんだもの。僕はほんとうにつらい。）ジョバンニはまた両手で顔を半分かくすようにして向うの窓のそとを見つめていました。すきとおった硝子《ガラス》のような笛が鳴って汽車はしずかに動き出しカムパネルラもさびしそうに星めぐりの口笛を吹きました。

「ええ、ええ、もうこの辺はひどい高原ですから。」うしろの方で誰《たれ》かとしよりらしい人のいま眼がさめたという風ではきはき談していする声がしました。

「とうもろこしだって棒で二尺も孔《あな》をあけておいてそこへ播《ま》かないと生えないんです。」

「そうですか。川まではよほどありましょうかねえ、」

「ええええ河までは二千尺から六千尺あります。もうまるでひどい峡谷になっているんです。」

そうそうここはコロラドの高原じゃなかったろうか、ジョバンニは思わずそう思いました。カムパネルラはまださびしそうにひとり口笛を吹き、女の子はまるで絹で包んだ苹果《りんご》のような顔いろをしてジョバンニの見る方を見ているのでした。突然とうもろこしがなくなって巨きな黒い野原がいっぱいにひらけました。新世界交響楽はいよいよはっきり地平線のはてから湧きそのまっ黒な野原のなかを一人のインデアンが白い鳥の羽根を頭につけたくさんの石を腕と胸にかざり小さな弓に矢を番《つが》えて一目散に汽車を追って来るのでした。

「あら、インデアンですよ。インデアンですよ。ごらんなさい。」

黒服の青年も眼をさましました。ジョバンニもカムパネルラも立ちあがりました。

「走って来るわ、あら、走って来るわ。追いかけているんでしょう。」

「いいえ、汽車を追ってるんじゃないんですよ。猟をするか踊るかしてるんですよ。」

青年はいまどこに居るか忘れたという風にポケットに手を入れて立ちながら云いまし

た。

　まったくインデアンは半分は踊っているようでした。第一かけるにしても足のふみようがもっと経済もとれ本気にもなれそうでした。にわかにくっきり白いその羽根は前の方へ倒れるようになりインデアンはぴたっと立ちどまってすばやく弓を空にひきました。そこから一羽の鶴がふらふらと落ちて来てまた走り出したインデアンの大きくひろげた両手に落ちこみました。インデアンはうれしそうに立ってわらいました。そしてその鶴をもってこっちを見ている影ももうどんどん小さく遠くなり電しんばしらの碍子《がいし》がきらっきらっと続いて二つばかり光ってまたとうもろこしの林になってしまいました。こっち側の窓を見ますと汽車はほんとうに高い高い崖の上を走っていてその谷の底には川がやっぱり幅ひろく明るく流れていたのです。

「ええ、もうこの辺から下りです。何せこんどは一ぺんにあの水面までおりて行くんですから容易じゃありません。この傾斜があるもんですから汽車は決して向うからこっちへは来ないんです。そら、もうだんだん早くなったでしょう。」さっきの老人らしい声が云いました。

　どんどんどんどん汽車は降りて行きました。崖のはじに鉄道がかかるときは川が明るく下にのぞけたのです。ジョバンニはだんだんこころもちが明るくなって来ました。汽車が小さな小屋の前を通ってその前にしょんぼりひとりの子供が立ってこっちを見ているときなどは思わずほうと叫びました。

どんどんどん汽車は走って行きました。室中《へやじゅう》のひとたちは半分うしろの方へ倒れるようになりながら腰掛にしっかりしがみついていました。ジョバンニは思わずカムパネルラとわらいました。もうそして天の川は汽車のすぐ横手をいままでよほど激しく流れて来たらしくときどきちらちら光ってながれているのでした。うすあかい河原なでしこの花があちこち咲いていました。汽車はようやく落ち着いたようにゆっくりと走っていました。

向うとこっちの岸に星のかたちとつるはしを書いた旄がたっていました。

「あれ何の旗だろうね。」ジョバンニがやっとものを云いました。

「さあ、わからないねえ、地図にもないんだもの。鉄の舟がおいてあるねえ。」

「ああ。」

「橋を架《か》けるとこじゃないんでしょうか。」女の子が云いました。

「ああれ工兵の旗だねえ。架橋演習をしてるんだ。けれど兵隊のかたちが見えないねえ。」

その時向う岸ちかくの少し下流の方で見えない天の川の水がぎらっと光って柱のように高くはねあがりどぉと烈しい音がしました。

「発破《はっぱ》だよ、発破だよ。」カムパネルラはこおどりしました。

その柱のようになった水は見えなくなり大きな鮭《さけ》や鱒《ます》がきらっきらっと白く腹を光らせて空中に抛《ほう》り出されて円い輪を描いてまた水に落ちました。ジョバンニはもうはねあがりたいくらい気持が軽くなって云いました。

「空の工兵大隊だ。どうだ、鱒やなんかがまるでこんなになってはねあげられたねえ。僕こんな愉快な旅はしたことない。いいねえ。」

「あの鱒なら近くで見たらこれくらいあるねえ、たくさんさかな居るんだな、この水の中に。」

「小さなお魚もいるんでしょうか。」女の子が談《はなし》につり込まれて云いました。

「居るんでしょう。大きなのが居るんだから小さいのもいるんでしょう。けれど遠くだからいま小さいの見えなかったねえ。」ジョバンニはもうすっかり機嫌が直って面白そうにわらって女の子に答えました。

「あれきっと双子のお星さまのお宮だよ。」男の子がいきなり窓の外をさして叫びました。

右手の低い丘の上に小さな水晶ででもこさえたような二つのお宮がならんで立っていました。

「双子のお星さまのお宮って何だい。」

「あたし前になんべんもお母さんから聴いたわ。ちゃんと小さな水晶のお宮で二つならんでいるからきっとそうだわ。」

「はなしてごらん。双子のお星さまが何したっての。」

「ぼくも知ってらい。双子のお星さまが野原へ遊びにでてからすと喧嘩したんだろう。」

「そうじゃないわよ。あのね、天の川の岸にね、おっかさんお話なすったわ、……」

「それから彗星《ほうきぼし》がギーギーフーギーギーフーて云って来たねえ。」

「いやだわたあちゃんそうじゃないわよ。それはべつの方だわ。」

「するとあすこにいま笛を吹いて居るんだろうか。」

「いま海へ行ってらあ。」

「いけないわよ。もう海からあがっていらっしゃったのよ。」

「そうそう。ぼく知ってらあ、ぼくおはなししよう。」


川の向う岸が俄かに赤くなりました。楊《やなぎ》の木や何かもまっ黒にすかし出され見えない天の川の波もときどきちらちら針のように赤く光りました。まったく向う岸の野原に大きなまっ赤な火が燃されその黒いけむりは高く桔梗いろのつめたそうな天をも焦がしそうでした。ルビーよりも赤くすきとおりリチウムよりもうつくしく酔ったようになってその火は燃えているのでした。

「あれは何の火だろう。あんな赤く光る火は何を燃やせばできるんだろう。」ジョバンニが云いました。

「蝎《さそり》の火だな。」カムパネルラが又地図と首っ引きして答えました。

「あら、蝎の火のことならあたし知ってるわ。」

「蝎の火って何だい。」ジョバンニがききました。

「蝎がやけて死んだのよ。その火がいまでも燃えてるってあたし何べんもお父さんから聴いたわ。」

「蝎って、虫だろう。」

「ええ、蝎は虫よ。だけどいい虫だわ。」

「蝎いい虫じゃないよ。僕博物館でアルコールにつけてあるの見た。尾にこんなかぎがあってそれで螫《さ》されると死ぬって先生が云ったよ。」

「そうよ。だけどいい虫だわ、お父さん斯《こ》う云ったのよ。むかしのバルドラの野原に一ぴきの蝎がいて小さな虫やなんか殺してたべて生きていたんですって。するとある日いたちに見附かって食べられそうになったんですって。さそりは一生けん命遁《に》げて遁げたけどとうとういたちに押えられそうになったわ、そのときいきなり前に井戸があってその中に落ちてしまったわ、もうどうしてもあがられないでさそりは溺《おぼ》れはじめたのよ。そのときさそりは斯う云ってお祈りしたというの、ああ、わたしはいままでいくつのものの命をとったかわからない、そしてその私がこんどいたちにとられようとしたときはあんなに一生けん命にげた。それでもとうとうこんなになってしまった。ああなんにもあてにならない。どうしてわたしはわたしのからだをだまっていたちに呉れてやらなかったろう。そしたらいたちも一日生きのびたろうに。どうか神さま。私の心をごらん下さい。こんなにむなしく命をすてずどうかこの次にはまことのみんなの幸のために私のからだをおつかい下さい。って云ったというの。そしたらいつか蝎はじぶんのからだがまっ赤なうつくしい火になって燃えてよるのやみを照らしているのを見たって。いまでも燃えてるってお父さん仰《おつしや》ったわ。ほんとうにあの火それだわ。」

「そうだ。見たまえ。そこらの三角標はちょうどさそりの形にならんでいるよ。」

ジョバンニはまったくその大きな火の向うに三つの三角標がちょうどさそりの腕のようにこっちに五つの三角標がさそりの尾やかぎのようにならんでいるのを見ました。そしてほんとうにそのまっ赤なうつくしいさそりの火は音なくあかるくあかるく燃えたのです。

その火がだんだんうしろの方になるにつれてみんなは何とも云えずにぎやかなさざまの楽の音や草花の匂のようなもの口笛や人々のざわざわ云う声やらを聞きました。それはもうじきちかくに町か何かがあってそこにお祭でもあるというような気がするのでした。

「ケンタウル露をふらせ。」いきなりいままで睡っていたジョバンニのとなりの男の子が向うの窓を見ながら叫んでいました。

ああそこにはクリスマストリイのようにまっ青な唐檜《とうひ》かもみの木がたってその中にはたくさんのたくさんの豆電灯がまるで千の蛍でも集ったようについていました。

「ああ、そうだ、今夜ケンタウル祭だねえ。」

「ああ、ここはケンタウルの村だよ。」カムパネルラがすぐ云いました。〔以下原稿一枚?なし〕

「ボール投げなら僕決してはずさない。」

男の子が大威張りで云いました。

「もうじきサウザンクロスです。おりる支度をして下さい。」青年がみんなに云いました。

「僕も少し汽車へ乗ってるんだよ。」男の子が云いました。カムパネルラのとなりの女の子はそわそわ立って支度をはじめましたけれどもやっぱりジョバンニたちとわかれたくないようなようすでした。

「ここでおりなけぁいけないのです。」青年はきちっと口を結んで男の子を見おろしながら云いました。

「厭《いや》だい。僕もう少し汽車へ乗ってから行くんだい。」

ジョバンニがこらえ兼ねて云いました。

「僕たちと一緒に乗って行こう。僕たちどこまでだって行ける切符持ってるんだ。」

「だけどあたしたちもうここで降りなけぁいけないのよ。ここ天上へ行くとこなんだから。」女の子がさびしそうに云いました。

「天上へなんか行かなくたっていいじゃないか。ぼくたちここで天上よりももっといいとこをこさえなけぁいけないって僕の先生が云ったよ。」

「だっておっ母さんも行ってらっしゃるしそれに神さまが仰《お》っしゃるんだわ。」

「そんな神さまうその神さまだい。」

「あなたの神さまうその神さまよ。」

「そうじゃないよ。」

「あなたの神さまってどんな神さまですか。」青年は笑いながら云いました。

「ぼくほんとうはよく知りません、けれどもそんなんでなしにほんとうのたった一人の神さまです。」

「ほんとうの神さまはもちろんたった一人です。」

「ああ、そんなんでなしにたったひとりのほんとうのほんとうの神さまです。」

「だからそうじゃありませんか。わたくしはあなた方がいまにそのほんとうの神さまの前にわたくしたちとお会いになることを祈ります。」青年はつつましく両手を組みました。女の子もちょうどその通りにしました。みんなほんとうに別れが惜しそうでその顔いろも少し青ざめて見えました。ジョバンニはあぶなく声をあげて泣き出そうとしました。

「さあもう支度はいいんですか。じきサウザンクロスですから。」

ああそのときでした。見えない天の川のずうっと川下に青や橙やもうあらゆる光でちりばめられた十字架がまるで一本の木という風に川の中から立ってかがやきその上には青じろい雲がまるい環《わ》になって後光のようにかかっているのでした。汽車の中がまるでざわざわしました。みんなあの北の十字のときのようにまっすぐに立ってお祈りをはじめました。あっちにもこっちにも子供が瓜《うり》に飛びついたときのようなよろこびの声や何とも云いようない深いつつましいためいきの音ばかりきこえました。そしてだんだん十字架は窓の正面になりあの苹果《りんご》の肉のような青じろい環の雲もゆるやかにゆるやかに繞《めぐ》っているのが見えました。

「ハルレヤハルレヤ。」明るくたのしくみんなの声はひびきみんなはそのそらの遠くからつめたいそらの遠くからすきとおった何とも云えずさわやかなラッパの声をききました。そしてたくさんのシグナルや電灯の灯のなかを汽車はだんだんゆるやかになりとうとう十字架のちょうどま向いに行ってすっかりとまりました。

「さあ、下りるんですよ。」青年は男の子の手をひきだんだん向うの出口の方へ歩き出しました。

「じゃさよなら。」女の子がふりかえって二人に云いました。

「さよなら。」ジョバンニはまるで泣き出したいのをこらえて怒ったようにぶっきり棒に云いました。女の子はいかにもつらそうに眼を大きくしてもう一度こっちをふりかえってそれからあとはもうだまって出て行ってしまいました。汽車の中はもう半分以上も空いてしまい俄かにがらんとしてさびしくなり風がいっぱいに吹き込みました。

そして見ているとみんなはつつましく列を組んであの十字架の前の天の川のなぎさにひざまずいていました。そしてその見えない天の川の水をわたってひとりの神々《こうごう》しい白いきものの人が手をのばしてこっちへ来るのを二人は見ました。けれどもそのときはもう硝子《ガラス》の呼子は鳴らされ汽車はうごき出しと思ううちに銀いろの霧が川下の方からすうっと流れて来てもうそっちは何も見えなくなりました。ただたくさんのくるみの木が葉をさんさんと光らしてその霧の中に立ち黄金《きん》の円光をもった電気栗鼠《りす》が可愛い顔をその中からちらちらのぞいているだけでした。

そのときすうっと霧がはれかかりました。どこかへ行く街道らしく小さな電灯の一列についた通りがありました。それはしばらく線路に沿って進んでいました。そして二人がそのあかしの前を通って行くときはその小さな豆いろの火はちょうど挨拶でもするようにぽかっと消え二人が過ぎて行くときまた点《つ》くのでした。

ふりかえって見るとさっきの十字架はすっかり小さくなってしまいほんとうにもうそのまま胸にも吊《つる》されそうになり、さっきの女の子や青年たちがその前の白い渚にまだひざまずいているのかそれともどこか方角もわからないその天上へ行ったのかぼんやりして見分けられませんでした。

ジョバンニはああと深く息しました。

「カムパネルラ、また僕たち二人きりになったねえ、どこまでもどこまでも一緒に行こう。僕はもうあのさそりのようにほんとうにみんなの幸《さいわい》のためならば僕のからだなんか百ぺん灼《や》いてもかまわない。」

「うん。僕だってそうだ。」カムパネルラの眼にはきれいな涙がうかんでいました。

「けれどもほんとうのさいわいは一体何だろう。」ジョバンニが云いました。

「僕わからない。」カムパネルラがぼんやり云いました。

「僕たちしっかりやろうねえ。」ジョバンニが胸いっぱい新らしい力が湧《わ》くようにふうと息をしながら云いました。

「あ、あすこ石炭袋だよ。そらの孔《あな》だよ。」カムパネルラが少しそっちを避けるようにしながら天の川のひとところを指さしました。ジョバンニはそっちを見てまるでぎくっとしてしまいました。天の川の一とこに大きなまっくらな孔がどおんとあいているのです。その底がどれほど深いかその奥に何があるかいくら眼をこすってのぞいてもなんにも見えずただ眼がしんしんと痛むのでした。ジョバンニが云いました。

「僕もうあんな大きな暗《やみ》の中だってこわくない。きっとみんなのほんとうのさいわいをさがしに行く。どこまでもどこまでも僕たち一緒に進んで行こう。」

「ああきっと行くよ。ああ、あすこの野原はなんてきれいだろう。みんな集ってるねえ。あすこがほんとうの天上なんだ。あっあすこにいるのぼくのお母さんだよ。」カムパネルラは俄かに窓の遠くに見えるきれいな野原を指して叫びました。

ジョバンニもそっちを見ましたけれどもそこはぼんやり白くけむっているばかりどうしてもカムパネルラが云ったように思われませんでした。何とも云えずさびしい気がしてぼんやりそっちを見ていましたら向うの河岸に二本の電信ばしらが丁度両方から腕を組んだように赤い腕木をつらねて立っていました。

「カムパネルラ、僕たち一緒に行こうねえ。」ジョバンニが斯う云いながらふりかえって見ましたらそのいままでカムパネルラの座っていた席にもうカムパネルラの形は見えずただ黒いびろうどばかりひかっていました。ジョバンニはまるで鉄砲丸《てっぽうだま》のように立ちあがりました。そして誰《たれ》にも聞えないように窓の外へからだを乗り出して力いっぱいはげしく胸をうって叫びそれからもう咽喉《のど》いっぱい泣きだしました。もうそこらが一ぺんにまっくらになったように思いました。

ジョバンニは眼をひらきました。もとの丘の草の中につかれてねむっていたのでした。胸は何だかおかしく熱《ほて》り頰にはつめたい涙がながれていました。

ジョバンニはばねのようにはね起きました。町はすっかりさっきの通りに下でたくさんの灯を綴《つづ》ってはいましたがその光はなんだかさっきよりは熟したという風でした。そしてたったいま夢であるいた天の川もやっぱりさっきの通りに白くぼんやりかかりまっ黒な南の地平線の上では殊《こと》にけむったようになってその右には蠍座《さそりざ》の赤い星がうつくしくきらめき、そらぜんたいの位置はそんなに変ってもいないようでした。

ジョバンニは一さんに丘を走って下りました。まだ夕ごはんをたべないで待っているお母さんのことが胸いっぱいに思いだされたのです。どんどん黒い松の林の中を通ってそれからほの白い牧場の柵《さく》をまわってさっきの入口から暗い牛舎の前へまた来ました。そこには誰《たれ》かがいま帰ったらしくさっきなかった一つの車が何かの樽を二つ乗っけて置いてありました。

「今晩は、」ジョバンニは叫びました。

「はい。」白い太いずぼんをはいた人がすぐ出て来て立ちました。

「何のご用ですか。」

「今日牛乳がぼくのところへ来なかったのですが」

「あ済みませんでした。」その人はすぐ奥へ行って一本の牛乳瓶をもって来てジョバンニに渡しながらまた云いました。

「ほんとうに、済みませんでした。今日はひるすぎうっかりしてこうしの柵をあけて置いたもんですから大将早速《さっそく》親牛のところへ行って半分ばかり呑《の》んでしまいましてね……」その人はわらいました。

「そうですか。ではいただいて行きます。」

「ええ、どうも済みませんでした。」

「いいえ。」

ジョバンニはまだ熱い乳の瓶を両方のてのひらで包むようにもって牧場の柵を出ました。

そしてしばらく木のある町を通って大通りへ出てまたしばらく行きますとみちは十文字になってその右手の方、通りのはずれにさっきカムパネルラたちのあかりを流しに行った川へかかった大きな橋のやぐらが夜のそらにぼんやり立っていました。

ところがその十字になった町かどや店の前に女たちが七八人ぐらいずつ集って橋の方を見ながら何かひそひそ談《はな》しているのです。それから橋の上にもいろいろなあかりがいっぱいなのでした。

ジョバンニはなぜかさあっと胸が冷たくなったように思いました。そしていきなり近くの人たちへ
「何かあったんですか。」と叫ぶようにききました。

「こどもが水へ落ちたんですよ。」一人が云いますとその人たちは一斉にジョバンニの方を見ました。ジョバンニはまるで夢中で橋の方へ走りました。橋の上は人でいっぱいで河が見えませんでした。白い服を着た巡査も出ていました。

ジョバンニは橋の袂《たもと》から飛ぶように下の広い河原へおりました。

その河原の水際に沿ってたくさんのあかりがせわしくのぼったり下ったりしていました。向う岸の暗いどてにも火が七つ八つうごいていました。そのまん中をもう烏瓜のあかりもない川が、わずかに音をたてて灰いろにしずかに流れていたのでした。

河原のいちばん下流の方へ洲《す》のようになって出たところに人の集りがくっきりまっ黒に立っていました。ジョバンニはどんどんそっちへ走りました。するとジョバンニはいきなりさっきカムパネルラといっしょだったマルソに会いました。マルソがジョバンニに走り寄ってきました。

「ジョバンニ、カムパネルラが川へはいったよ。」

「どうして、いつ。」

「ザネリがね、舟の上から烏うりのあかりを水の流れる方へ押してやろうとしたんだ。そのとき舟がゆれたもんだから水へ落っこったろう。するとカムパネルラがすぐ飛びこんだんだ。そしてザネリを舟の方へ押してよこした。ザネリはカトウにつかまった。けれどもあとカムパネルラが見えないんだ。」

「みんな探してるんだろう。」

「ああすぐみんな来た。カムパネルラのお父さんも来た。けれども見附からないんだ。ザネリはうちへ連れられてった。」

ジョバンニはみんなの居るそっちの方へ行きました。そこに学生たち町の人たちに囲まれて青じろい尖《とが》ったあごをしたカムパネルラのお父さんが黒い服を着てまっすぐに立って右手に持った時計をじっと見つめていたのです。

みんなもじっと河を見ていました。誰《たれ》も一言も物を云う人もありませんでした。ジョバンニはわくわくわくわく足がふるえました。魚をとるときのアセチレンランプがたくさんせわしく行ったり来たりして黒い川の水はちらちら小さな波をたてて流れているのが見えるのでした。

下流の方は川はば一ぱい銀河が巨《おお》きく写ってまるで水のないそのままのそらのように見えました。

ジョバンニはそのカムパネルラはもうあの銀河のはずれにしかいないというような

気がしてしかたなかったのです。

けれどもみんなはまだ、どこかの波の間から、「ぼくずいぶん泳いだぞ。」と云いながらカムパネルラが出て来るか或《ある》いはカムパネルラがどこかの人の知らない洲にでも着いて立っていて誰かの来るのを待っているかというような気がして仕方ないらしいのでした。けれども俄かにカムパネルラのお父さんがきっぱり云いました。

「もう駄目です。落ちてから四十五分たちましたから。」

ジョバンニは思わずかけよって博士の前に立って、ぼくはカムパネルラの行った方を知っていますぼくはカムパネルラといっしょに歩いていたのですと云おうとしましたがもうのどがつまって何とも云えませんでした。すると博士はジョバンニが挨拶に来たとでも思ったものですか、しばらくしげしげジョバンニを見ていましたが

「あなたはジョバンニさんでしたね。どうも今晩はありがとう。」と叮《てい》ねいに云いました。

ジョバンニは何も云えずにただおじぎをしました。

「あなたのお父さんはもう帰っていますか。」博士は堅く時計を握ったまままたききました。

「いいえ。」ジョバンニはかすかに頭をふりました。

「どうしたのかなあ、ぼくには一昨日《おととい》大へん元気な便りがあったんだが。今日あたりもう着くころなんだが。船が遅れたんだな。ジョバンニさん。あした放課後みなさんとうちへ遊びに来てくださいね。」

そう云いながら博士はまた川下の銀河のいっぱいにうつった方へじっと眼を送りました。

ジョバンニはもういろいろなことで胸がいっぱいでなんにも云えずに博士の前をはなれて早くお母さんに牛乳を持って行ってお父さんの帰ることを知らせようと思うともう一目散に河原を街の方へ走りました。

北守將軍と三人兄弟の醫者

ほくしゅしょうぐんとさんにんきょうだいのいしゃ

一、三人兄弟の医者

むかしラユーという首都に、兄弟三人の医者がいた。いちばん上のリンパーは、普通の人の医者だった。その弟のリンプーは、馬や羊の医者だった。いちばん末のリンポーは、草だの木だのの医者だった。そして兄弟三人は、町のいちばん南にあたる、黄いろな崖《がけ》のとっぱなへ、青い瓦《かわら》の病院を、三つならべて建てていて、てんでに白や朱の旗を、風にぱたぱた云《い》わせていた。

坂のふもとで見ていると、漆《うるし》にかぶれた坊さんや、少しびっこをひく馬や、萎《しお》れかかった牡丹《ぼたん》の鉢を、車につけて引く園丁や、いんこを入れた鳥籠《とりかご》や、次から次とのぼって行って、さて坂上に行き着くと、病気の人は、左のリンパー先生へ、馬や羊や鳥類は、中のリンプー先生へ、草木をもった人たちは、右のリンポー先生へ、三つにわかれてはいるのだった。

さて三人は三人とも、実に医術もよくできて、また仁心《じんしん》も相当あって、たしかにもはや名医の類であったのだが、まだいい機会《おり》がなかったために別に位もなかったし、遠くへ名前も聞えなかった。ところがとうとうある日のこと、ふしぎなことが起ってきた。

二、北守《ほくしゅ》将軍ソンバーユー

ある日のちょうど日の出ごろ、ラユーの町の人たちは、はるかな北の野原の方で、鳥か何かがたくさん群れて、声をそろえて鳴くような、おかしな音を、ときどき聴いた。はじめは誰も気にかけず、店を掃《は》いたりしていたが、朝めしすこしすぎたころ、だんだんそれが近づいて、みんな立派なチャルメラや、ラッパの音だとわかってくると、町じゅうにわかにざわざわした。その間にはぱたぱたいう、太鼓の類の音もする。もう商人《あきゅうど》も職人も、仕事がすこしも手につかない。門を守った兵隊たちは、まず門をみなしっかりとざし、町をめぐった壁の上には、見張りの者をならべて置いて、それからお宮へ知らせを出した。

そしてその日の午《ひる》ちかく、ひづめの音や鎧《よろい》の気配、また号令の声もして、向うはすっかり、この町を、囲んでしまった模様であった。

番兵たちや、あらゆる町の人たちが、まるでどきどきやりながら、矢を射る孔《あな》からのぞいて見た。壁の外から北の方、まるで雲霞《うんか》の軍勢だ。ひらひらひかる三角旗《ばた》や、ほこがさながら林のようだ。ことになんとも奇体《きたい》なことは、兵隊たちが、みな灰いろでぼさぼさして、なんだかけむりのようなのだ。するどい眼をして、ひげが二いろまっ白な、せなかのまがった大将が、尻尾《しっぽ》が箒《ほうき》のかたちになって、うしろにぴんとのびてゐる白馬《はくば》に乗って先頭に立ち、大きな剣を空にあげ、声高々と歌っている。

「北守将軍ソンバーユーは
いま塞外《さいがい》の砂漠から
やっとのことで戻ってきた。
勇ましい凱旋《がいせん》だと云いたいが
実はすっかり参って来たのだ
とにかくあすこは寒い処《ところ》さ。
三十年という黄いろなむかし
おれは十万の軍勢をひきい
この門をくぐって威張って行った。
それからどうだもう見るものは空ばかり
風は乾いて砂を吹き
雁《かり》さえ干せてたびたび落ちた
おれはその間馬でかけ通し
馬がつかれてたびたびペタンと座り

涙をためてはじっと遠くの砂を見た。
その度ごとにおれは鎧のかくしから
塩をすこうし取り出して
馬に嘗《な》めさせては元気をつけた。
その馬も今では三十五歳
五里かけるにも四時間かかる
それからおれはもう七十だ。
とても帰れまいと思っていたが
ありがたや敵が残らず脚気《かっけ》で死んだ
今年の夏はへんに湿気が多かったでな。
それに脚気の原因が
あんまりこっちを追いかけて
砂を走ったためなんだ
そうしてみればどうだやっぱり凱旋だろう。
殊《こと》にも一つほめられていいことは
十万人もでかけたものが
九万人まで戻って来た。

死《しん》だやつらは気の毒だが
三十年の間には
たとえいくさに行かなくたって
一割ぐらいは死ぬんじゃないか。
そこでラユーのむかしのともよ
またこどもらよきょうだいよ
北守将軍ソンバーユーと
その軍勢が帰ったのだ
門をあけてもいいではないか。」

さあ城壁のこっちでは、湧《わ》きたつような騒動だ。うれしまぎれに泣くものや、両手をあげて走るもの、じぶんで門をあけようとして、番兵たちに叱《しか》られるもの、もちろん王のお宮へは使《つかい》が急いで走って行き、城門の扉《と》はぴしゃんと開《あ》いた。おもての方の兵隊たちも、もううれしくて、馬にすがって泣いている。

顔から肩から灰いろの、北守将軍ソンバーユーは、わざとくしゃくしゃ顔をしかめ、しずかに馬のたづなをとって、まっすぐを向いて先登《せんとう》に立ち、それからラッパや太鼓の類、三角ばたのついた槍、まっ青に錆《さ》びた銅のほこ、それから白い矢をしょった、兵隊たちが入ってくる。馬は太鼓に歩調を合せ、殊にもさきのソン将軍の白馬《しろうま》は、歩くたんびに膝《ひざ》がぎちぎち音がして、ちょうどひょうしをとるようだ。兵隊たちは軍歌をうたう。

「みそかの晩とついたちは
砂漠に黒い月が立つ。
西と南の風の夜は
月は冬でもまっ赤だよ。
雁《がん》が高みを飛ぶときは
敵が遠くへ遁《に》げるのだ。
追おうと馬にまたがれば
にわかに雪がどしゃぶりだ。」
兵隊たちは進んで行った。九万の兵というものはただ見ただけでもぐったりする。
「雪の降る日はひるまでも
そらはいちめんまっくらで
わずかに雁の行くみちが
ぼんやり白く見えるのだ。
砂がこごえて飛んできて
枯れたよもぎをひっこぬく。

抜けたよもぎは次次と
　都の方へ飛んで行く。」

　みんなは、みちの両側に、垣《かき》をきずいて、ぞろっとならび、泪《なみだ》を流してこれを見た。

　かくて、バーユー将軍が、三町ばかり進んで行って、町の広場についたとき、向うのお宮の方角から、黄いろな旗がひらひらして、誰《たれ》かこっちへやってくる。これはたしかに知らせが行って、王から迎いが来たのである。

　ソン将軍は馬をとめ、ひたいに高く手をかざし、よくよくそれを見きわめて、それから俄《にわ》かに一礼し、急いで、馬を降りようとした。ところが馬を降りれない、もう将軍の両足は、しっかり馬の鞍《くら》につき、鞍はこんどは、がっしりと馬の背中にくっついて、もうどうしてもはなれない。さすが豪気の将軍も、すっかりあわてて赤くなり、口をびくびく横に曲げ、一生けん命、はね下りようとするのだが、どうにもからだがうごかなかった。ああこれこそじつに将軍が、三十年も、国境の空気の乾いた砂漠のなかで、重いつとめを肩に負い、一度も馬を下りないために、馬とひとつになったのだ。おまけに砂漠のまん中で、どこにも草の生えるところがなかったために、多分はそれが将軍の顔を見付けて生えたのだろう。灰いろをしたふしぎなものがもう将軍の顔や手や、まるでいちめん生えていた。兵隊たちにも生えていた。そのうち使いの大臣は、だんだん近くやって来て、もうまっさきの大きな槍や、旗のしるしも見えて来た。

将軍、馬を下りなさい。王様からのお迎いです。将軍、馬を下りなさい。向うの列で誰か云う。将軍はまた手をばたばたしたが、やっぱりからだがはなれない。

ところが迎いの大臣は、鮒《ふな》よりひどい近眼だった。わざと馬から下りないで、両手を振って、みんなに何か命令してると考えた。

「謀叛《むほん》だな。よし。引き上げろ。」そう大臣はみんなに云った。そこで大臣一行は、くるっと馬を立て直し、黄いろな塵《ちり》をあげながら、一目散に戻って行く。ソン将軍はこれを見て肩をすぼめてため息をつき、しばらくぼんやりしていたが、俄かにうしろを振り向いて、軍師の長を呼び寄せた。

「おまえはすぐに鎧を脱いで、おれの刀と弓をもち、早くお宮へ行ってくれ。それから誰かにこう云うのだ。北守将軍ソンバーユーは、あの国境の砂漠の上で、三十年のひるも夜も、馬から下りるひまがなく、とうとうからだが鞍につき、そのまた鞍が馬について、どうにもお前へ出られません。これからお医者に行きまして、やがて参内《さんだい》いたします。こうていねいに云ってくれ。」

軍師の長はうなずいて、すばやく鎧と兜《かぶと》を脱ぎ、ソン将軍の刀をもって、一目散にかけて行く。ソン将軍はみんなに云った。

「全軍しずかに馬をおり、兜をぬいで地に座れ。ソン大将はただ今から、ちょっとお医者へ行ってくる。そのうち音をたてないで、じいっとやすんでいてくれい。わかったか。」

「わかりました。将軍」兵隊共は声をそろえて一度に叫ぶ。将軍はそれを手で制し、急いで馬に鞭《むち》うった。たびたびぺたんと砂漠に寝た、この有名な白馬《しろうま》は、ここで最後の力を出し、がたがたがたがた鳴りながら、風より早くかけ出した。さて将軍は十町ばかり、夢中で馬を走らせて、大きな坂の下に来た。それから俄かにこう云った。

「上手な医者はいったい誰だ。」

一人の大工が返事した。

「それはリンパー先生です。」

「そのリンパーはどこに居る。」

「すぐこの坂のま上です。あの三つある旗のうち、一番左でございます。」

「よろしい、しゅう。」と将軍は、例の白馬《はくば》に一鞭くれて、一気に坂をかけあがる。大工はあとでぶつぶつ云った。

「何だ、あいつは野蛮なやつだ。ひとからものを教わって、よろしい、しゅう　とはいったいなんだ。」

ところがバーユー将軍は、そんなことには構わない。そこらをうろうろあるいている、病人たちをはね越えて、門の前まで上《のぼ》っていた。なるほど門のはしらには、小医リンパー先生と、金看板がかけてある。

三、リンパー先生

さてソンバーユー将軍は、いまやリンパー先生の、大玄関を乗り切って、どしどし廊下へ入って行く。さすがはリンパー病院だ、どの天井も室《へや》の扉《と》も、高さが二丈ぐらいある。

「医者はどこかね。診《み》てもらいたい。」ソン将軍は号令した。

「あなたは一体何ですか。馬のまんまで入るとは、あんまり乱暴すぎましょう。」萌《もえ》黄《ぎ》の長い服を着て、頭を剃《そ》った一人の弟子が、馬のくつわをつかまえた。

「おまえが医者のリンパーか、早くわが輩の病気を診ろ。」

「いいえ、リンパー先生は、向うの室に居られます。けれどもご用がおありなら、馬から下りていただきたい。」

「いいや、そいつができんのじゃ。馬からすぐに下りれたら、今ごろはもう王様の、前へ行ってた筈なんじゃ。」

「ははあ、馬から降りられない。そいつは脚の硬直だ。そんならいいです。おいでなさい。」

弟子は向うの扉をあけた。ソン将軍はぱかぱかと馬を鳴らしてはいって行った。中には人がいっぱいで、そのまん中に先生らしい、小さな人が床几《しょうぎ》に座り、しきりに一人の眼を診ている。

「ひとつこっちをたのむのじゃ。馬から降りられないでのう。」そう将軍はやさしく云った。ところがリンパー先生は、見向きもしないし動きもしない。やっぱりじっと眼を見ている。

「おい、きみ、早くこっちを見んか。」将軍が怒鳴り出したので、病人たちはびくっとした。ところが弟子がしずかに云った。

「診るには番がありますからな。あなたは九十六番で、いまは六人目ですから、もう九十人お待ちなさい。」

「黙れ、きさまは我輩に、七十二人待てっと云うか。おれを誰だと考える。北守将軍ソンバーユーだ。九万人もの兵隊を、町の広場に待たせてある。おれが一人を待つことは七万二千の兵隊が、向うの方で待つことだ。すぐ見ないならけちらすぞ。」将軍はもう鞭をあげ馬は一いきはねあがり、病人たちは泣きだした。ところがリンパー先生は、やっぱりびくともしていない、てんでこっちを見もしない。その先生の右手から、黄の綾《あや》を着た娘が立って、花瓶《かびん》にさした何かの花を、一枝とって水につけ、やさしく馬につきつけた。馬はぱくっとそれを噛《か》み、大きな息を一つして、ぺたんと四《よっ》つ脚を折り、今度はごうごういびきをかいて、首を落してねむってしまう。ソン将軍はまごついた。

「あ、馬のやつ、又参ったな。困った。困った。困った。」と云って、急いで鎧のかくしから、塩の袋をとりだして、馬に喰べさせようとする。

「おい、起きんかい。あんまり情けないやつだ。あんなにひどく難儀して、やっと都に帰って来ると、すぐ気がゆるんで死ぬなんて、ぜんたいどういう考《かんがえ》なのか。こら、起きんかい。起きんかい。しっ、ふう、どう、おい、この塩を、ほんの一口たべんかい。」それでも馬は、やっぱりぐうぐうねむっている。ソン将軍はとうとう泣いた。

「おい、きみ、わしはとにかくに、馬だけどうかみてくれたまえ。こいつは北の国境で、三十年もはたらいたのだ。」

むすめはだまって笑っていたが、このときリンパー先生が、いきなりこっちを振り向いて、まるで将軍の胸底から、馬の頭も見徹《みとお》すような、するどい眼をしてしずかに云った。

「馬はまもなく治ります。あなたの病気をしらべるために、馬を座らせただけです。あなたはそれで向うの方で、何か病気をしましたか。」

「いいや、病気はしなかった。病気は別にしなかったが、狐《きつね》のために欺《だま》されて、どうもときどき困ったじゃ。」

「それは、どういう風ですか。」

「向うの狐はいかんのじゃ。十万近い軍勢を、ただ一ぺんに欺すんじゃ。夜に沢山火をともしたり、昼間いきなり砂漠の上に、大きな海をこしらえて、城や何かも出したりする。全くたちが悪いんじゃ。」

「それを狐がしますのですか。」

「狐とそれから、砂鶻《サコツ》じゃね、砂鶻というて鳥なんじゃ。こいつは人の居《お》らないときは、高い処を飛んでいて、誰かを見ると試しに来る。馬のしっぽを抜いたりね。目をねらったりするもんで、こいつがでたらもう馬は、がたがたふるえてようあるかんね。」

「そんなら一ぺん欺されると、何日ぐらいでよくなりますか。」

「まあ四日じゃね。五日のときもあるようじゃ。」

「それであなたは今までに、何べんぐらい欺されました?」

「ごく少くて十ぺんじゃろう。」

「それではお尋ねいたします。百と百とを加えると答はいくらになりますか。」

「百八十じゃ。」

「それでは二百と二百では。」

「さよう、三百六十だろう。」

「そんならも一つ伺《うかが》いますが、十の二倍は何ほどですか。」

「それはもちろん十八じゃ。」

「なるほど、すっかりわかりました。あなたは今でもまだ少し、砂漠のためにつかれています。つまり十パーセントです。それではなおしてあげましょう。」


パー先生は両手をふって、弟子にしたくを云い付けた。弟子は大きな銅鉢《どうばち》に、何かの薬をいっぱい盛って、布巾《ふきん》を添えて持って来た。ソン将軍は両手を出して鉢をきちんと受けとった。パー先生は片袖《かたそで》まくり、布巾に薬をいっぱいひたし、かぶとの上からざぶざぶかけて、両手でそれをゆすぶると、兜はすぐにすぽりととれた。弟子がもう一人、もひとつ別の銅鉢へ、別の薬をもってきた。そこでリンパー先生は、別の薬でじゃぶじゃぶ洗う。雫《しずく》はまるでまっ黒だ。ソン将軍は心配そうに、うつむいたまま訊《き》いている。


「どうかね、馬は大丈夫かね。」

「もうじきです。」とパー先生は、つづけてじゃぶじゃぶ洗っている。雫がだんだん茶いろになって、それからうすい黄いろになった。それからとうとうもう色もなく、ソン将軍の白髪は、熊より白く輝いた。そこでリンパー先生は、布巾を捨てて両手を洗い、弟子は頭と顔を拭《ふ》く。将軍はぶるっと身ぶるいして、馬にきちんと起きあがる。

「どうです、せいせいしたでしょう。ところで百と百とをたすと、答はいくらになりますか。」

「もちろんそれは二百だろう。」

「そんなら二百と二百とたせば。」

「さよう、四百にちがいない。」

「十の二倍はどれだけですか。」

「それはもちろん二十じゃな。」さっきのことは忘れた風で、ソン将軍はけろりと云う。

「すっかりおなおりなりました。つまり頭の目がふさがって、一割いけなかったのですな。」

「いやいや、わしは勘定などの、十や二十はどうでもいいんじゃ。それは算師がやるでのう。わしは早速この馬と、わしをはなしてもらいたいんじゃ。」

「なるほどそれはあなたの足を、あなたの服と引きはなすのは、すぐ私に出来るです。いやもう離れている筈です。けれども、ずぼんが鞍につき、鞍がまた馬についたのを、はなすというのは別ですな。それはとなりで、私の弟がやっていますから、そっちへおいでいただきます。それにいったいこの馬もひどい病気にかかっています。」

「そんならわしの顔から生えた、このもじゃもじゃはどうじゃろう。」

「そちらもやっぱり向うです。とにかくひとつとなりの方へ、弟子をお供に出しましょう。」

「それではそっちへ行くとしよう。ではさようなら。」

さっきの白いきものをつけた、むすめが馬の右耳に、息を一つ吹き込んだ。馬はがばっとはねあがり、ソン将軍は俄かに背《せい》が高くなる、将軍は馬のたづなをとり、弟子とならんで室《へや》を出る。それから庭をよこぎって厚い土塀《どべい》の前に来た。小さな潜《くぐ》りがあいている。

「いま裏門をあけさせましょう。」助手は潜りを入って行く。

「いいや、それには及ばない。わたしの馬はこれぐらい、まるで何とも思ってやしない。」

将軍は馬にむちをやる。

ぎっ、ばっ、ふう。馬は土塀をはね越えて、となりのリンプー先生の、けしのはたけをめちゃくちゃに、踏みつけながら立っていた。

四、馬医リンプー先生

ソン将軍が、お医者の弟子と、けしの畑をふみつけて向うの方へ歩いて行くと、もうあっちからもこっちからも、ぶるるるふうというような、馬の仲間の声がする。そして二人が正面の、巨《おお》きな棟《むね》にはいって行くと、もう四方から馬どもが、二十疋《ぴき》もかけて来て、蹄《ひづめ》をことこと鳴らしたり、頭をぶらぶらしたりして、将軍の馬に挨拶する。

向うでリンプー先生は、首のまがった茶いろの馬に、白い薬を塗っている。さっきの弟子が進んで行って、ちょっと何かをささやくと、馬医のリンプー先生は、わらってこっちをふりむいた。巨きな鉄の胸甲《むなあて》を、がっしりはめていることは、ちょうどやっぱり鎧のようだ。馬にけられぬためらしい。将軍はすぐその前へ、じぶんの馬を乗りつけた。

「あなたがリンプー先生か。わしは将軍ソンバーユーじゃ。何分ひとつたのみたい。」

「いや、その由《よし》を伺いました。あなたのお馬はたしか三十九ぐらいですな。」

「四捨五入して、さうじゃ、やっぱり三十九じゃな。」

「ははあ、ただいま手術いたします。あなたは馬の上に居て、すこし煙《けむ》いかしれません。それをご承知くださいますか。」

「煙い？　なんのどうして煙ぐらい、砂漠で風の吹くときは、一分間に四十五以上、馬を跳躍させるんじゃ。それを三つも、やすんだら、もう頭まで埋まるんじゃ。」

「ははあ、それではやりましょう。おい、フーシュ。」プー先生は弟子を呼ぶ。弟子はおじぎを一つして、小さな壺《つぼ》をもって来た。プー先生は蓋《ふた》をとり、何か茶いろな薬を出して、馬の眼《まなこ》に塗りつけた。それから「フーシュ」とまた呼んだ。弟子はおじぎを一つして、となりの室《へや》へ入って行って、しばらくごとごとしていたが、まもなく赤い小さな餅《もち》を、皿にのっけて帰って来た。先生はそれをつまみあげ、しばらく指ではさんだり、匂《におい》をかいだりしていたが、何か決心したらしく、馬にぱくりと喰べさせた。ソン将軍は、その白馬《しろうま》の上に居て、待ちくたびれてあくびをした。すると俄かに白馬は、がたがたがたがたふるえ出しそれからからだ一面に、あせとけむりを噴き出した。プー先生はこわそうに、遠くへ行ってながめている。がたがたがたがた鳴りながら、馬はけむりをつづけて噴いた。そのまた煙が無暗《むやみ》に辛《から》い。ソン将軍も、はじめは我慢していたが、とうとう両手を眼にあてて、ごほんごほんとせきをした。そのうちだんだんけむりは消えてこんどは、汗が滝よりひどくながれだす。プー先生は近くへよって、両手をちょっと鞍にあて、二つつばかりゆすぶった。

たちまち鞍はすぱりとはなれ、はずみを食った将軍は、床にすとんと落された。ところがさすが将軍だ。いつかきちんと立っている。おまけに鞍と将軍も、もうすっかりとはなれていて、将軍はまがった両足を、両手でぱしゃぱしゃ叩いたし、馬は俄かに荷がなくなって、さも見当がつかないらしく、せなかをゆらゆらゆすぶった。するとバーユー将軍はこんどは馬のほうきのようなしっぽを持って、いきなりぐっと引っ張った。するとするとまっ白な、尾の形した塊《かたまり》が、ごとりと床にころがり落ちた。馬はいかにも軽そうに、いまは全く毛だけになったしっぽを、ふさふさ振っている。弟子が三人集って、馬のからだをすっかりふいた。

「もういいだろう。歩いてごらん。」

馬はしずかに歩きだす。あんなにぎちぎち軋《きし》んだ膝がいまではすっかり鳴らなくなった。プー先生は手をあげて、馬をこっちへ呼び戻し、おじぎを一つ将軍にした。

「いや謝しますじゃ。それではこれで。」将軍は、急いで馬に鞍を置き、ひらりとそれにまたがれば、そこらあたりの病気の馬は、ひんひん別れの挨拶をする。ソン将軍は室を出て塀をひらりと飛び越えて、となりのリンポー先生の、菊のはたけに飛び込んだ。

五、リンポー先生

さてもリンポー先生の、草木を治すその室《へや》は、林のようなものだった。あらゆる種類の木や花が、そこらいっぱいならべてあって、どれにもみんな金だの銀の、巨《おお》きな札がついている。そこを、バーユー将軍は、馬から下りて、ゆっくりと、ポー先生の前へ行く。さっきの弟子がさきまわりして、すっかり談《はな》していたらしく、ポー先生は薬の函《はこ》と大きな赤い団扇《うちわ》をもって、ごくうやうやしく待っていた。ソン将軍は手をあげて、

「これじゃ。」と顔を指さした。ポー先生は黄いろな粉を、薬函から取り出して、ソン将軍の顔から肩へ、もういっぱいにふりかけて、それから例のうちわをもって、ばたばたばたばた扇《あお》ぎ出す。するとたちまち、将軍の、顔じゅうの毛はまっ赤に変り、みんなふわふわ飛び出して、見ているうちに将軍は、すっかり顔がつるつるなった。じつにこのとき将軍は、三十年ぶりにっこりした。

「それではこれで行きますじゃ。からだもかるくなったでのう。」もう将軍はうれしくて、はやてのように室を出て、おもての馬に飛び乗れば、馬はたちまち病院の、巨きな門を外に出た。あとから弟子が六人で、兵隊たちの顔から生えた灰いろの毛をとるために、薬の袋とうちわをもって、ソン将軍を追いかけた。

六、北守将軍仙人《せんにん》となる

さてソンバーユー将軍は、ポー先生の玄関を、光のように飛び出して、となりのリンプー病院を、はやてのごとく通り過ぎ、次のリンパー病院を、斜めに見ながらもう一散に、さっきの坂をかけ下りる。馬は五倍も速いので、もう向うには兵隊たちの、やすんでいるのが見えてきた。兵隊たちは心配そうにこっちの方を見ていたのだが、思わず歓呼《かんこ》の声をあげ、みんな一緒に立ちあがる。そのときお宮の方からはさっきの使いの軍師の長が一目散にかけて来た。

「ああ、王様は、すっかりおわかりなりました。あなたのことをおききになって、おん涙さえ浮べられ、お出《い》でをお待ちでございます。」

そこへさっきの弟子たちが、薬をもってやってきた。兵隊たちはよろこんで、粉をふってはばたばた扇ぐ。そこで九万の軍隊は、もう輪廓《りんかく》もはっきりなった。

将軍は高く号令した。

「馬にまたがり、気をつけいっ。」

みんなが馬にまたがれば、まもなくそこらはしんとして、たった二疋の遅れた馬が、鼻をぶるっと鳴らしただけだ。

「前へ進めっ。」太鼓も銅鑼《どら》も鳴り出して、軍は粛々《しゅくしゅく》行進した。

やがて九万の兵隊は、お宮の前の一里の庭に縦横《じゅうおう》ちょうど三百人、四角な陣をこしらえた。

ソン将軍は馬を降り、しずかに壇をのぼって行って床に額をすりつけた。王はしずかに斷《こと》ういった。

「じつに永らくご苦労だった。これからはもうここに居て、大将たちの大将として、なお忠勤をはげんでくれ。」

北守将軍ソンバーユーは涙を垂れてお答えした。

「おことばまことに畏《かしこ》くて、何とお答えいたしていいか、とみに言葉も出《い》でませぬ。とは云えいまや私は、生きた骨ともいうような、役に立たずでございます。砂漠の中に居ました間、どこから敵が見ているか、あなどられまいと考えて、いつでもりんと胸を張り、眼を見開いて居《お》りましたのが、いま王様のお前に出て、おほめの詞《ことば》をいただきますと、俄かに眼さえ見えぬよう。背骨も曲ってしまいます。何卒《なにとぞ》これでお暇を願い、郷里に帰りとうございます。」

「それでは誰かおまえの代り、大将五人の名を挙げよ。」

そこでバーユー将軍は、大将四人の名をあげた。そして残りの一人の代り、リン兄弟の三人を国のお医者におねがいした。王は早速《さっそく》許されたので、その場でバーユー将軍は、鎧もぬげば兜もぬいで、かさかさ薄い麻を着た。そしてじぶんの生れた村のス山《ざん》の麓《ふもと》へ帰って行って、粟《あわ》をすこうし播《ま》いたりした。それから粟の間引きもやった。けれどもそのうち将軍は、だんだんものを食わなくなってせっかくじぶんで播いたりした、粟も一口たべただけ、水をがぶがぶ呑《の》んでいた。ところが秋の終りになると、水もさっぱり呑まなくなって、ときどき空を見上げては何かしゃっくりするようなきたいな形をたびたびした。

そのうちいつか将軍は、どこにも形が見えなくなった。そこでみんなは将軍さまは、もう仙人になったと云って、ス山の山のいただきへ小さなお堂をこしらえて、あの白《しろ》馬《うま》は神馬《しんめ》に祭り、あかしや粟をささげたり、麻ののぼりをたてたりした。

けれどもこのとき国手になった例のリンパー先生は、会う人ごとに斯ういった。

「どうして、バーユー将軍が、雲だけ食った筈はない。おれはバーユー将軍の、からだをよくみて知っている。肺と胃の腑《ふ》は同じでない。きっとどこかの林の中に、お骨《こつ》があるにちがいない。」なるほどそうかもしれないと思った人もたくさんあった。

オツベルと象

オツベルとぞう

……ある牛飼いがものがたる

第一日曜

オツベルときたら大したもんだ。稲扱器械《いねこき》の六台も据えつけて、のんのんのんのんのんのんと、大そろしない音をたてってやっている。

十六人の百姓どもが、顔をまるっきりまっ赤にして足で踏んで器械をまわし、小山のように積まれた稲を片っぱしから扱《こ》いて行く。藁《わら》はどんどんうしろの方へ投げられて、また新らしい山になる。そこらは、籾《もみ》や藁から発《た》ったこまかな塵《ちり》で、変にぼうっと黄いろになり、まるで沙漠《さばく》のけむりのようだ。

そのうすくらい仕事場を、オツベルは、大きな琥珀《こはく》のパイプをくわえ、吹殻《ふきがら》を藁に落さないよう、眼を細くして気をつけながら、両手を背中に組みあわせて、ぶらぶら往《い》ったり来たりする。

小屋はずいぶん頑丈《がんじょう》で、学校ぐらいもあるのだが、何せ新式稲扱器械が、六台もそろってまわってるから、のんのんのんのんのんふるうのだ。中にはいるとそのために、すっかり腹が空《す》くほどだ。そしてじっさいオツベルは、そいつで上手に腹をへらし、ひるめしどきには、六寸ぐらいのビフテキだの、雑巾《ぞうきん》ほどあるオムレツの、ほくほくしたのをたべるのだ。

とにかく、そうして、のんのんのんのんやっていた。

そしたらそこへどういうわけか、その、白象がやって来た。白い象だぜ、ペンキを塗ったのでないぜ。どういうわけで来たかって？　そいつは象のことだから、たぶんぶらっと森を出て、ただなにとなく来たのだろう。

そいつが小屋の入口に、ゆっくり顔を出したとき、百姓どもはぎょっとした。なぜぎょっとした？　よくきくねえ、何をしだすか知れないじゃないか。かかり合っては大へんだから、どいつもみな、いっしょうけんめい、じぶんの稲を扱いていた。

ところがそのときオツベルは、ならんだ器械のうしろの方で、ポケットに手を入れながら、ちらっと鋭く象を見た。それからすばやく下を向き、何でもないというふうで、いままでどおり往ったり来たりしていたもんだ。

するとこんどは白象が、片脚床にあげたのだ。百姓どもはぎょっとした。それでも仕事が忙しいし、かかり合ってはひどいから、そっちを見ずに、やっぱり稲を扱いていた。

オツベルは奥のうすくらいところで両手をポケットから出して、も一度ちらっと象を見た。それからいかにも退屈そうに、わざと大きなあくびをして、両手を頭のうしろに組んで、行ったり来たりやっていた。ところが象が威勢よく、前肢《まえあし》二つつきだして、小屋にあがって来ようとする。百姓どもはぎくっとし、オッベルもすこしぎょっとして、大きな琥珀のパイプから、ふっとけむりをはきだした。それでもやっぱりしらないふうで、ゆっくりそこらをあるいていた。

そしたらとうとう、象がのこのこ上って来た。そして器械の前のとこを、呑気《のんき》にあるきはじめたのだ。

ところが何せ、器械はひどく廻っていて、籾は夕立か霰《あられ》のように、パチパチ象にあたるのだ。象はいかにもうるさいらしく、小さなその眼を細めていたが、またよく見ると、たしかに少しわらっていた。

オツベルはやっと覚悟をきめて、稲扱器械の前に出て、象に話をしようとしたが、そのとき象が、とてもきれいな、鶯《うぐいす》みたいないい声で、こんな文句を云《い》ったのだ。

「ああ、だめだ。あんまりせわしく、砂がわたしの歯にあたる。」

まったく籾は、パチパチパチパチ歯にあたり、またまっ白な頭や首にぶっつかる。

さあ、オツベルは命懸けだ。パイプを右手にもち直し、度胸を据えて斯《こ》う云った。

「どうだい、此処《ここ》は面白いかい。」

「面白いねえ。」象がからだを斜めにして、眼を細くして返事した。

「ずうっとこっちに居たらどうだい。」

百姓どもははっとして、息を殺して象を見た。オツベルは云ってしまってから、にわかにがたがた顫《ふる》え出す。ところが象はけろりとして
「居てもいいよ。」と答えたもんだ。

「そうか。それではそうしよう。そういうことにしようじゃないか。」オツベルが顔をくしゃくしゃにして、まっ赤になって悦《よろこ》びながらそう云った。

どうだ、そうしてこの象は、もうオツベルの財産だ。いまに見たまえ、オツベルは、あの白象を、はたらかせるか、サーカス団に売りとばすか、どっちにしても万円以上もうけるぜ。

第二日曜

オツベルときたら大したもんだ。それにこの前稲扱小屋で、うまく自分のものにした、象もじっさい大したもんだ。力も二十馬力もある。第一みかけがまっ白で、牙《きば》はぜんたいきれいな象牙《ぞうげ》でできている。皮も全体、立派で丈夫な象皮なのだ。そしてずいぶんはたらくもんだ。けれどもそんなに稼《かせ》ぐのも、やっぱり主人が偉いのだ。

「おい、お前は時計は要《い》らないか。」丸太で建てたその象小屋の前に来て、オツベルは琥珀のパイプをくわえ、顔をしかめて斯う訊《き》いた。

「ぼくは時計は要らないよ。」象がわらって返事した。

「まあ持って見ろ、いいもんだ。」斯う言いながらオツベルは、ブリキでこさえた大きな時計を、象の首からぶらさげた。

「なかなかいいね。」象も云う。

「鎖もなくちゃだめだろう。」オツベルときたら、百キロもある鎖をさ、その前肢にくっつけた。

「うん、なかなか鎖はいいね。」三あし歩いて象がいう。

「靴をはいたらどうだろう。」

「ぼくは靴などはかないよ。」

「まあはいてみろ、いいもんだ。」オツベルは顔をしかめながら、赤い張子の大きな靴を、象のうしろのかかとにはめた。

「なかなかいいね。」象も云う。

「靴に飾りをつけなくちゃ。」オツベルはもう大急ぎで、四百キロある分銅を靴の上から、穿《は》め込んだ。

「うん、なかなかいいね。」象は二あし歩いてみて、さもうれしそうにそう云った。

次の日、ブリキの大きな時計と、やくざな紙の靴とはやぶけ、象は鎖と分銅だけで、大よろこびであるいて居《お》った。

「済まないが税金も高いから、今日はすこうし、川から水を汲《く》んでくれ。」オツベルは両手をうしろで組んで、顔をしかめて象に云う。

「ああ、ぼく水を汲んで来よう。もう何ばいでも汲んでやるよ。」

象は眼を細くしてよろこんで、そのひるすぎに五十だけ、川から水を汲んで来た。そして菜っ葉の畑にかけた。

夕方象は小屋に居て、十把《ば》の藁をたべながら、西の三日の月を見て、

「ああ、稼ぐのは愉快だねえ、さっぱりするねえ」と云っていた。

「済まないが税金がまたあがる。今日は少うし森から、たきぎを運んでくれ」オツベルは房のついた赤い帽子をかぶり、両手をかくしにつっ込んで、次の日象にそう言った。

「ああ、ぼくたきぎを持って来よう。いい天気だねえ。ぼくはぜんたい森へ行くのは大すきなんだ」象はわらってこう言った。

オツベルは少しぎょっとして、パイプを手からあぶなく落しそうにしたがもうあのときは、象がいかにも愉快なふうで、ゆっくりあるきだしたので、また安心してパイプをくわえ、小さな咳《せき》を一つして、百姓どもの仕事の方を見に行った。

そのひるすぎの半日に、象は九百把たきぎを運び、眼を細くしてよろこんだ。

晩方象は小屋に居て、八把の藁をたべながら、西の四日の月を見て
「ああ、せいせいした。サンタマリア」と斯うひとりごとしたそうだ。

その次の日だ、

「済まないが、税金が五倍になった、今日は少うし鍛冶場《かじば》へ行って、炭火を吹いてくれないか」

「ああ、吹いてやろう。本気でやったら、ぼく、もう、息で、石もなげとばせるよ」

オツベルはまたどきっとしたが、気を落ち付けてわらっていた。

象はのそのそ鍛冶場へ行って、べたんと肢《あし》を折って座り、ふいごの代りに半日炭を吹いたのだ。

その晩、象は象小屋で、七把の藁をたべながら、空の五日の月を見て
「ああ、つかれたな、うれしいな、サンタマリア」と斯う言った。

どうだ、そうして次の日から、象は朝からかせぐのだ。藁も昨日はただ五把だ。よくまあ、五把の藁などで、あんな力がでるもんだ。

じっさい象はけいざいだよ。それというのもオツベルが、頭がよくてえらいためだ。オツベルときたら大したもんさ。

第五日曜

オツベルかね、そのオツベルは、おれも云おうとしてたんだが、居なくなったよ。

まあ落ちついてききたまえ。前にはなしたあの象を、オツベルはすこしひどくし過ぎた。しかたがだんだんひどくなったから、象がなかなか笑わなくなった。時には赤い竜の眼をして、じっとこんなにオツベルを見おろすようになってきた。

ある晩象は象小屋で、三把の藁をたべながら、十日の月を仰ぎ見て、

「苦しいです。サンタマリア。」と云ったということだ。

こいつを聞いたオツベルは、ことごと象につらくした。

ある晩、象は象小屋で、ふらふら倒れて地べたに座り、藁もたべずに、十一日の月を見て、

「もう、さようなら、サンタマリア。」と斯《こ》う言った。

「おや、何だって？　さよならだ？」月が俄《にわ》かに象に訊く。

「ええ、さよならです。サンタマリア。」

「何だい、なりばかり大きくて、からっきし意気地のないやつだなあ。仲間へ手紙を書いたらいいや。」月がわらって斯う云った。

「お筆も紙もありませんよう。」象は細ういきれいな声で、しくしくしくしく泣き出した。

「そら、これでしょう。」すぐ眼の前で、可愛い子どもの声がした。象が頭を上げて見ると、赤い着物の童子が立って、硯《すずり》と紙を捧《ささ》げていた。象は早速《さっそく》手紙を書いた。

「ぼくはずいぶん眼にあっている。みんなで出て来て助けてくれ。」

童子はすぐに手紙をもって、林の方へあるいて行った。

赤衣の童子が、そうして山に着いたのは、ちょうどひるめしごろだった。このとき山の象どもは、沙羅樹《さらじゅ》の下のくらがりで、碁《ご》などをやっていたのだが、額をあつめてこれを見た。

「ぼくはずいぶん眼にあっている。みんなで出てきて助けてくれ。」

象は一せいに立ちあがり、まっ黒になって吠《ほ》えだした。

「オツベルをやっつけよう」議長の象が高く叫ぶと、

「おう、でかけよう。グララアガア、グララアガア。」みんながいちどに呼応する。

さあ、もうみんな、嵐のように林の中をなきぬけて、グララアガア、グララアガア、野原の方へとんで行く。どいつもみんなきちがいだ。小さな木などは根こぎになり、藪《やぶ》や何かもめちゃめちゃだ。グワア　グワア　グワア、花火みたいに野原の中へ飛び出した。それから、何の、走って、走って、とうとう向うの青くかすんだ野原のはてに、オツベルの邸《やしき》の黄いろな屋根を見附けると、象はいちどに噴火した。

グララアガア、グララアガア。その時はちょうど一時半、オツベルは皮の寝台の上でひるねのさかりで、烏《からす》の夢を見ていたもんだ。あまり大きな音なので、オツベルの家の百姓どもが、門から少し外へ出て、小手をかざして向うを見た。林のような象だろう。汽車より早くやってくる。さあ、まるっきり、血の気も失《う》せてかけ込んで、「旦那《だんな》あ、象です。押し寄せやした。旦那あ、象です。」と声をかぎりに叫んだもんだ。

ところがオツベルはやっぱりえらい。眼をぱっちりとあいたときは、もう何もかもわかっていた。

「おい、象のやつは小屋にいるのか。居る？　居る？　居るのか。よし、戸をしめろ。戸をしめるんだよ。早く象小屋の戸をしめるんだ。ようし、早く丸太を持って来い。とじこめちまえ、畜生めじたばたしやがるな、丸太をそこへしばりつけろ。何ができるもんか。わざと力を減らしてあるんだ。ようし、もう五六本持って来い。さあ、大丈夫だ。大丈夫だとも。あわてるなったら。おい、みんな、こんどは門だ。門をしめろ。かんぬきをかえ。つっぱり。つっぱり。そうだ。おい、みんな心配するなったら。しっかりしろよ。」オツベルはもう仕度ができて、ラッパみたいないい声で、百姓どもをはげました。ところがどうして、百姓どもは気が気じゃない。こんな主人に巻き添いなんぞ食いたくないから、みんなタオルやはんけちや、よごれたような白いようなものを、ぐるぐる腕に巻きつける。降参をするしるしなのだ。

オツベルはいよいよやっきとなって、そこらあたりをかけまわる。オツベルの犬も気が立って、火のつくように吠えながら、やしきの中をはせまわる。

間もなく地面はぐらぐらとゆられ、そこらはばしゃばしゃくらくなり、象はやしきをとりまいた。グララアガア、グララアガア、その恐ろしいさわぎの中から、

「今助けるから安心しろよ。」やさしい声もきこえてくる。

「ありがとう。よく来てくれて、ほんとに僕はうれしいよ。」象小屋からも声がする。さあ、そうすると、まわりの象は、一そうひどく、グララアガア、グララアガア、塀《へい》のまわりをぐるぐる走っているらしく、度々《たびたび》中から、怒ってふりまわす鼻も見える。けれども塀はセメントで、中には鉄も入っているから、なかなか象もこわせない。塀の中にはオツベルが、たった一人で叫んでいる。百姓どもは眼もくらみ、そこらをうろうろするだけだ。そのうち外の象どもは、仲間のからだを台にして、いよいよ塀を越しかかる。だんだんにゅうと顔を出す。その皺《しわ》くちゃで灰いろの、大きな顔を見あげたとき、オツベルの犬は気絶した。さあ、オツベルは射《う》ちだした。六連発のピストルさ。ドーン、グララアガア、ドーン、グララアガア、ドーン、グララアガア、ところが弾丸《たま》は通らない。牙にあたればはねかえる。一疋《ぴき》なぞは斯う言った。

「なかなかこいつはうるさいねえ。ぱちぱち顔へあたるんだ。」

オツベルはいつかどこかで、こんな文句をきいたようだと思いながら、ケースを帯からつめかえた。そのうち、象の片脚が、塀からこっちへはみ出した。それからも一つはみ出した。五匹の象が一ぺんに、塀からどっと落ちて来た。オツベルはケースを握ったまま、もうくしゃくしゃに潰《つぶ》れていた。早くも門があいていて、グララアガア、グララアガア、象がどしどしなだれ込む。

「牢《ろう》はどこだ。」みんなは小屋に押し寄せる。丸太なんぞは、マッチのようにへし折られ、あの白象は大へん瘠《や》せて小屋を出た。

「まあ、よかったねやせたねえ。」みんなはしずかにそばにより、鎖と銅をはずしてやった。

「ああ、ありがとう。ほんとにぼくは助かったよ。」白象はさびしくわらってそう云った。

おや、〔一字不明〕、川へはいっちゃいけないったら。

氷河鼠の毛皮

ひょうがねずみのけがわ

このおはなしは、ずいぶん北の方の寒いところからきれぎれに風に吹きとばされて来たのです。氷がひとでや海月《くらげ》やさまざまのお菓子の形をしている位寒い北の方から飛ばされてやって来たのです。

十二月の二十六日の夜八時ベーリング行の列車に乗ってイーハトヴを発《た》った人たちが、どんな眼にあったかきっとどなたも知りたいでしょう。これはそのおはなしです。

＊

ぜんたい十二月の二十六日はイーハトヴはひどい吹雪でした。町の空や通りはまるっきり白だか水色だか変にばさばさした雪の粉でいっぱい、風はひっきりなしに電線や枯れたポプラを鳴らし、鴉《からす》なども半分凍ったようになってふらふらと空を流されて行きました。ただ、まあ、その中から馬そりの鈴のチリンチリン鳴る音が、やっと聞えるのでやっぱり誰《たれ》か通っているなということがわかるのでした。

ところがそんなひどい吹雪でも夜の八時になって停車場に行って見ますと暖炉の火は愉快に赤く燃えあがり、ベーリング行の最大急行に乗る人たちはもうその前にまっ黒に立っていました。

何せ北極のじき近くまで行くのですからみんなはすっかり用意していました。着物はまるで厚い壁のくらい着込み、馬油を塗った長靴をはきトランクにまで寒さでひびが入らないように馬油を塗ってみんなほうほうしていました。

汽缶車《きかんしゃ》はもうすっかり支度ができて暖そうな湯気を吐き、客車にはみな明るく電灯がともり、赤いカーテンもおろされて、プラットホームにまっすぐにならびました。

『ベーリング行、午後八時発車、ベーリング行。』一人の駅夫が高く叫びながら待合室に入って来ました。

すぐ改札のベルが鳴りみんなはわいわい切符を切って貰ってトランクや袋を車の中にかつぎ込みました。

間もなくパリパリ呼子が鳴り汽缶車は一つポーとほえて、汽車は一目散に飛び出しました。何せベーリング行の最大急行ですから実にはやいもんです。見る間にそのおしまいの二つの赤い火が灰いろの夜のふぶきの中に消えてしまいました。ここまではたしかに私も知っています。

＊

列車がイーハトヴの停車場をはなれて荷物が棚や腰掛の下に片附き、席がすっかりきまりますとみんなはまずつくづくと同じ車の人たちの顔つきを見まわしました。

一つの車には十五人ばかりの旅客が乗っていましたがそのまん中には顔の赤い肥《ふと》った紳士がどっしりと腰掛けていました。その人は毛皮を一杯に着込んで、二人前の席をとり、アラスカ金の大きな指環《ゆびわ》をはめ、十連発のぴかぴかする素敵な鉄砲を持っていかにも元気そう、声もきっとよほどがらがらしているにちがいないと思われたのです。

近くにはやっぱり似たようななりの紳士たちがめいめい眼鏡を外したり時計を見たりしていました。どの人も大へん立派でしたがまん中の人にくらべては少し瘦《やせ》ていました。向うの隅《すみ》には瘦た赤ひげの人が北極狐《ほっきょくぎつね》のようにきょとんとすまして腰を掛けこちらの斜《はす》かいの窓のそばにはかたい帆布《はんぷ》の上着を着て愉快そうに自分にだけ聞えるような微《かす》かな口笛を吹いている若い船乗りらしい男が乗っていました。そのほか瘦て眉《まゆ》も深く刻み陰気な顔を外套《がいとう》のえりに埋ている人さっぱり何でもないというようにもう睡《ねむ》りはじめた商人風の人など三四人居《お》りました。

*

汽車は時々素通りする停車場の踏切でがたっと横にゆれながら一生けん命ふぶきの中をかけました。しかしその吹雪もだんだんおさまったのかそれとも汽車が吹雪の地方を越したのか、まもなくみんなは外の方から空気に圧《お》しつけられるような気がし、もう外では雪が降っていないというように思いました。黄いろな帆布の青年は立って自分の窓のカーテンを上げました。そのカーテンのうしろには湯気の凍り付いたぎらぎらの窓ガラスでした。たしかにその窓ガラスは変に青く光っていたのです。船乗りの青年はポケットから小さなナイフを出してその窓の羊歯《しだ》の葉の形をした氷をガリガリ削り落しました。

削り取られた分の窓ガラスはつめたくて実によく透《すき》とおり向うでは山脈の雪が耿々《こうこう》とひかり、その上の鉄いろをしたつめたい空にはまるでたったいまみがきをかけたような青い月がすきっとかかっていました。

野原の雪は青じろく見え煙の影は夢のようにかけたのです。唐檜《とうひ》やとど松がまっ黒に立ってちらちら窓を過ぎて行きます。じっと外を見ている若者の唇《くちびる》は笑うように又泣くようにかすかにうごきました。それは何か月に話し掛けているかとも思われたのです。みんなもしんとして何か考え込んでいました。まん中の立派な紳士もまた鉄砲を手に持って何か考えています。けれども俄《にわか》に紳士は立ちあがりました。鉄砲を大切に棚に載《の》せました。それから大きな声で向うの役人らしい葉巻をくわえている紳士に話し掛けました。

『何せ向うは寒いだろうね。』

向うの紳士が答えました。

『いや、それはもう当然です。いくら寒いと云《い》ってもこっちのは相対的ですがなあ、あっちはもう絶対です。寒さがちがいます。』

『あなたは何べん行ったね。』

『私は今度二遍目ですが。』

『どうだろう、わしの防寒の設備は大丈夫だろうか。』

『どれ位ご支度なさいました。』

『さあ、まあイーハトヴの冬の着物の上に、ラッコ裏の内外套《うちがいとう》ね、海狸《びばあ》の中外套ね、黒狐《くろぎつね》表裏の外外套ね。』

『大丈夫でしょう、ずいぶんいいお支度です。』

『そうだろうか、それから北極兄弟商会パテントの緩慢《かんまん》燃焼外套ね……。』

『大丈夫です』

『それから氷河鼠《ひょうがねずみ》の頸《くび》のとこの毛皮だけでこさえた上着ね。』

『大丈夫です。しかし氷河鼠の頸のとこの毛皮はぜい沢《たく》ですな。』

『四百五十疋《ぴき》分だ。どうだろう。こんなことで大丈夫だろうか。』

『大丈夫です。』

『わしはね、主に黒狐をとって来るつもりなんだ。黒狐の毛皮九百枚持って来てみせるというかけをしたんだ。』

『そうですか。えらいですな。』

『どうだ。祝盃を一杯やろうか。』紳士はステームでだんだん暖まって来たらしく外套を脱ぎながらウヱスキーの瓶《びん》を出しました。

すじ向いではさっきの青年が額をつめたいガラスにあてるばかりにして月とオリオンとの空をじっとながめ、向うの隅ではあの痩《やせ》た赤髯《あかひげ》の男が眼をきょろきょろさせてみんなの話を聞きすまし、酒を呑《の》み出した紳士のまわりの人たちは少し羨《うらや》ましそうにこの豪勢な北極近くまで猟に出かける暢気《のんき》な大将を見ていました。

＊

毛皮外套をあんまり沢山《たくさん》もった紳士はもうひとりの外套を沢山もった紳士と喧嘩《けんか》をしましたがそのあとの方の人はとうとう負《まけ》て寝たふりをしてしまいました。

紳士はそこでつづけさまにウヰスキーの小さなコップを十二ばかりやりましたらすっかり酔いがまわってもう目を細くして唇をなめながらそこら中の人に見あたり次第

くだを巻きはじめました。

『ね、おい、氷河鼠の頸のところの毛皮だけだぜ。ええ、氷河鼠の上等さ。君、君、百十六疋の分なんだ。君、君斯《こ》う見渡すというと外套二枚ぐらいのお方もずいぶんあるようだが外套二枚じゃだめだねえ、君は三枚だからいいね、けれども、君、君、君のその外套は全体それは毛じゃないよ。君はさっきモロッコ狐だとか云ったねえ。どうしてどうしてちゃんとわかるよ。それはほんとの毛じゃないよ。ほんとの毛皮じゃないんだよ』

『失敬なことを云うな。失敬な』

『いいや、ほんとのことを云うがね、たしかにそれはにせものだ。絹糸で拵《こしら》えたんだ』

『失敬なやつだ。君はそれでも紳士かい』

『いいよ。僕は紳士でもせり売屋でも何でもいい。君のその毛皮はにせものだ』

『野蕃《やばん》なやつだ。実に野蕃だ』

『いいよ。おこるなよ向うへ行って寒かったら僕のとこへおいで』

『頼まない』

よその紳士はすっかりぶりぶりしてそれでもきまり悪そうにやはりうつうつ寝たふりをしました。

氷河鼠の上着を有《も》った大将は唇をなめながらまわりを見まわした。

『君、おい君、その窓のところのお若いの。失敬だが君は船乗りかね』

若者はやっぱり外を見ていました。月の下にはまっ白な蛋白石《たんぱくせき》のような雲の塊《かたまり》が走って来るのです。

『おい、君、何と云っても向うは寒い、その帆布一枚じゃとてもやり切れたもんじゃない。けれども君はなかなか豪儀《ごうぎ》なとこがある。よろしい貸《かし》てやろう。僕のを一枚貸てやろう。そうしよう』

けれども若者はそんな言《げん》が耳にも入らないというようでした。つめたく唇を結んでまるでオリオン座のとこの鋼いろの空の向うを見透かすような眼をして外を見ていました。

『ふん。バースレーかね。黒狐だよ。なかなか寒いからね、おい、君若いお方、失敬だが外套を一枚お貸申すとしようじゃないか。黄いろの帆布一枚じゃどうしてどうして零下の四十度を防ぐもなにもできやしない。黒狐だから。おい若いお方。君、君、おいなぜ返事せんか。無礼なやつだ君は我輩を知らんか。わしはねイーハトヴのタイチだよ。イーハトヴのタイチを知らんか。こんな汽車へ乗るんじゃなかったな。わしの持船で出かけたらだまって殿さままで通るんだ。ひとりで出掛けて黒狐を九百疋とって見せるなんて下らないかけをしたもんさ』

こんな馬鹿げた大きな子供の酔どれをもう誰《たれ》も相手にしませんでした。みんな眠るか睡《ねむ》る支度でした。きちんと起きているのはさっきの窓のそばの一人の青年と客車の隅でしきりに鉛筆をなめながらきょときょと聴き耳をたてて何か書きつけているあの瘦た赤髯の男だけでした。

『紅茶はいかがですか。紅茶はいかがですか』

白服のボーイが大きな銀の盆に紅茶のコップを十ばかり載《の》せてしずかに大股にやって来ました。

『おい、紅茶をおくれ』イーハトヴのタイチが手をのばしました。ボーイはからだをかがめてすばやく一つを渡し銀貨を一枚受け取りました。

そのとき電灯がすうっと赤く暗くなりました。

窓は月のあかりでまるで螺鈿《らでん》のように青びかりみんなの顔も俄に淋《さび》しく見えました。

『まっくらでござんすなおばけが出そう』ボーイは少し屈《かが》んであの若い船乗りののぞいている窓からちょっと外を見ながら云いました。

『おや、変な火が見えるぞ。誰《たれ》かかがりを焚《た》いてるな。おかしい』

この時電灯がまたすっとつきボーイは又

『紅茶はいかがですか』と云いながら大股にそして恭《うやうや》しく向うへ行きました。

これが多分風の飛ばしてよこした切れ切れの報告の第五番目にあたるのだろうと思

います。

＊

夜がすっかり明けて東側の窓がまばゆくまっ白に光り西側の窓が鈍《にぶ》い鉛色になったとき汽車が俄にとまりました。みんな顔を見合せました。

『どうしたんだろう。まだベーリングに着く筈《はず》がないし故障ができたんだろうか。』

そのとき俄に外ががやがやしてそれからいきなり扉《とびら》ががたっと開き朝日はビールのようにながれ込みました。赤ひげがまるで違った物凄《ものすご》い顔をしてピカピカするピストルをつきつけてはいって来ました。

そのあとから二十人ばかりのすさまじい顔つきをした人がどうもそれは人というよりは白熊といった方がいいような、いや、白熊というよりは雪狐と云った方がいいようなすてきにもくもくした毛皮を着た、いや、着たというよりは毛皮で皮ができてるという方がいいような、ものが変な仮面をかぶったえり巻を眼まで上げたりしてまっ白ないきをふうふう吐きながら大きなピストルをみんな握って車室の中にはいって来ました。

先登《せんとう》の赤ひげは腰かけにうつむいてまだ睡っていたゆうべの偉《え》らい紳士を指さして

云いました。

『こいつがイーハトヴのタイチだ。ふらちなやつだ。イーハトヴの冬の着物の上にねラッコ裏の内外套と海狸《びばあ》の中外套と黒狐裏表の外外套を着ようというんだ。おまけにパテント外套と氷河鼠の頸のとこの毛皮だけでこさえた上着も着ようというやつだ。これから黒狐の毛皮九百枚とるとぬかすんだ、叩き起せ。』

二番目の黒と白の斑《ぶち》の仮面をかぶった男がタイチの首すじをつかんで引きずり起しました。残りのものは油断なく車室中にピストルを向けてにらみつけていました。

三番目のが云いました。

『おい、立て、きさまこいつだなあの電気網をテルマの岸に張らせやがったやつは。連れてこう』

『うん、立て。さあ立ていやなつらをしてるなあさあ立て』

紳士は引ったてられて泣きました。ドアがあけてあるので室《へや》の中は俄に寒くあっちでもこっちでもクシャンクシャンとまじめ腐ったくしゃみの声がしました。

二番目がしっかりタイチをつかまえて引っぱって行こうとしますと三番目のはまだ立ったままきょろきょろ車中を見まわしました。

『外《ほか》にはないか。そこのとこに居るやつも毛皮の外套を三枚持ってるぞ』

『ちがうちがう』赤ひげはせわしく手を振って云いました。『ちがうよ。あれはほんとの毛皮じゃない絹糸でこさえたんだ』

『そうか』

ゆうべのその外套をほんとのモロッコ狐だと云った人は変な顔をしてしゃちほこばっていました。

『よし、さあでは引きあげ、おい誰《たれ》でもおれたちがこの車を出ないうちに一寸《ちょっと》でも動いたやつは胸にスポンと穴をあけるから、そう思え』

その連中はじりじりとあと退《ずさ》りして出て行きました。

そして一人ずつだんだん出て行っておしまい赤ひげがこっちへピストルを向けながらせなかでタイチを押すようにして出て行こうとしました。タイチは髪をばちゃばちゃにして口をびくびくまげながら前からはひっぱられうしろからは押されてもう扉の外へ出そうになりました。

俄に窓のとこに居た帆布の上着の青年がまるで天井にぶっつかる位のろしのように飛びあがりました。

ズドン。ピストルが鳴りました。落ちたのはただの黄いろの上着だけでした。と思ったらあの赤ひげがもう足をすくって倒され青年は肥った紳士を又車室の中に引っぱり込んで右手には赤ひげのピストルを握って凄《すご》い顔をして立っていました。

赤ひげがやっと立ちあがりましたら青年はしっかりそのえり首をつかみピストルを

胸につきつけながら外の方へ向いて高く叫びました。

『おい、熊ども。きさまらのしたことは尤《もっと》もだ。けれどもなおれたちだって仕方ない。生きているにはきものも着なけぁいけないんだ。おまえたちが魚をとるようなもんだぜ。けれどもあんまり無法なことはこれから気を付けるように云うから今度はゆるして呉《く》れ。ちょっと汽車が動いたらおれの捕虜にしたこの男は返すから』

『わかったよ。すぐ動かすよ』外で熊どもが叫びました。

『レールを横の方へ敷いたんだな』誰《たれ》かが云いました。

氷ががりがり鳴ったりばたばたかけまわる音がしたりして汽車は動き出しました。

『さあけがをしないように降りるんだ』船乗りが云いました。赤ひげは笑ってちょっと船乗りの手を握って飛び降りました。

『そら、ピストル』船乗りはピストルを窓の外へほうり出しました。

『あの赤ひげは熊の方の間諜《かんちょう》だったね』誰かが云いました。わかものは又窓の氷を削りました。

氷山の稜《かど》が桃色や青やぎらぎら光って窓の外にぞろっとならんでいたのです。これが風のとばしてよこしたお話のおしまいの一切れです。

土神ときつね

つちがみときつね

（一）

一本木の野原の、北のはずれに、少し小高く盛りあがった所がありました。いのころぐさがいっぱいに生え、そのまん中には一本の奇麗《きれい》な女の樺《かば》の木がありました。

それはそんなに大きくはありませんでしたが幹はてかてか黒く光り、枝は美しく伸びて、五月には白い花を雲のようにつけ、秋は黄金《きん》や紅やいろいろの葉を降らせました。

ですから渡り鳥のかっこうや百舌《もず》も、又小さなみそさざいや目白もみんなこの木に停まりました。ただもしも若い鷹《たか》などが来ているときは小さな鳥は遠くからそれを見付けて決して近くへ寄りませんでした。

この木に二人の友達がありました。一人は丁度《ちょうど》、五百歩ばかり離れたぐちゃぐちゃの谷地《やち》の中に住んでいる土神で一人はいつも野原の南の方からやって来る茶いろの狐《きつね》だったのです。

樺の木はどちらかと云《い》えば狐の方がすきでした。なぜなら土神の方は神という名こそついてはいましたがごく乱暴で髪もぼろぼろの木綿糸の束のよう眼も赤くきものだってまるでわかめに似、いつもはだしで爪《つめ》も黒く長いのでした。ところが狐の方は大へんに上品な風で滅多に人を怒らせたり気にさわるようなことをしなかったのです。

ただもしよくよくこの二人をくらべて見たら土神の方は正直で狐は少し不正直だったかも知れません。

（二）

夏のはじめのある晩でした。樺には新らしい柔らかな葉がいっぱいについていいかおりがそこら中いっぱい、空にはもう天の川がしらしらと渡り星はいちめんふるえたりゆれたり灯《とも》ったり消えたりしていました。

その下を狐が詩集をもって遊びに行ったのでした。仕立おろしの紺の背広を着、赤革の靴もキッキッと鳴ったのです。

「実にしずかな晩ですねえ。」

「ええ。」樺の木はそっと返事をしました。

「蝎《さそり》ぼしが向うを這《は》っていますね。あの赤い大きなやつを昔は支那では火《か》と云ったんですよ。」

「火星とはちがうんでしょうか。」

「火星とはちがいますよ。火星は惑星ですね、ところがあいつは立派な恒星なんです。」

「惑星、恒星ってどういうんですの。」

「惑星というのはですね、自分で光らないやつです。つまりほかから光を受けてやっと光るように見えるんです。恒星の方は自分で光るやつなんです。お日さまなんかは勿論《もちろん》恒星ですね。あんなに大きくてまぶしいんですがもし途方もない遠くから見たらやっぱり小さな星に見えるんでしょうね。」

「まあ、お日さまも星のうちだったんですわね。そうして見ると空にはずいぶん沢山のお日さまが、あら、お星さまが、あらやっぱり変だわ、お日さまがあるんですね。」

狐は鷹揚《おうよう》に笑いました。

「まあそうです。」

「お星さまにはどうしてああ赤いのや黄のや緑のやあるんでしょうね。」

狐は又鷹揚に笑って腕を高く組みました。詩集はぷらぷらしましたがなかなかそれで落ちませんでした。

「星に橙《だいだい》や青やいろいろある訳《わけ》ですか。それは斯《こ》うです。全体星というものははじめはぼんやりした雲のようなもんだったんです。いまの空にも沢山あります。たとえばアンドロメダにもオリオンにも猟犬座にもみんなあります。猟犬座のは渦巻きです。

それから環状星雲《リングネビュラ》というのもあります。魚の口の形ですから魚口星雲《フィッシュマウスネビュラ》とも云いますね。そんなのが今の空にも沢山あるんです。」

「まあ、あたしいつか見たいわ。魚の口の形の星だなんてまあどんなに立派でしょう。」

「それは立派ですよ。僕水沢の天文台で見ましたがね。」

「まあ、あたしも見たいわ。」

「見せてあげましょう。僕実は望遠鏡を独乙《ドイツ》のツァイスに注文してあるんです。来年の春までには来ますから来たらすぐ見せてあげましょう。」狐は思わず斯う云ってしまいました。そしてすぐ考えたのです。ああ僕はたった一人のお友達にまたつい偽《うそ》を云ってしまった。ああ僕はほんとうにだめなやつだ。けれども決して悪い気で云ったんじゃない。よろこばせようと思って云ったんだ。あとですっかり本当のことを云ってしまおう、狐はしばらくしんとしながら斯《こ》う考えていたのでした。樺の木はそんなことも知らないでよろこんで言いました。

「まあうれしい。あなた本当にいつでも親切だわ。」

狐は少し悄気《しょげ》ながら答えました。

「ええ、そして僕はあなたの為ならばほかのどんなことでもやりますよ。この詩集、ごらんなさいませんか。ハイネという人のですよ。翻訳ですけれども仲々よくできてるんです。」

「まあ、お借りしていいんでしょうかしら。」

「構いませんとも。どうかゆっくりごらんなすって。じゃ僕もう失礼します。はてな、何か云い残したことがあるようだ。」

「お星さまのいろのことですわ。」

「ああそうそう、だけどそれは今度にしましょう。僕あんまり永くお邪魔しちゃいけないから。」

「あら、いいんですよ。」

「僕又来ますから、じゃさよなら。本はあげてきます。じゃ、さよなら。」狐はいそがしく帰って行きました。そして樺の木はその時吹いて来た南風にざわざわ葉を鳴らしながら狐の置いて行った詩集をとりあげて天の川やそらいちめんの星から来る微《かす》かなあかりにすかして頁《ページ》を繰りました。そのハイネの詩集にはロウレライやさまざま美しい歌がいっぱいにあったのです。そして樺の木は一晩中よみ続けました。ただその野原の三時すぎ東から金牛宮《きんぎゅうきゅう》ののぼるころ少しとろとろしただけでした。

夜があけました。太陽がのぼりました。

草には露がきらめき花はみな力いっぱい咲きました。

その東北の方から熔《と》けた銅の汁をからだ中に被《かぶ》ったように朝日をいっぱいに浴びて

土神がゆっくりゆっくりやって来ました。いかにも分別くさそうに腕を拱《こまね》きながらゆっくりゆっくりやって来たのでした。

樺の木は何だか少し困ったように思いながらそれでも青い葉をきらきらと動かして土神の来る方を向きました。その影は草に落ちてちらちらちらちらゆれました。土神はしずかにやって来て樺の木の前に立ちました。

「樺の木さん。お早う。」

「お早うございます。」

「わしはね、どうも考えて見るとわからんことが沢山《たくさん》ある、なかなかわからんことが多いもんだね。」

「まあ、どんなことでございますの。」

「たとえばだね、草というものは黒い土から出るのだがなぜこう青いもんだろう。黄や白の花さえ咲くんだ。どうもわからんねえ。」

「それは草の種子が青や白をもっているためではないでございましょうか。」

「そうだ。まあそう云えばそうだがそれでもやっぱりわからんな。たとえば秋のきのこのようなものは種子もなし全く土の中からばかり出て行くもんだ。それにもやっぱり赤や黄いろやいろいろある、わからんねえ。」

「狐さんにでも聞いて見ましたらいかがでございましょう。」

樺の木はうっとり昨夜《ゆうべ》の星のはなしをおもっていましたのでつい斯う云ってしまいました。

この語《ことば》を聞いて土神は俄《にわ》かに顔いろを変えました。そしてこぶしを握りました。

「何だ。狐？　狐が何を云い居《お》った。」

樺の木はおろおろ声になりました。

「何も仰《お》っしゃったんではございませんがちょっとしたらご存知かと思いましたので。」

「狐なんぞに神が物を教わるとは一体何たることだ。えい。」

樺の木はもうすっかり恐くなってぷりぷりぷりぷりゆれました。土神は歯をきしきし噛《か》みながら高く腕を組んでそこらをあるきまわりました。その影はまっ黒に草に落ち草も恐れて顫《ふる》えたのです。

「狐の如《ごと》きは実に世の害悪だ。ただ一言もまことはなく卑怯《ひきょう》で臆病《おくびょう》でそれに非常に妬《ねた》み深いのだ。うぬ、畜生の分際として。」

樺の木はやっと気をとり直して云いました。

「もうあなたの方のお祭も近づきましたね。」

土神は少し顔色を和げました。

「そうじゃ。今日は五月三日、あと六日だ」

土神はしばらく考えていましたが俄かに又声を暴《あら》げました。

「しかしながら人間どもは不届《ふとどき》だ。近頃はわしの祭にも供物一つ持って来ん、おのれ、今度わしの領分に最初に足を入れたものはきっと泥の底に引き擦《ず》り込んでやろう。」土神はまたきりきり歯嚙みしました。

樺の木は折角《せっかく》なだめようと思って云ったことが又もや却《かえ》ってこんなことになったのでもうどうしたらいいかわからなくなりただちらちらとその葉を風にゆすっていました。土神は日光を受けてまるで燃えるようになりながら高く腕を組みキリキリ歯嚙みをしてその辺をうろうろしていましたが考えれば考えるほど何もかもしゃくにさわって来るらしいのでした。そしてとうとうこらえ切れなくなって、吠《ほ》えるようにうなって荒々しく自分の谷地に帰って行ったのでした。

（三）

土神の棲《す》んでいる所は小さな競馬場ぐらいある、冷たい湿地で苔《こけ》やからくさやみじかい蘆《あし》などが生えていましたが又所々にはあざみやせいの低いひどくねじれた楊《やなぎ》などもありました。

水がじめじめしてその表面にはあちこち赤い鉄の渋が湧きあがり見るからどろどろ

で気味も悪いのでした。

そのまん中の小さな島のようになった所に丸太で拵《こしら》えた高さ一間ばかりの土神の祠《ほこら》があったのです。

土神はその島に帰って来て祠の横に長々と寝そべりました。そして黒い瘠《や》せた脚をがりがり掻《か》きました。土神は一羽の鳥が自分の頭の上をまっすぐに翔《か》けて行くのを見ました。すぐ土神は起き直って「しっ」と叫びました。鳥はびっくりしてよろよろっと落ちそうになりそれからまるではねも何もしびれたようにだんだん低く落ちながら向うへ遁《に》げて行きました。

土神は少し笑って起きあがりました。けれども又すぐ向うの樺の木の立っている高みの方を見るとはっと顔色を変えて棒立ちになりました。それからいかにもむしゃくしゃするという風にそのぼろぼろの髪毛を両手で掻きむしっていました。

その時谷地《やち》の南の方から一人の木樵《きこり》がやって来ました。三つ森山の方へ稼《かせ》ぎに出るらしく谷地のふちに沿った細い路《みち》を大股《おおまた》に行くのでしたがやっぱり土神のことは知っていたと見えて時々気づかわしそうに土神の祠の方を見ていました。けれども木樵には土神の形は見えなかったのです。

土神はそれを見るとよろこんでぱっと顔を熱《ほて》らせました。それから右手をそっちへ突き出して左手でその右手の手首をつかみこっちへ引き寄せるようにしました。すると奇体《きたい》なことは木樵はみちを歩いていると思いながらだんだん谷地の中に踏み込んで来るようでした。それからびっくりしたように足が早くなり顔も青ざめて口をあいて息をしました。土神は右手のこぶしをゆっくりぐるっとまわしました。すると木樵はだんだんぐるっと円《まる》くまわって歩いていましたがいよいよひどく周章《あわ》てだしてまるではあはあはあはあしながら何べんも同じ所をまわり出しました。何でも早く谷地から遁げて出ようとするらしいのでしたがあせってもあせっても同じ処《ところ》を廻っているばかりなのです。とうとう木樵はおろおろ泣き出しました。そして両手をあげて走り出したのです。土神はいかにも嬉しそうににやにやにやにや笑って寝そべったままそれを見ていましたが間もなく木樵がすっかり逆上《のぼ》せて疲れてばたっと水の中に倒れてしまいますと、ゆっくりと立ちあがりました。そしてぐちゃぐちゃ大股にそっちへ歩いて行って倒れている木樵のからだを向うの草はらの方へぽんと投げ出しました。木樵は草の中にどしりと落ちてううんと云いながら少し動いたようでしたがまだ気がつきませんでした。

土神は大声に笑いました。その声はあやしい波になって空の方へ行きました。

空へ行った声はまもなくそっちからはねかえってガサリと樺の木の処にも落ちて行きました。樺の木ははっと顔いろを変えて日光に青くすきとおりせわしくせわしくふるえました。

土神はたまらなそうに両手で髪を掻きむしりながらひとりで考えました。おれのこんなに面白くないというのは第一は狐のためだ。狐のためよりは樺の木のためだ。狐と樺の木とのためだ。けれども樺の木の方はおれは怒ってはいないのだ。樺の木を怒らないためにおれはこんなにつらいのだ。樺の木さえどうでもよければ狐などはなおさらどうでもいいのだ。おれはいやしいけれどもとにかく神の分際だ。それに狐のことなどを気にかけなければならないというのは情ない。それでも気にかかるから仕方ない。樺の木のことなどは忘れてしまえ。ところがどうしても忘れられない。今朝は青ざめて顫えたぞ。あの立派だったこと、どうしても忘られない。おれはむしゃくしゃまぎれにあんなあわれな人間などをいじめたのだ。けれども仕方ない。誰《たれ》だってむしゃくしゃしたときは何をするかわからないのだ。

土神はひとりで切ながってばたばたしました。空を又一疋《ぴき》の鷹が翔《か》けて行きましたが土神はこんどは何とも云わずだまってそれを見ました。

ずうっとずうっと遠くで騎兵の演習らしいパチパチパチパチ塩のはぜるような鉄砲の音が聞えました。そらから青びかりがどくどくと野原に流れて来ました。それを呑《の》んだためかさっきの草の中に投げ出された木樵はやっと気がついておずおずと起きあがりしきりにあたりを見廻しました。

それから俄《にわ》かに立って一目散に遁《に》げ出しました。三つ森山の方へまるで一目散に遁げました。

　土神はそれを見て又大きな声で笑いました。その声は又青ぞらの方まで行き途中から、バサリと樺の木の方へ落ちました。

　樺の木は又はっと葉の色をかえ見えない位こまかくふるいました。

　土神は自分のほこらのまわりをうろうろうろうろ何べんも歩きまわってからやっと気がしずまったと見えてすっと形を消し融《と》けるようにほこらの中へ入って行きました。

(四)

　八月のある霧のふかい晩でした。土神は何とも云えずさびしくてそれにむしゃくしゃして仕方ないのでふらっと自分の祠を出ました。足はいつの間にかあの樺の木の方へ向っていたのです。本当に土神は樺の木のことを考えるとなぜか胸がどきっとするのでした。そして大へんに切なかったのです。このごろは大へんに心持が変ってよくなっていたのです。ですからなるべく狐のことなど樺の木のことなど考えたくないと思ったのでしたがどうしてもそれがおもえて仕方ありませんでした。おれはいやしくも神じゃないか、一本の樺の木がおれに何のあたいがあると毎日毎日土神は繰り返して自分で自分に教えました。それでもどうしてもかなしくて仕方なかったのです。殊《こと》にちょっとでもあの狐のことを思い出したらまるでからだが灼《や》けるくらい辛《つら》かったのです。

土神はいろいろ深く考え込みながらだんだん樺の木の近くに参りました。そのうちとうとうはっきり自分が樺の木のとこへ行こうとしているのだということに気が付きました。すると俄かに心持がおどるようになりました。ずいぶんしばらく行かなかったのだからことによったら樺の木は自分を待っているのかも知れない、どうもそうらしい、そうだとすれば大へんに気の毒だというような考《かんがえ》が強く土神に起って来ました。土神は草をどしどし踏み胸を踊らせながら大股にあるいて行きました。ところがその強い足なみもいつかよろよろしてしまい土神はまるで頭から青い色のかなしみを浴びてつっ立たなければなりませんでした。それは狐が来ていたのです。もうすっかり夜でしたが、ぼんやり月のあかりに澱《よど》んだ霧の向うから狐の声が聞えて来るのでした。

「ええ、もちろんそうなんです。器械的に対称《シンメトリー》の法則にばかり叶《かな》っているからってそれで美しいというわけにはいかないんです。それは死んだ美です。」

「全くそうですわ。」しずかな樺の木の声がしました。

「ほんとうの美はそんな固定した化石した模型のようなもんじゃないんです。対称の法則に叶うって云ったって実は対称の精神を有《も》っているというぐらいのことが望ましいのです。」

「ほんとうにそうだと思いますわ。」樺の木のやさしい声が又しました。土神は今度はまるでべらべらした桃いろの火でからだ中燃されているようにおもいました。息がせかせかしてほんとうにたまらなくなりました。なにがそんなにおまえを切なくするのか、高《たか》が樺の木と狐との野原の中でのみじかい会話ではないか、そんなものに心を乱されてそれでもお前は神と云えるか、土神は自分で自分を責めました。狐が又云いました。

「ですから、どの美学の本にもこれくらいのことは論じてあるんです。」

「美学の方の本沢山《たくさん》おもちですの。」樺の木はたずねました。

「ええ、よけいもありませんがまあ日本語と英語と独乙《ドイツ》語のなら大抵ありますね。伊太利《イタリー》のは新らしいんですがまだ来ないんです。」

「あなたのお書斎、まあどんなに立派でしょうね。」

「いいえ、まるでちらばってますよ、それに研究室兼用ですからね、あっちの隅には顕微鏡こっちにはロンドンタイムス、大理石のシィザアがころがったりまるっきりごったごたです。」

「まあ、立派だわねえ、ほんとうに立派だわ。」

ふんと狐の謙遜《けんそん》のような自慢のような息の音がしてしばらくしいんとなりました。

土神はもう居ても立っても居られませんでした。狐の言っているのを聞くと全く狐の方が自分よりはえらいのでした。いやしくも神ではないかと今まで自分で自分に教えていたのが今度はできなくなったのです。ああつらいつらい、もう飛び出して行って狐を一裂《さ》きに裂いてやろうか、けれどもそんなことは夢にもおれの考えるべきことじゃない、けれどもそのおれというものは何だ結局狐にも劣ったもんじゃないか、一体おれはどうすればいいのだ、土神は胸をかきむしるようにしてもだえました。

「いつかの望遠鏡まだ来ないんですの。」樺の木がまた言いました。

「ええ、いつかの望遠鏡ですか。まだ来ないんです。なかなか来ないです。欧州航路は大分混乱してますからね。来たらすぐ持って来てお目にかけますよ。土星の環《わ》なんかそれぁ美しいんですからね。」

土神は俄に両手で耳を押えて一目散に北の方へ走りました。だまっていたら自分が何をするかわからないのが恐ろしくなったのです。

まるで一目散に走って行きました。息がつづかなくなってばったり倒れたところは三つ森山の麓《ふもと》でした。

土神は頭の毛をかきむしりながら草をころげまわりました。それから大声で泣きました。その声は時でもない雷のように空へ行って野原中へ聞えたのです。土神は泣いて泣いて疲れてあけ方ぼんやり自分の祠《ほこら》に戻りました。

（五）

そのうちとうとう秋になりました。樺の木はまだまっ青でしたがその辺のいのころぐさはもうすっかり黄金《きん》いろの穂を出して風に光りところどころすずらんの実も赤く熟しました。

あるすきとおるように黄金《きん》いろの秋の日土神は大へん上機嫌でした。今年の夏からのいろいろなつらい思いが何だかぼうっとみんな立派なもやのようなものに変って頭の上に環《わ》になってかかったように思いました。そしてもうあの不思議に意地の悪い性質もどこかへ行ってしまって樺の木なども狐と話したいなら話すがいい、両方ともうれしくてはなすのならほんとうにいいことなんだ、今日はそのことを樺の木に云ってやろうと思いながら土神は心も軽く樺の木の方へ歩いて行きました。

樺の木は遠くからそれを見ていました。

そしてやっぱり心配そうにぶるぶるふるえて待ちました。

土神は進んで行って気軽に挨拶しました。

「樺の木さん。お早う。実にいい天気だな。」

「お早うございます。いいお天気でございます。」

「天道《てんとう》というものはありがたいもんだ。春は赤く夏は白く秋は黄いろく、秋が黄いろになると葡萄《ぶどう》は紫になる。実にありがたいもんだ。」

「全くでございます。」

「わしはな、今日は大へんに気ぶんがいいんだ。今年の夏から実にいろいろつらい目にあったのだがやっと今朝からにわかに心持ちが軽くなった。」

樺の木は返事しようとしましたがなぜかそれが非常に重苦しいことのように思われて返事しかねました。

「わしはいまなら誰《たれ》のためにでも命をやる。みみずが死ななけぁならんならそれにもわしはかわってやっていいのだ。」土神は遠くの青いそらを見て云いました。その眼も黒く立派でした。

樺の木は又何とか返事しようとしましたがやっぱり何か大へん重苦しくてわずか吐息をつくばかりでした。

そのときです。狐がやって来たのです。

狐は土神の居るのを見るとはっと顔いろを変えました。けれども戻るわけにも行かず少しふるえながら樺の木の前に進んで来ました。

「樺の木さん、お早う、そちらに居られるのは土神ですね。」狐は赤革の靴をはき茶いろのレーンコートを着てまだ夏帽子をかぶりながら斯う云いました。

「わしは土神だ。いい天気だ。な。」土神はほんとうに明るい心持で斯う言いました。

狐は嫉《ねた》ましさに顔を青くしながら樺の木に言いました。

「お客さまのお出《い》での所にあがって失礼いたしました。これはこの間お約束した本です。それから望遠鏡はいつかはれた晩にお目にかけます。さよなら。」

「まあ、ありがとうございます。」と樺の木が言っているうちに狐はもう土神に挨拶もしないでさっさと戻りはじめました。樺の木はさっと青くなってまた小さくぷりぷり顫いました。

土神はしばらくの間ただぼんやりと狐を見送って立っていましたがふと狐の赤革の靴のキラッと草に光るのにびっくりして我に返ったと思いましたら俄かに頭がぐらっとしました。狐がいかにも意地をはったように肩をいからせてぐんぐん向うへ歩いているのです。土神はむらむらっと怒りました。顔も物凄《ものすご》くまっ黒に変ったのです。美学の本だの望遠鏡だのと、畜生、さあ、どうするか見ろ、といきなり狐のあとを追いかけました。樺の木はあわてて枝が一ぺんにがたがたふるえ、狐もそのけはいにどうかしたのかと思って何気なくうしろを見ましたら土神がまるで黒くなって嵐《あらし》のように追って来るのでした。さあ狐はさっと顔いろを変え口もまがり風のように走って遁げ出しました。

土神はまるでそこら中の草がまっ白な火になって燃えているように思いました。青く光っていたそらさえ俄かにガランとまっ暗な穴になってその底では赤い焔《ほのお》がどうどう音を立てて燃えると思ったのです。

二人はごうごう鳴って汽車のように走りました。

「もうおしまいだ、もうおしまいだ、望遠鏡、望遠鏡、望遠鏡」と狐は一心に頭の隅のとこで考えながら夢のように走っていました。

向うに小さな赤剝《あかは》げの丘がありました。狐はその下の円い穴にはいろうとしてくるっと一つまわりました。それから首を低くしていきなり中へ飛び込もうとして後あしをちらっとあげたときもう土神はうしろからぱっと飛びかかっていました。と思うと狐はもう土神にからだをねじられて口を尖《とが》らして少し笑ったようになったままぐんにゃりと土神の手の上に首を垂れていたのです。

土神はいきなり狐を地べたに投げつけてぐちゃぐちゃ四五へん踏みつけました。

それからいきなり狐の穴の中にとび込んで行きました。中はがらんとして暗くただ赤土が奇麗《きれい》に堅められているばかりでした。土神は大きく口をまげてあけながら少し変な気がして外へ出て来ました。

それからぐったり横になっている狐の屍骸《しがい》のレーンコートのかくしの中に手を入れて見ました。そのかくしの中には茶いろなかもがやの穂が二本はいって居ました。土神はさっきからあいていた口をそのままるで途方もない声で泣き出しました。

その泪《なみだ》は雨のように狐に降り狐はいよいよ首をぐんにゃりとしてうすら笑ったようになって死んで居たのです。

なめとこ山の熊

なめとこやまのくま

なめとこ山の熊のことならおもしろい。なめとこ山は大きな山だ。淵沢《ふちざわ》川はなめとこ山から出て来る。なめとこ山は一年のうち大ていの日はつめたい霧か雲かを吸ったり吐いたりしている。まわりもみんな青黒いなまこや海坊主のような山だ。山のなかごろに大きな洞穴《ほらあな》ががらんとあいている。そこから淵沢川がいきなり三百尺ぐらいの滝になってひのきやいたやのしげみの中をごうと落ちて来る。

中山街道はこのごろは誰《たれ》も歩かないから蕗《ふき》やいたどりがいっぱいに生えたり牛が遁《に》げて登らないように柵《さく》をみちにたてたりしているけれどもそこをがさがさ三里ばかり行くと向うの方で風が山の頂《いただき》を通っているような音がする。気をつけてそっちを見ると何だかわけのわからない白い細長いものが山をうごいて落ちてけむりを立てているのがわかる。それがなめとこ山の大空滝だ。そして昔はそのへんには熊がごちごちゃ居たそうだ。ほんとうはなめとこ山も熊の胆《い》も私は自分で見たのではない。人から聞いたり考えたりしたことばかりだ。間ちがっているかも知れないけれども私はそう思うのだ。とにかくなめとこ山の熊の胆は名高いものになっている。

腹の痛いのにも利《き》けば傷もなおる。鉛の湯の入口になめとこ山の熊の胆ありという昔からの看板もかかっている。だからもう熊はなめとこ山で赤い舌をべろべろ吐いて谷をわたったり熊の子供らがすもうをとっておしまいぽかぽか撲《なぐ》りあったりしていることはたしかだ。熊捕りの名人の淵沢小十郎がそれを片っぱしから捕ったのだ。

淵沢小十郎はすがめの赭黒《あかぐろ》いごりごりしたおやじで胴は小さな臼《うす》ぐらいはあったし掌《てのひら》は北島の毘沙門《びしゃもん》さんの病気をなおすための手形ぐらい大きく厚かった。小十郎は夏なら菩提樹《マダ》の皮でこさえたけらを着てはんばきをはき生蕃《せいばん》の使うような山刀とポルトガル伝来というような大きな重い鉄砲をもってたくましい黄いろな犬をつれてなめとこ山からしどけ沢から三つ又からサッカイの山からマミ穴森から白沢からまるで縦横にあるいた。木がいっぱい生えているから谷を溯《のぼ》っているとまるで青黒いトンネルの中を行くようで時にはぱっと緑と黄金《きん》いろに明るくなることもあればそこら中が花が咲いたように日光が落ちていることもある。そこを小十郎が、まるで自分の座敷の中を歩いているというふうでゆっくりのっしのっしとやって行く。犬はさきに立って崖《がけ》を横這《よこば》いに走ったりざぶんと水にかけ込んだり淵ののろのろした気味の悪いとこをもう一生けん命に泳いでやっと向うの岩にのぼるとからだをぶるぶるっとして毛をたてて水をふるい落しそれから鼻をしかめて主人の来るのを待っている。小十郎は膝から上にまるで屏風《びょうぶ》のような白い波をたてながらコンパスのように足を抜き差しして口を少し曲げながらやって来る。そこであんまり一ぺんに云《い》ってしまって悪いけれどもなめとこ山あたりの熊は小十郎をすきなのだ。その証拠には熊どもは小十郎がぼちゃぼちゃ谷をこいだり谷の岸の細い平らないっぱいにあざみなどの生えているとこを通るときはだまって高いとこから見送っているのだ。木の上から両手で枝にとりついたり崖の上で膝をかかえて座ったりしておもしろそうに小十郎を見送っているのだ。まったく熊どもは小十郎の犬さえすきなようだった。けれどもいくら熊どもだってすっかり小十郎とぶっつかって犬がまるで火のついたまりのようになって飛びつき小十郎が眼をまるで変に光らして鉄砲をこっちへ構えることはあんまりすきではなかった。そのときは大ていの熊は迷惑そうに手をふってそんなことをされるのを断わった。けれども熊もいろいろだから気の烈《はげ》しいやつならごうごう咆《ほ》えて立ちあがって、犬などはまるで踏みつぶしそうにしながら小十郎の方へ両手を出してかかって行く。小十郎はぴったり落ち着いて樹をたてにして立ちながら熊の月の輪をめがけてズドンとやるのだった。すると森までががあっと叫んで熊はどたっと倒れ赤黒い血をどくどく吐き鼻をくんくん鳴らして死んでしまうのだった。小十郎は鉄砲を木へたてかけて注意深くそばへ寄って来て斯《こ》う云うのだった。

「熊。おれはてまえを憎くて殺したのでねえんだぞ。おれも商売ならてめえも射たなけぁならねえ。ほかの罪のねえ仕事していんだが畑はなし木はお上のものにきまったし里へ出ても誰《たれ》も相手にしねえ。仕方なしに猟師なんぞしるんだ。てめえも熊に生れたが因果ならおれもこんな商売が因果だ。やい。この次には熊なんぞに生れなよ。」

そのときは犬もすっかりしょげかえって眼を細くして座っていた。

何せこの犬ばかりは小十郎が四十の夏うち中みんな赤痢にかかってとうとう小十郎の息子とその妻も死んだ中にぴんぴんして生きていたのだ。

それから小十郎はふところからとぎすまされた小刀を出して熊の顎《あご》のとこから胸から腹へかけて皮をすうっと裂いて行くのだった。それからあとの景色は僕は大きらいだ。けれどもとにかくおしまい小十郎がまっ赤な熊の胆《い》をせなかの木のひつに入れて血で毛がぼとぼと房になった毛皮を谷であらってくるくるまるめせなかにしょって自分もぐんなりした風で谷を下って行くことだけはたしかなのだ。

小十郎はもう熊のことばだってわかるような気がした。ある年の春はやく山の木がまだ一本も青くならないころ小十郎は犬を連れて白沢をずうっとのぼった。夕方になって小十郎はばっかぃ沢へこえる峯《みね》になった処へ去年の夏こさえた笹小屋へ泊ろうと思ってそこへのぼって行った。そしたらどう云う加減か小十郎の柄にもなく登り口をまちがってしまった。

なんべんも谷へ降りてまた登り直して犬もへとへとにつかれ小十郎も口を横にまげて息をしながら半分くずれかかった去年の小屋を見つけた。小十郎がすぐ下に湧水《わきみず》のあったのを思い出して少し山を降りかけたら愕《おどろ》いたことは母親とやっと一歳になるかならないような子熊と二疋《ひき》ちょうど人が額に手をあてて遠くを眺めるといった風に淡い六日の月光の中を向うの谷をしげしげ見つめているのにあった。小十郎はまるでその二疋の熊のからだから後光が射すように思えてまるで釘付けになったように立ちどまってそっちを見つめていた。すると小熊が甘えるように云ったのだ。

「どうしても雪だよ、おっかさん谷のこっち側だけ白くなっているんだもの。どうしても雪だよ。おっかさん。」

すると母親の熊はまだしげしげ見つめていたがやっと云った。

「雪でないよ、あすこへだけ降る筈《はず》がないんだもの。」

子熊はまた云った。

「だから溶けないで残ったのでしょう。」

「いいえ、おっかさんはあざみの芽を見に昨日あすこを通ったばかりです。」

小十郎もじっとそっちを見た。

月の光が青じろく山の斜面を滑っていた。そこが丁度銀の鎧《よろい》のように光っているのだった。しばらくたって子熊が云った。

「雪でなけぁ霜だねえ。きっとそうだ。」

ほんとうに今夜は霜が降るぞ、お月さまの近くで胃《コキエ》もあんなに青くふるえているし第一お月さまのいろだってまるで氷のようだ、小十郎がひとりで思った。

「おかあさまはわかったよ、あれねえ、ひきざくらの花。」

「なぁんだ、ひきざくらの花だい。僕知ってるよ。」

「いいえ、お前まだ見たことありません。」

「知ってるよ、僕この前とって来たもの。」

「いいえ、あれひきざくらでありません、お前とって来たのきささげの花でしょう。」

「そうだろうか。」子熊はとぼけたように答えました。小十郎はなぜかもう胸がいっぱいになってもう一ぺん向うの谷の白い雪のような花と余念なく月光をあびて立っている母子の熊をちらっと見てそれから音をたてないようにこっそりこっそり戻りはじめた。風があっちへ行くな行くなと思いながらそろそろと小十郎は後退《あとずさ》りした。くろもじの木の匂《におい》が月のあかりといっしょにすうっとさした。


ところがこの豪儀《ごうぎ》な小十郎がまちへ熊の皮と胆《きも》を売りに行くときのみじめさと云ったら全く気の毒だった。


町の中ほどに大きな荒物屋があって笊《ざる》だの砂糖だの砥石《といし》だの金天狗《きんてんぐ》やカメレオン印の煙草《たばこ》だのそれから硝子《ガラス》の蝿《はえ》とりまでならべていたのだ。小十郎が山のように毛皮をしょってそこのしきいを一足またぐと店では又来たかというようにうすわらっているのだった。店の次の間に大きな唐金《からかね》の火鉢《ひばち》を出して主人がどっかり座っていた。

「旦那さん、先《せん》ころはどうもありがとうごあんした。」

あの山では主のような小十郎は毛皮の荷物を横におろして叮《てい》ねいに敷板に手をついて云うのだった。

「はあ、どうも、今日は何のご用です。」

「熊の皮また少し持って来たます。」

「熊の皮か。この前のもまだあのまましまってあるし今日ぁまんついいます。」

「旦那さん、そう云わなぃでどうか買って呉《く》んなさぃ。安くてもいいます。」

「なんぼ安くても要らなぃます。」主人は落ち着きはらってきせるをたんたんとてのひらへたたくのだ、あの豪気な山の中の主の小十郎は斯《こ》う云われるたびにもうまるで心配そうに顔をしかめた。何せ小十郎のとこでは山には栗《くり》があったしうしろのまるで少しの畑からは稗《ひえ》がとれるのではあったが米などは少しもできず味噌もなかったから九十になるとしよりと子供ばかりの七人家内にもって行く米はごくわずかずつでも要ったのだ。

里の方のものなら麻もつくったけれども、小十郎のとこではわずか藤つるで編む入れ物の外に布にするようなものはなんにも出来なかったのだ。小十郎はしばらくたってからまるでしわがれたような声で云ったもんだ。

「旦那さん、お願だます。どうが何ぼでもいいはんて買って呉《く》なぃ。」小十郎はそう云いながら改めておじぎさえしたもんだ。

主人はだまってしばらくけむりを吐いてから顔の少しでにかにか笑うのをそっとかくして云ったもんだ。

「いいます。置いでお出れ。じゃ、平助、小十郎さんさ二円あげろじゃ。」

店の平助が大きな銀貨を四枚小十郎の前へ座って出した。小十郎はそれを押しいただくようにしてにかにかしながら受け取った。それから主人はこんどはだんだん機嫌がよくなる。

「じゃ、おきの、小十郎さんさ一杯あげろ。」

小十郎はこのころはもううれしくてわくわくしている。主人はゆっくりいろいろ談《はな》す。小十郎はかしこまって山のもようや何か申しあげている。間もなく台所の方からお膳《ぜん》できたと知らせる。小十郎は半分辞退するけれども結局台所のとこへ引っぱられてってまた叮寧な挨拶をしている。

間もなく塩引の鮭《さけ》の刺身やいかの切り込みなどと酒が一本黒い小さな膳にのって来る。

小十郎はちゃんとかしこまってそこへ腰掛けていかの切り込みを手の甲にのせてべろりとなめたりうやうやしく黄いろな酒を小さな猪口《ちょこ》についだりしている。いくら物価の安いときだって熊の毛皮二枚で二円はあんまり安いと誰《たれ》でも思う。実に安いしあんまり安いことは小十郎でも知っている。けれどもどうして小十郎はそんな町の荒物屋なんかへでなしにほかの人へどしどし売れないか。それはなぜか大ていの人にはわからない。けれども日本では狐《きつね》けんというものもあって狐は猟師に負け猟師は旦那に負けるときまっている。ここでは熊は小十郎にやられ小十郎が旦那にやられる。旦那は町のみんなの中にいるからなかなか熊に食われない。けれどもこんないやなずるいやつらは世界がだんだん進歩するとひとりで消えてなくなって行く。僕はしばらくの間でもあんな立派な小十郎が二度とつらも見たくないようないやなやつにうまくやられることを書いたのが実にしゃくにさわってたまらない。

こんな風だったから小十郎は熊どもは殺してはいても決してそれを憎んではいなかったのだ。ところがある年の夏こんなようなおかしなことが起ったのだ。

小十郎が谷をばちゃばちゃ渉《わた》って一つの岩にのぼったらいきなりすぐ前の木に大きな熊が猫のようにせなかを円《まる》くしてよじ登っているのを見た。小十郎はすぐ鉄砲をつきつけた。犬はもう大悦《おおよろこ》びで木の下に行って木のまわりを烈《はげ》しく馳《は》せめぐった。

すると樹の上の熊はしばらくの間おりて小十郎に飛びかかろうかそのまま射たれてやろうか思案しているらしかったがいきなり両手を樹からはなしてどたりと落ちて来たのだ。小十郎は油断なく銃を構えて打つばかりにして近寄って行ったら熊は両手をあげて叫んだ。

「おまえは何がほしくておれを殺すんだ。」

「ああ、おれはお前の毛皮と、胆《きも》のほかにはなんにもいらない。それも町へ持って行ってひどく高く売れるというのではないしほんとうに気の毒だけれどもやっぱり仕方ない。けれどもお前に今ごろそんなことを云われるともうおれなどは何か栗かしだのみでも食っていてそれで死ぬならおれも死んでもいいような気がするよ。」

「もう二年ばかり待ってくれ、おれも死ぬのはもうかまわないようなもんだけれども少し残した仕事もあるしただ二年だけ待ってくれ。二年目にはおれもおまえの家の前でちゃんと死んでいてやるから。毛皮も胃袋もやってしまうから。」

小十郎は変な気がしてじっと考えて立ってしまいました。熊はそのひまに足うらを全体地面につけてごくゆっくりと歩き出した。小十郎はやっぱりぼんやり立っていた。熊はもう小十郎がいきなりうしろから鉄砲を射ったり決してしないことがよくわかってるという風でうしろも見ないでゆっくりゆっくり歩いて行った。そしてその広い赤黒いせなかが木の枝の間から落ちた日光にちらっと光ったとき小十郎は、う、うとせつなそうにうなって谷をわたって帰りはじめた。それから丁度《ちょうど》二年目だったがある朝小十郎があんまり風が烈しくて木もかきねも倒れたろうと思って外へ出たらひのきのかきねはいつものようにかわりなくその下のところに始終見たことのある赤黒いものが横になっているのでした。丁度二年目だしあの熊がやって来るかと少し心配するようにしていたときでしたから小十郎はどきっとしてしまいました。そばに寄って見ましたらちゃんとあのこの前の熊が口からいっぱいに血を吐いて倒れていた。小十郎は思わず拝むようにした。

一月のある日のことだった。小十郎は朝うちを出るときいままで云ったことのないことを云った。

「婆《ば》さま、おれも年老《と》ったでばな、今朝まず生れで始めで水へ入るの嫌《や》んたよな気するじゃ。」

すると縁側の日なたで糸を紡いでいた九十になる小十郎の母はその見えないような眼をあげてちょっと小十郎を見て何か笑うか泣くかするような顔つきをした。小十郎はわらじを結えてうんとこさと立ちあがって出かけた。子供らはかわるがわる厩《うまや》の前から顔を出して「爺《じ》さん、早ぐお出《で》や。」と云って笑った。小十郎はまっ青なつるつるした空を見あげてそれから孫たちの方を向いて「行って来るじゃぃ。」と云った。

小十郎はまっ白な堅雪の上を白沢の方へのぼって行った。

犬はもう息をはあはあし赤い舌を出しながら走ってはとまり走ってはとまりして行った。間もなく小十郎の影は丘の向うへ沈んで見えなくなってしまい子供らは稗の藁《わら》でふじつきをして遊んだ。

小十郎は白沢の岸を溯《のぼ》って行った。水はまっ青に淵《ふち》になったり硝子《ガラス》板をしいたように凍ったりつららが何本も何本もじゅずのようになってかかったりそして両岸からは赤と黄いろのまゆみの実が花が咲いたようにのぞいたりした。小十郎は自分と犬との影法師がちらちら光り樺《かば》の幹の影といっしょに雪にかっきり藍《あい》いろの影になってうごくのを見ながら溯って行った。

白沢から峯を一つ越えたところに一疋の大きなやつが棲《す》んでいたのを夏のうちにたずねて置いたのだ。

小十郎は谷に入って来る小さな支流を五つ越えて何べんも何べんも右から左左から右へ水をわたって溯って行った。そこに小さな滝があった。小十郎はその滝のすぐ下から長根の方へかけてのぼりはじめた。雪はあんまりまばゆくて燃えているくらい小十郎は眼がすっかり紫の眼鏡《めがね》をかけたような気がして登って行った。犬はやっぱりそんな崖《がけ》でも負けないという様にたびたび滑りそうになりながら雪にかじりついて登ったのだ。やっと崖を登りきったらそこはまばらに栗の木の生えたごくゆるい斜面の平らで雪はまるで寒水石という風にギラギラ光っていたしまわりをずうっと高い雪のみねがにょきにょきつったっていた。小十郎がその頂上でやすんでいたときだ。いきなり犬が火のついたように咆《ほ》え出した。小十郎がびっくりしてうしろを見たらあの夏に眼をつけて置いた大きな熊が両足で立ってこっちへかかって来たのだ。

小十郎は落ちついて足をふんばって鉄砲を構えた。熊は棒のような両手をびっこにあげてまっすぐに走って来た。さすがの小十郎もちょっと顔いろを変えた。

ぴしゃというように鉄砲の音が小十郎に聞えた。ところが熊は少しも倒れないで嵐のように黒くゆらいでやって来たようだった。犬がその足もとに噛み付いた。と思うと小十郎はがあんと頭が鳴ってまわりがいちめんまっ青になった。それから遠くで斯う云うことばを聞いた。

「おお小十郎おまえを殺すつもりはなかった。」

もうおれは死んだと小十郎は思った。そしてちらちらちらちら青い星のような光がそこらいちめんに見えた。

「これが死んだしるしだ。死ぬとき見る火だ。熊ども、ゆるせよ。」と小十郎は思った。それからあとの小十郎の心持はもう私にはわからない。

とにかくそれから三日目の晩だった。まるで氷の玉のような月がそらにかかっていた。雪は青白く明るく水は燐光《りんこう》をあげた。すばるや参《しん》の星が緑や橙《だいだい》にちらちらして呼吸をするように見えた。

その栗の木と白い雪の峯々にかこまれた山の上の平らに黒い大きなものがたくさん環《わ》になって集って各々黒い影を置き回々《フイフイ》教徒の祈るときのようにじっと雪にひれふしたままいつまでもいつまでも動かなかった。そしてその雪と月のあかりで見るといちばん高いとこに小十郎の死骸《しがい》が半分座ったようになって置かれていた。

思いなしかその死んで凍えてしまった小十郎の顔はまるで生きてるときのように冴え冴えして何か笑っているようにさえ見えたのだ。ほんとうにそれらの大きな黒いものは参の星が天のまん中に来てももっと西へ傾いてもじっと化石したようにうごかなかった。

紫紺染について

しこんぞめについて

盛岡の産物のなかに、紫紺染《しこんぞめ》というものがあります。

これは、紫紺という桔梗《ききょう》によく似た草の根を、灰で煮出して染めるのです。

南部の紫紺染は、昔は大へん名高いものだったそうですが、明治になってからは、西洋からやすいアニリン色素がどんどんはいって来ましたので、一向はやらなくなってしまいました。それが、ごくちかごろ、またさわぎ出されました。けれどもなにぶん、しばらくすたれていたものですから、製法も染方《そめかた》も一向わかりませんでした。そこで県工業会の役員たちや、工芸学校の先生は、それについていろいろしらべました。そしてとうとう、すっかり昔のようないいものが出来るようになって、東京大博覧会へも出ましたし、二等賞も取りました。ここまでは、大てい誰《たれ》でも知っています。新聞にも毎日出ていました。

ところが仲々、お役人方の苦心は、新聞に出ている位のものではありませんでした。その研究中の一つのはなしです。

工芸学校の先生は、まず昔の古い記録に眼をつけたのでした。そして図書館の二階で、毎日黄いろに古びた写本をしらべているうちに、遂にこういういいことを見附けました。

「一、山男紫紺を売りて酒を買い候《そうろう》事、
山男、西根山にて紫紺の根を掘り取り、夕景に至りて、ひそかに御城下（盛岡）へ立ち出《い》で候上、材木町生薬商人近江《おうみ》屋源八に一俵二十五文にて売り候。それより山男、酒屋半之助方へ参り、五合入程の瓢箪《ひょうたん》を差出し、この中に清酒一斗お入れなされたくと申し候。半之助方小僧、身ぶるえしつつ、酒一斗はとても入り兼ね候と返答致し候処《ところ》、山男、まずは入れなさるべく候と押して申し候。半之助も顔色青ざめ委細《いさい》承知と早口に申し候。扨《さて》、小僧ますをとりて酒を入れ候に、酒は事もなく入り、遂に正味一斗と相成り候。山男大《おおい》に笑いて二十五文を置き、瓢箪をさげて立ち去り候趣《おもむき》、材木町総代より御届け有之《これあり》候。」

これを読んだとき、工芸学校の先生は、机を叩いて斯《こ》うひとりごとを言いました。
「なるほど、紫紺の職人はみな死んでしまった。生薬屋のおやじも死んだと。そうして見るとさしあたり、紫紺についての先輩は、今では山男だけというわけだ。よしよし、一つ山男を呼び出して、聞いてみよう。」

そこで工芸学校の先生は、町の紫紺染研究会の人達と相談して、九月六日の午后六時から、内丸《うちまる》西洋軒で山男の招待会をすることにきめました。そこで工芸学校の先生は、山男へ宛《あ》てて上手な手紙を書きました。山男がその手紙さえ見れば、きっともう出掛けて来るようにうまく書いたのです。そして桃いろの封筒へ入れて、岩手郡西根山、山男殿と上書きをして、三銭の切手をはって、スポンと郵便函《ゆうびんばこ》へ投げ込みました。「ふん。こうさえしてしまえば、あとはむこうへ届こうが届くまいが、郵便屋の責任だ。」と先生はつぶやきました。

あっはっは。みなさん。とうとう九月六日になりました。夕方、紫紺染に熱心な人たちが、みんなで二十四人、内丸西洋軒に集まりました。

もう食堂のしたくはすっかり出来て、扇風機はぶうぶうまわり、白いテーブル掛は波をたてます。テーブルの上には、緑や黒の植木の鉢が立派にならび、極《ごく》上等のパンやバタももう置かれました。台所の方からは、いい匂《におい》がぷんぷんします。みんなは、蚕種取締所設置の運動のことやなにか、いろいろ話し合いましたが、こころの中では誰《たれ》もみんな、山男がほんとうにやって来るかどうかを、大へん心配していました。もし山男が来なかったら、仕方ないからみんなの懇親会ということにしようと、めいめい考えていました。

ところが山男が、とうとうやって来ました。丁度《ちょうど》、六時十五分前に一台の人力車がすうっと西洋軒の玄関にとまりました。みんなはそれ来たっと玄関にならんでむかえました。俥屋《くるまや》はまるでまっかになって汗をたらしゆげをほうほうあげながら膝かけを取りました。するとゆっくりと俥から降りて来たのは黄金《きん》色目玉あかつらの西根山の山男でした。せなかに大きな桔梗の紋のついた夜具をのっしりと着込んで鼠《ねずみ》色の袋のような袴《はかま》をどふっとはいて居りました。そして大きな青い縞《しま》の財布を出して、「くるまちんはいくら。」とききました。
俥屋はもう疲れてよろよろ倒れそうになっていましたがやっとのことで斯《こ》う云《い》いました。
「旦那さん。百八十両やって下さい。俥はもうみしみし云っていますし私はこれから病院へはいります。」
すると山男は
「うんもっともだ。さあこれ丈《だ》けやろう。つりは酒代だ。」と云いながらいくらだかわからない大きな札を一枚出してすたすた玄関にのぼりました。みんなははあっとおじぎをしました。山男もしずかにおじぎを返しながら
「いやこんにちは。お招きにあずかりまして大へん恐縮です。」と云いました。みんなは山男があんまり紳士風で立派なのですっかり愕《おど》ろいてしまいました。ただひとりその中に町はずれの本屋の主人が居ましたが山男の無暗《むやみ》にしか爪《つめ》らしいのを見て思わずにやりとしました。それは昨日の夕方顔のまっかな簑《みの》を着た大きな男が来て、「知って置くべき日常の作法。」という本を買って行ったのでしたが山男がその男にそっくりだったのです。
とにかくみんなは山男をすぐ食堂に案内しました。そして一緒にこしかけました。

山男が腰かけた時椅子はがりがりっと鳴りました。山男は腰かけるとこんどは黄金《きん》色の目玉を据えてじっとパンや塩やバターを見つめ〔以下原稿一枚?なし〕

どうしてかと云うともし山男が洋行したとするとやっぱり船に乗らなければならない、山男が船に乗って上海《シャンハイ》に寄ったりするのはあんまりおかしいと会長さんは考えたのでした。

さてだんだん食事が進んではなしもはずみました。

「いやじっさいあの辺はひどい処《ところ》だよ。どうも六百からの棄権ですからな。」なんて云っている人もあり一方ではそろそろ大切な用談がはじまりかけました。

「ええと、失礼ですが山男さん、あなたはおいくつでいらっしゃいますか。」

「二十九です。」

「お若いですな。やはり一年は三百六十五日ですか。」

「一年は三百六十五日のときも三百六十六日のときもあります。」

「あなたはふだんどんなものをおあがりになりますか。」

「さよう。栗《くり》の実やわらびや野菜です。」

「野菜はあなたがおつくりになるのですか。」

「お日さまがおつくりになるのです。」

「どんなものですか。」

「さよう。みず、ほうな、しどけ、うど、そのほか、しめじ、きんたけなどです。」

「今年はうどの出来がどうですか。」

「なかなかいいようですが、少しかおりが不足ですな。」

「雨の関係でしょうかな。」

「そうです。しかしどうしてもアスパラガスには叶《かな》いませんな。」

「へえ」

「アスパラガスやちしゃのようなものが山野に自生する様にならないと産業もほんとうではありませんな。」

「へえ。ずいぶんなご卓見《たっけん》です。しかしあなたは紫紺のことはよくごぞんじでしょうな。」

　みんなはしいんとなりました。これが今夜の眼目だったのです。山男はお酒をかぶりと呑《の》んで云いました。

「しこん、しこんと。はてな聞いたようなことだがどうもよくわかりません。やはり知らないのですな。」

　みんなはがっかりしてしまいました。なんだ、紫紺のことも知らない山男など一向用はないこんなやつに酒を呑ませたりしてつまらないことをした。もうあとはおれたちの懇親会だ、と云うつもりでめいめい勝手にのんで勝手にたべました。ところが山男にはそれが大へんうれしかったようでした。しきりにかぶりかぶりとお酒をのみました。お魚が出ると丸ごとけろりとたべました。野菜が出ると手をふところに入れたまま舌だけ出してべろりとなめてしまいます。

そして眼をまっかにして

「へろれって、へろれって、けろれって、へろれって。」なんて途方もない声で咆《ほ》えはじめました。さあみんなはだんだん気味悪くなりました。おまけに給仕がテーブルのはじの方で新らしいお酒の瓶《びん》を抜いたときなどは山男は手を長くながくのばして横から取ってしまってラッパ呑みをはじめましたのでぶるぶるふるえ出した人もありました。そこで研究会の会長さんは元来おさむらいでしたから考えました。（これはどうもいかん。けしからん。こうみだれてしまっては仕方がない。一つひきしめてやろう。）くだものの出たのを合図に会長さんは立ちあがりました。けれども会長さんももうへろへろ酔っていたのです。

「ええ一寸《ちょっと》一言ご挨拶申しあげます。今晩はお客様にはよくおいで下さいました。どうかおゆるりとおくつろぎ下さい。さて現今世界の大勢を見るに実にどうもこんらんして居る。ひとのものを横合からとる様なことが多い。実にふんがいにたえない。まだ世界は野蛮からぬけない。けしからん。くそっ。ちょっ。」

会長さんはまっかになってどなりました。みんなはびっくりしてぱくぱく会長さんの袖《そで》を引っぱって無理に座らせました。

するとと山男は面倒臭そうにふところから手を出して立ちあがりました。

「ええ一寸一言ご挨拶を申し上げます。今晩はあついおもてなしにあずかりまして千万かたじけなく思います。どういうわけでこんなおもてなしにあずかるのか先刻からしきりに考えているのです。やはりどうもその先頃《せんころ》おたずねにあずかった紫紺についての様であります。そうして見ると私も本気で考え出さなければなりません。そう思って一生懸命思い出しました。ところが私は子供のとき母が乳がなくて濁り酒で育てて貰ったために ひどいアルコール中毒なのであります。お酒を呑まないと物を忘れるので丁度みなさまの反対であります。そのためについビールも一本失礼いたしました。そしてそのお蔭《かげ》でやっとおもいだしました。あれは現今西根山にはたくさんございます。私のおやじなどはしじゅうあれを掘って町へ来て売ってお酒にかえたというはなしであります。おやじがどうもちかごろ紫紺も買う人はなし困ったと云ってこぼしているのも聞いたことがあります。それからあれを染めるには何でも黒いしめった土をつかうというはなしもぼんやりおぼえています。紫紺についてわたくしの知って居るのはこれだけであります。それで何かのご参考になればまことにしあわせです。さて考えて見ますとありがたいはなしでございます。私のおやじは紫紺の根を掘って来てお酒ととりかえましたが私は紫紺のはなしを一寸すればこんなに酔う位までお酒が呑めるのです。

そらこんなに酔う位です。」

山男は赤くなった顔を一つ右手でしごいて席へ座りました。

みんなはざわざわしました。工芸学校の先生は「黒いしめった土を使うこと」と手帳へ書いてポケットにしまいました。

そこでみんなは青いりんごの皮をむきはじめました。山男もむいてたべました。そして実をすっかりたべてからこんどはかまどをぱくりとたべました。それからちょっとそばをたべるような風にして皮もたべました。工芸学校の先生はちらっとそれを見ましたが知らないふりをして居りました。

さてだんだん夜も更けましたので会長さんが立って
「やあこれで解散だ。諸君めでたしめでたし。ワッハッハ。」とやって会は終りました。

そこで山男は顔をまっかにして肩をゆすって一度にはしごだんを四つ位ずつ飛んで玄関へ降りて行きました。

みんなが見送ろうとあとをついて玄関まで行ったときは山男はもう居ませんでした。丁度七つの森の一番はじめの森に片脚をかけた所だったのです。

さて紫紺染が東京大博覧会で二等賞をとるまでにはこんな苦心もあったというだけのおはなしであります。

税務署長の冒険

ぜいむしょちょうのぼうけん

一、濁密防止講演会

〔冒頭原稿数枚なし〕

イギリスの大学の試験では牛《オックス》でさえ酒を呑《の》ませると目方が増すと云《い》います。又これは実に人間エネルギーの根元です。酒は圧縮せる液体のパンと云うのは実に名言です。堀部安兵衛が高田の馬場で三十人の仇討《あだう》ちさえ出来たのも実に酒の為にエネルギーが沢山あったからです。みなさん、国家のため世界のため大に酒を呑んで下さい。」（小学校長が青くなっている。役場から云われて仕方なく学校を貸したのだが何が何でもこれではあんまりだと思ってすっかり青くなったな）と税務署長は思いました。けれどもそれは大ちがいで小学校長の青く見えたのはあんまりほめられて一そう酒が呑みたくなったのでした。なぜならこの校長さんは樽《たる》こ先生というあだ名で一ぺんに一升ぐらいは何でもなかったのです。みんなはもちろん大賛成でうまいぞ、えらいぞ、と手をたたいてほめたのでした。税務署長がまた見掛けの太ったざっくばらんらしい男でいかにも正直らしくみんなが怒るかも知れないなんということは気にもとめずどんどん云いたいことを云いました。実際それはひどい悪口もあってどうしてもみんなひどく怒らなければならない筈なのにも係わらずみんなはほんとうに面白そうに何べんも何べんも手を叩《たた》いたり笑ったりして聞いていました。

そのはじめの方をちぢめて見ますとこんな工合《ぐあい》です。

「濁密をやるにしてもさ、あんまり下手なことはやってもらいたくないな。なぁんだ、味噌桶《みそおけ》の中に、醪《にごりざけ》を仕込んで上に板をのせて味噌を塗って置く、ステッキでつっついて見るとすぐ板が出るじゃないか。厩《うまや》の枯草の中にかくして置く、いい馬だなあ、乳もしぼれるかいと云うと顔いろを変えている。

新らしい肥樽《こえだる》の中に仕込んで林の萱《かや》の中に置く。誰《たれ》かにこっそり持って行かれても大声で怒られない。煤《すす》だらけの天井裏にこさえて置いて取って帰って来るときは眼をまっ赤にしている。

できあがった酒《もの》だって見られたざまじゃない。どうせにごり酒だから濁っているのはいいとして酸っぱいのもある、甘いのもある、アイヌや生蕃《せいばん》にやってもまあご免蒙《こうむ》りましょうというようなのだ。そんなものはこの電灯時代の進歩した人類が呑むべきもんじゃない。どうせやるならなぜもう少し大仕掛けに設備を整えて共同ででもやらないか。すべからく米も電気で研《と》ぐべし、しぼるときには水圧機を使うべし、乳酸菌を利用し、ピペット、ビーカー、ビュウレット立派な化学の試験器械を使って清潔に上等の酒をつくらないか。もっともその時は税金は出して貰いたい。そう云うふういやるならばわれわれは実に歓迎する。技師やなんかの世話までして上げてもいい。ここそこそ半分こうじのままの酒を三升つくって罰金を百円とられるよりは大びらでいい酒を七斗呑めよ。」

まだまだずいぶんひどく悪《にく》まれ口もきき耳の痛い筈《はず》なようなことも云いましたが誰も気持ち悪くする人はなく話が進めば進むほど、いよいよみんな愉快そうに顔を熱《ほて》らして笑ったり手を叩いたりしました。

どうもおかしいどうもおかしい、どうもおかしいとみんなの顔つきをきょろきょろ見ながらその割合ざっくばらんの少しずるい税務署長が思いました。税務署長の考《かんがえ》ではうんと悪口を云ってどれ位赤くなって怒る人があるかを見て大体その村の濁密の数を勘定しようと云うのでした。それがいけないようでしたから今度はだんだんおどしにかかって青くなる人を見てやろうと思いました。

ところがやっぱり面白そうに笑います。

税務署長は気が気でなく卒倒しそうになって頭に手をあげました。

全体こんなにおれの悪口をよろこんで笑うのはみんなが一人も密造をしていないのか、それともおれの心底がわかっているのか、どうも気味が悪い、よしもう一つだけ山をかけて見ようと思って最後にコップの水を一口のんでできる丈《だ》け落ち着いて斯《こ》う云いました。

「正直を云うとみんながどんなにこっそり濁密をやった所でおれの方ではちゃんとわかっている。この会衆の中にも七人のおれの方への密告者がまじっているのだ。」

みんなはしいんとなりました。それからザアッと鳴りました。さあ、ここだおれを撲《なぐ》りにかかるやつがあるぞ、遁《にげ》みちはちゃんときまっている、あしたの午《ひる》ころみんな仕事に出たころ係二十人一斉に自転車でやって来てそいつを押えてしまう、斯う考えて税務署長はシラトリキキチに眼くばせして次を云いました。

「おれの方では誰《たれ》の家の納屋の中に何斗あるか誰の家の床下に何升あるかちゃんと表になってあるのだ。」するとどうです、いまあれほど気が立ったみんなが一斉に面白そうにどっと吹き出したのです。もうだめだ、おしまいだ、しくじったと署長は思いました。そしてもうすっかりぐるぐるして壇を下りてしまいました。

二、税務署長歓迎会

税務署長が壇を下りましたらすぐ名誉村長が笑いながら少しかがんで署長の前にやって来ました。そして礼を云いました。

「ただ今は実に有益なご講演を寔《まこと》に感謝いたします。何もございませんがいささか歓迎のしるしまで一献さしあげたいと存じます。ご迷惑は重々でございましょうがどうかじきそこまで御光来を願いとう存じます。」

税務署長はいよいよ卒倒しそうになって
「いや、それはよろしい。」とかすれた声で返事しました。「では、」村長はみんなの方に向いて
「今晩の講演会はこれで閉会といたします。」と云ってから又署長たちの方に向き直って「さあ、ではどうぞ。」と右手で玄関の方を指しました。署長はなんとも変な気がしましたが仕方なくシラトリ属《ぞく》と一緒に村長たちに案内されて小学校の玄関を出すぐ一町ばかりさきの村会議員の家に行きました。村会議員の家は立派なもので五十畳の広間にはあかりがぞろっとともり正面には銀屏風《ぎんびょうぶ》が立ってそこに二人は座らされました。すぐ村の有志たちが三十人ばかりきちんと座りました。たちまち立派な膳《ぜん》がならびたしかに税金を納めてある透明な黄いろないい酒が座をまわりはじめました。

みんなが交る交る税務署長のところへ盃《さかずき》を持ってやって来ました。

「いや、本日はお疲れでございましょう。失礼ながら献盃《けんぱい》致しまする。」

「や、ありがとう、どうも悪口を云って済まなかった。どうも悪《にく》まれ商売でね、いやになるよ。」

「どう致しまして。閣下のような献身的のお方ばかりでしたら実に国家も大発展です。

さあどうぞ。」

「はっはっは、いや、ありがとう。」なんて云う工合でシラトリキキチ氏の云ったようにだんだんみんなの心は融《と》けて来たように見えましたが実は税務署長は決して油断をしないで絶えず左右に眼を配っていました。そのうちにいよいよみんなは酔ってしまってだんだん本音を吹いて来ました。

「や、署長さん。一杯いかが、どうです。ワッハッハ。濁り酒、味噌桶に作るというのはあんまり旧式だな。もっと最新法の方はいいな。おい、署長さん。さあ、一杯いかが、私の盃をあなた取りませんか。閣下ぁ、ハッハッハ。さあ一杯、」

「いや、わかった、わかった。いや、今晩は実に酩《めい》ていした。辱《かたじ》けない。」

「ワッハッハ。やあ、今度はシラトリさん、さあ、おやりなさい。男子はすべからく決然たるところがなくてはだめですよ。さあ、高田の馬場で堀部安兵衛金丸が三十人を切ったのは実際酒の力だ、面白い、牛も酒を呑むと酔うというのは面白い。さあ一杯。なかなかあなたは酒が強い。さあ一杯。」

　一人が行ったと思うと又一人が来るのでした。

「署長さん。はじめてお目通りを致します。」

「いやはじめて。」

「はじめて、はてなさっきも来ましたかな、二度目だ、ハッハッハ。署長さん、いや献杯、つつしんで献杯仕《つかまつ》ります。ハッハッハこの村の濁り酒はもう手に取るようにわかっている、本当にか、さあ、本当ならいつでもやって来い。来るか、畜生、来て見やがれ。アッハッハ、失礼、署長さん署長さん、もう斯《こ》うなったらいっそのこと無礼講にしましょう。無礼講。おおい、みんな無礼講だぞ、そもそもだ、濁密の害悪は国家も保証する、税務署も保証すると、ううぃ。献杯、いや献杯、」

「もう沢山、」

「遁げるのか、遁げる気か。ようし、ようし、その気なら許さんぞ。献杯、さあ献杯だ、おおい貴様ぁ。」

税務署長はもうすっかり酔っていました。シラトリ属も酔ってはいました。けれども二人とも決して職業も忘れず又油断もしなかったのです。

それでももうぐたぐたになって何もかもわからないというふりをしていました。それにくらべたら村の方の人たちこそ却《かえ》って本当に酔ってしまったのでした。そのうちに税務署長は少し酒の匂《におい》が変って来たのに気がつきました。たしかに今までの酒とはちがった酒が座をまわりはじめていました。署長は見ないふりをしながらよく気をつけて盃を見ましたが少しも濁ってはいませんでした。どうもおかしい。これは決してここらのどの酒屋でできる酒でもない、他県から来るのだってもう大ていはきまっている。どうもおかしいと斯う署長はひとりで考えました。そのうちさっきの村会議員が又やって来てきちんと座って云いました。

「いや、もう閣下、ひどくご無礼をいたしました。こんな乱雑な席にご光来をねがいまして面目次第もございません。ただもうほんの村民の志だけをお汲《く》み下されまして至らぬところ又すぎました処《ところ》は平《ひら》にご容赦をねがいます。」

署長はすっかり酔った風をしながら笑って答えました。

「いや、君、こんな愉快なうちとけた宴会ははじめてだよ。こんなことならたびたびやって来たいもんだね。斯う出られたら困るだろう。」

村会議員はちらっと署長を見あげました。本当はまだ酔っていないなと気がついたのです。署長が又云いました。

「どうも斯う高い税金のかかった酒を斯う多分に貰っちゃお気の毒だ。一つ内密でこの村だけ無税にしようかな。」

「いや、ハッハッハ。ご冗談。」村会議員は少しあわてて台所の方へ引っ込んで行きました。

「もう失礼しよう、おい君。」署長は立ちあがりました。

「もうお帰りですか。まあまあ。」村長やみんなが立って留めようとしたときそこはもう商売で署長と白鳥属とはまるで忍術のように座敷から姿を消し台所にあった靴をつまんだと思うともう二人の自転車は暗い田圃《たんぼ》みちをときどき懐中電灯をぱっぱっとさせて一目散にハーナムキヤの町の方へ走っていたのです。

三、署長室の策戦

次の日税務署長は役所へ出て自分の室《へや》に入り出勤簿を検査しますとチリンチリンと卓上ベルを鳴らして給仕を呼び「デンドウイを呼べ。」とあごで云いつけました。すぐ白服のデンドウイ属がいかにも敬虔《けいけん》に入って来ました。

「まあ掛け給え。」署長はやさしく云って話の口をきりました。

「ユグチュユモトの村へ出張して呉《く》れ給え。」

「は、」

「変装して行って貰いたいな。一寸《ちょっと》売薬商人がいいだろう。あの千金丹の洋傘《こうもりがさ》があった筈だね。」

「は、ございます。」

「じゃ、ライオン堂へ行ってこれでウィスキーを一本買ってねそれから広告をくばってやるからと云って何かのちらしを二百枚も貰いたまえ。そいつを持って入って行くんだ。君の顔は誰《たれ》も知ってやしない。どうもあの村はわからないとこがある。どうも誰かがどこかで一斗や二斗でなしにつくっている。一つ豪胆にうまくやって呉れ給え。」

「は、畏《かしこ》まりました。」

デンドウイ属はもう胸がわくわくしました。うまく見付けて帰って来よう。そしたら月給だってもうきっと三円はあがる、ひとつまるっきり探偵風にやってやろう。

「概算旅費を受け取って行きたまえ。」署長はまた云いました。

「ありがとうございます。」デンドウイ属は礼をして自分の席へ帰ってそれから会計へ行って七日間の概算旅費を受け取って自分の下宿へ帰って行きました。

さて八日目の朝署長が役所へ出て出勤簿を検査してそれから机の上へ両手を重ねてふうと一つ息をしたとき扉《と》がかたっと開いてデンドウイ属があの八日前の白服のままでまた入って来ました。どうもその顔がひどくやつれて見えました。署長は思わず椅子をかたっと云わせました。

「どうだったね、少しはわかりましたか。」心配そうにそれにまたにこにこしながら訊《き》いたのです。

「どうもいけませんでした。あの村には濁密はないようであります。」

「そうですか。どう云うようにしてしらべました。」署長は少しこわい顔をしました。

「ニタナイのとこに丁度《ちょうど》老人でなくなった人があったのです。人が集ったらいずれ酒を呑まないでいないからと存じましてすぐその前のうちへ無理に一晩泊めて貰いました。するとそのうちからみんな手伝いに参りまして道具やなんかも貸したのでございます。私は二階からじっと隣りの人たちの云うことを一晩寝ないで聞いて居りました。すると夜中すぎに酒が出ました。もう一語でもききもらすまいと思っていましたら、そのうち一人がすうと口をまげて歯へ風を入れたような音がしました。これはもうどうしても濁り酒でないと思っていましたら、」

「ふんふん、なかなか君の観察は鋭い。それから。」

「そしたら一人が斯う云いました。いい、ほんとにいい、これではもうイーハトヴの友もなにも及ばないな。と云いました。イーハトヴの友も及ばないとしますととても密造酒ではないと存じました。」

「その酒の名前を聞きましたか。」

「私は北の輝《てる》だろうと思います。」

署長は俄《にわか》にこわい顔をしました。

「いいや、北の輝じゃない。断じてそうでない。そのいい酒がどこから出来ているかどの県から入ってるかそれをよくしらべに君をたのんだのだ。けれどもそしてそれからあと七日君はいったい何をして居たのだ。」

「それからあとは毎日林の中や谷をあるいて山地密造酒を探して居りました。」

「あったか。」

「ありませんでした。」

「見給え。そんな藪《やぶ》の中にこっそり作るようなそんなのじゃない。どこか床下をほるかなんかしても少し大きくやっているだろうとはじめから僕が注意して置いたじゃないか。」

デンドウイ属はもう頭を垂れてしまいました。そのやつれた青い顔を見ると署長もまた少し気の毒になって来ました。

「いや、よろしい。帰ってやすみ給え。ご苦労でした。シラトリ君に一寸《ちょっと》来いと云って呉れ給え。」

デンドウイ属はしおしお出て行きました。間もなく、例のシラトリ属がすまし込んで入って来ました。

「君、ユグチュユモトへ行ってくれ給え。却ってそのままの方がいい。あのね、この前の村会議員のとこへ行ってね、僕からと云う口上でね、先《せん》ころはごちそうをいただいて実にありがとう、と、ね、その節席上で戯談《じょうだん》半分酒造会社設立のことをおはなししたところ何だか大分本気らしいご挨拶《あいさつ》があったとね、で一つこの際こちらから技術員も出すから模範的なその造酒工場をその村ではじめてはどうだろう、原料も丁度そちらのは醸造に適していると思うと斯《こ》う吹っかけて見てじっと顔いろを見て呉れ給え。

きっと向うが資本がありませんでと斯う云うからね、そしたらどうでしょう、半官半民風にやろうじゃありませんかと斯うやって呉れ給え。そしてその返事をもうせき一つまでよく覚え込んで帰って呉れ給え。いますぐです。今日中に帰れるだろう、あしたは休んでもいいから。」

「帰れます。」シラトリキキチ氏はしゃんと礼をして出て行きました。署長はもう一生けん命何かを考え込んで昼飯さえ忘れる風でした。ひるすぎはそわそわ窓に立ってシラトリ属の帰るのをいまかいまかと待っていました。

ところがシラトリ属は夕方になっても帰りませんでした。

署長はもうみんなも帰る時分だしと思って自分も一ぺん家へ帰るふりをして町をぐるっとまわりみんなが戻ったころまた役所へ来て小使に自分の室《へや》へ電灯をつけさせて待っていました。すると八時過ぎて玄関でがたっと自転車を置いた音がしてそれからシラトリ属がまるで息を切らして帰って来たのです。

「どうだった。」署長は待ち兼ねてそう訊《たず》ねました。

「だめです。」

「いけなかったか。」署長はがっかりしました。

「仰《おっしゃ》ったとおり云ってだまって向うの顔いろを見ていたのですけれどもまるで反応がありませんな、さあ、まあそんなことも仰っしゃっておいででしたがどうもお役人方の仰っしゃることはご無理もあればむずかしいことも多くてなんてでとり合わないのです。」

「顔色を変えなかったか。」

「少しも変りませんでした。」

「それからどうした。」

「仕方ありませんからそこを出て村の居酒屋へいきなり乗り込んであった位の酒を瓶《びん》詰《づめ》のものはかり売のも全部片っぱしから検査しました。」

「うんうん。そしたら。」

「そしたら瓶詰はみんなイーハトヴの友でしたしはかり売のはたしかに北の輝です。」

「北の輝の方がいくらか廉《やす》いんだな。」

「そうです。」

「たしかに北の輝かね。」

「そうです。それから酒屋の主人に帳簿を出さしてしらべて見ましたが酒の売れ高がこのごろ毎年減って行くようであります。」

「おかしいな。前にはあの村はみんな濁り酒ばかり呑んでいたのにこのごろ検挙が厳しくてだんだん密造が減るならば清酒の売れ高はいくらかずつ増さなければいけない。」

「けれどもどうも前ぐらいは誰《たれ》も酒を呑まないようであります。」

「そうかね。」

「それに酒屋の主人のはなしでは近頃は道路もよくなったし荷馬車も通るのでどこの家でもみんな町から直《じ》かに買うからこっちはだんだん商売がすたれると云いました。」

「おかしいぞ。そんなに町からどしどし買って行くくらいの現金があの村にある筈はない。どうもおかしい。よろしい。こんどは私が行って見よう。どうもおかしい。明日から三四日留守するからね。あとをよく気をつけて呉れ給え。さあ帰ってやすみ給え。」

税務署長は唇《くちびる》に指をあて、眼を変に光らせて考え込みながらそろそろ帰り支度をしました。

四、署長の探偵

税務署長のその晩の下宿での仕度ときたら実際科学的なもんだった。

まず第一にひげをはさみでじゃきじゃき刈りとって次に揮発油へ木タールを少しまぜて茶いろな液体をつくって顔から首すじいっぱいに手にも塗った。鼻の横や耳の下には殊に濃く塗ったのだ。それからアスファルトの屋根材の継目《つぎめ》に塗りつける黒いペイントを顎《あご》のとこへ大きな点につけてしばらくの間じっとそんな油や何かの乾くのを待ってたが、それがきれいに乾くとこんどは鏡台の引出しをあけてにせものの金歯を二枚出して犬歯へはめました。すると税務署長がすっかり変ってしまって請負師《うけおいし》か何かの大将のように見えて来た。それから署長は押し入れからふだん魚釣りに行くときにつかう古いきゅうくつな上着を出して着ておまけに乗馬ズボンと長靴をはいた。そして葉書入れを逆《さかさ》まにしてしばらく古い名刺をしらべていたがその中からトケイ乾物商サヘタコキチと書いたやつをえらんでうちかくしへ入れた。独りものの署長のことだから実際こんなことができたのだ。それから帽子をかぶり洋傘《こうもりがさ》を持って外へ出たけれども何と思ったかもう一ぺん長靴をぬいでそれを持って座敷へあがった。古い新聞紙を鏡の前の畳へ敷いて又長靴をはいてちゃんと立って鏡をのぞいてさあもうにかにかにかにかし出した。

それから俄かにまじめになってしばらく顔をくしゃくしゃにしていたがいよいよ勇気に充《み》ちて来たらしく一ぺんに畳をはね越えておもてに飛び出し大股に通りをまがった。実にその晩の夜の十時すぎに勇敢な献身的なこの署長は町の安宿へ行って一晩とめて呉れと云った。そしたらまじめにお湯はどうかとか夕飯はいらないかとか宿屋では聞いた。署長はもうすっかり占《し》めたと思ったのだ。そして次の朝早く署長はユグチユユモトの村へ向った。

村の入口に来てさっそく署長はあの小売酒屋へ行った。

「ええ伺いますが、この村の椎蕈山《しいたけ》はどちらでしょうか。」

「椎蕈山かね。おまえさんは買付けに来たのかい。」

「へえ、そうです。」

「そんなら組合へ行ったらいいだろう。」

「組合はどちらでございましょう。」

「こっから十町ばかりこのみちをまっすぐに行くとね学校がある、」

知ってるとも、そこでおれが講演までしてひどい目にあってるじゃないか、署長は腹の底で思った。

「その学校の向いに産業組合事務所って看板がかけてあるからそこへ行って談《はな》したらいいだろう。」

「そうですか。どうもありがとうございました。お蔭《かげ》さまでございます。」署長はまるで飛ぶようにおもてに出てまた戻って来た。

「どうもせいがきれていけない。一杯くれませんか。ええ瓶《びん》でない方。ううい。いい酒ですね。何て云います。」

「北の輝です。」

「これはいい酒だ。ここへ来てこんな酒を呑まうと思わなかった。どこで売ります。」

「私のとこでおろしもしますよ。」

「はあ、しかし町で買った方が安いでしょう。」

「そうでもありません。」

「だめだ。持って行くにひどいから。」

署長は金を十銭おいて又飛び出した。それから組合の事務所へ行った。さあもうつかまえるぞ今日中につかまえるぞ、署長はひとりで思った。ところが事務所にはたった一人髪をてかてか分けて白いしごきをだらりとした若者が椅子に座って何か書いていた。こいつはうまいと署長は思った。

「今日は、いいお天気でございます。ごめん下さい。私はトケイから参りました斯う云うものでございますがどうかお取次をねがいます。」署長はあの古い名刺をだいぶ黄いろになってるぞと思いながら出した。若者は率直に立って「ああそうすか。」と云って名刺を受けとったがあとは何も云わないでもじもじしていた。

「今朝はまだどなたもお見えにならないんですか。」

「はあ、見えないで。」若者は当惑したように答えた。

「ええ、ではお待ちいたします、どうかお構いなく。いかがでございましょう。本年は椎蕈の方は。この雨でだいぶ豊作でございましょうね。」

「あんまりよくないそうだよ。」

「はあいや匂《におい》やなにかは悪いでしょうが生えることは沢山《たくさん》生えましてございましょうね。」

「できたろう。」若者はだんだん言《ことば》も粗末になって来た。

「どうでしょうね。わたしあ東京の乾物屋なんだが貸しの代りに酒をたくさんとったのがあるんだがどうでしょう。椎蕈ととり代えるのを承知下さらないでしょうかね。安くしますが。」

「さあだめだろう。酒はこっちにもあるんだから。」

「町から買ふんでしょう。」

「いいや」

「どこかに酒屋があるんですか。」

「酒屋ってわけじゃない。」

さあ署長はどきっとしました。

「どこですか。」

「どこって、組合とはまた別だからね。」若者はぴたっと口をつぐんでしまいました。さあ税務署長はまるで踊りあがるような気がした。もうただ一息だ。少くとも月一石《こく》ずつつくってあちこちへ四五升ずつ売っているやつがある。今日中にはきっとつかまえてしまうぞ。

「椎蕈山は遠いんですか。」

「一里あるよ。」

「このみちを行っていいんですか。」

「行けるよ。」

「それでは私山の方へ行って見ますからね、向うにも係りの方がおいででしょう。」

「居るよ。」

「ではそうしましょう。こっちでいつまでも待ってるよりはどうせ行かなけぁいけないんだから。ではお邪魔さまでした、いまにまた伺います。」

署長は小さな組合の小屋を出た。少し行ったらみちが二つにわかれた。署長はちょっと迷ったけれども向うから十五ばかりになる子供が草をしょって来るのを見て待っていて訊《き》いた。

「おい、椎蕈山へはどう行くね。」

するとと子供はよく聞えないらしく顔をかしげて眼を片っ方つぶって云った。

「どこね、会社へかね。」会社、さあ大変だと署長は思った。

「ああ会社だよ。会社は椎蕈山とは近いんだらう。」

「ちがうよ。椎蕈山こっちだし会社ならこっちだ。」

「会社まで何里あるね。」

「一里だよ。」

「どうだろう。会社から毎日荷馬車の便りがあるだろうか。」

「三日に一度ぐらいだよ。」

ふん、その会社は木材の会社でもなけぁ醋酸《さくさん》の会社でもない、途方もないことをしてやがる、行ってつかまえてしまうと署長はもうどぎどぎして眼がくらむようにさえ思った。そして子供はまた重い荷をしょって行ってしまった。署長はまるではじめて汽車に乗る小学校の子供のように勇んでみちを進んで行った。それから丁度半里ばかり行ったらもう山になった。みちは谷に沿った細いきれいな台地を進んで行ったがまだ荷馬車のわだちははっきり切り込んでいた。向うに枯草の三角な丘が見えてそこを雲の影がゆっくりはせた。

「おい、どこへ行くんだい。」ホークを持ち首に黒いハンケチを結び付けた一人の立派な男が道の左手の小さな家の前に立って署長に叫んだ。

「椎蕈山へ行きますよ。」署長は落ちついて答えた。

「椎蕈山こっちじゃない。すっかりみちをまちがったな。」青年が怒ったように含み声で云った。

「そうですか。ここからそっちの方へ出るみちはないでしょうか。」

「ないね、戻るより仕方ないよ。」

「そうですか。では戻りましょう。」もう喧嘩《けんか》をしたらとても勝てない。一たまりもないと思ったから署長は大急ぎで一つおじぎをして戻り出した。もう大ていいいだろうと思ってうしろをちょっと振り返って見たらその若者はみちのまん中に傲然《ごうぜん》と立ってまるでにらみ殺すようにこっちを見ていた。そのそばには心配そうな身ぶりをした若い女がより添っていたのだ。署長はまるで足が地につかないような気がした。もういまの家のもう少し川上にちゃんと小さな密造所がたっているんだ。毎月三四石ずつ出している。大した脱税だ。よし山をまわって行っても見てやろうと考えた。そしてずっと下ってまがり角を三つ四つまがってから、非常に警戒しながらふり向いて見るともう向うは一本の松の木が崖《がけ》の上につき出ているばかりすっかりあの男も家も見えなくなっていた。さあいまだと税務署長は考えて一とびにみちから横の草の崖に飛びあがった。それからめちゃくちゃにその丘をのぼった。丘の頂上には小さな三角標があってそこから頂《いただき》がずうっと向うのあの三角な丘までつづいていた。税務署長は汗を拭くひまもなく息をやすめるひまもなくそのきらきらする枯草をこいでそっちの方へ進んだ。どこかで蜂《はち》か何かがぶうぶう鳴り風はかれ草や松やにのいい匂を運んで来た。

　ちょっとふりかえって見るとユグチュユモトの村は平和にきれいに横たわりそのずうっと向うには河が銀の帯になって流れその岸にはハーナムキヤの町の赤い煙突も見

えた。

署長はちょっとの間濁密をさがすなんてことをいやになってしまった、けれどもまた気を取り直してあの三角山の方へつつじに足をとられたりしながら急いだ。実にあのペイントを塗った顔から黒い汗がぼとぼとに落ちてシャツを黄いろに染めたのだ。ところが三角山の上まで来ると思わず署長は息を殺した。すぐ下の谷間にちょっと見ると椎蕈乾燥場のような形の可成《かなり》大きな小屋がたって煙突もあったのだ。そして殊《こと》にあやしいことは小屋がきっぱりうしろの崖にくっついて建ててあっておまけにその崖が柔らかな岩をわざと切り崩したものらしかった。たしかにその小屋の奥手から岩を切ってこさえた室《へや》があって大ていの仕事はそこでやっているらしく思われた。これはもう余程の大きさだ。小さな酒屋ぐらいのことはある、たしかにさっきの語《ことば》のとおり会社にちがいない、いったい誰々の仕事だろう、どうもあの村会議員はあやしい、巡査を借りてやって来て村の方とこっちと一ぺんに手を入れないと証拠があがらない、誰か来るかも知れない今日一日見ていようと税務署長は頬杖《ほおづえ》をついて見ていた。するとまるで注文通り小屋の中からさっきの若い男がぽろっと出て来た。それから手を大きく振ったように見えた、と思うと、おおい、サキチと叫ぶ声が聞えて来た。見ると荷馬車が一台おいてある。その横から膝の曲った男が出て来て二人一緒に小屋へ入った。さあ大変だと署長が思っていたら間もなく二人は大きな二斗樽《だる》を両方から持って出て来た。そしてどっこいという風に荷馬車にのっけてあたりをじっと見まわした。馬が黒くてかてか光っていたし谷はごうと流れてしずかなもんだった、署長はもう興奮して頭をやけに振った。二人はまた小屋へ入った。そして又腰をかがめて樽を持って来た。と思ったらすぐあとからまた一人出て来た。そして荷馬車の上に立って川下の方を見ている。二人はまた中へ入った、そしてまた樽を持って出て来たもんだ、（さあ、これでもう六斗になるまさかこれっきりだろう、これっきりにしても月六石になる大した脱税だ）と署長は考えた。ところがまた出て来た。そしてまた入ってまた出て来た。もう一石だ月十石だと署長はぐるぐるしてしまった。ところが又入ったのだ。こんどは月十二石だ、それからこんどは十四石十六石十八石、二十石とそこまで署長が夢のように計算したときは荷馬車の上はもう樽でぎっしりだった。すると三人がそれへ小屋の横から松の生枝をのせたりかぶせたりし出した。

見る間にすっかり縛られて車が青くなり樽が見えなくなってもう誰《たれ》が見ても山から松枝をテレピン工場へでも運ぶとしか見えなくなった。荷馬車がうごき出した。馬がじっさい蹄《ひづめ》をけるようにし、よほど重そうに見えた。するとさっきの若い男は荷馬車のあとへついた。それから十間ばかり行く間一番おしまいに小屋から出た男は腕を組んで立って待っていたが俄かに歩き出してやっぱりついて行った。（実に巧妙だ。一体こんなことをいつからやっていたろう。さあもうあの小屋に誰も居ない、今のうちにすっかりしらべてしまおう、証拠書類もきっとある。）税務署長は風のように三角山のてっぺんから小屋をめがけてかけおりた。ところが小屋の入口はちゃんと洋風の錠が下りていたのだ。（さあもういよいよ誰も居ない。あいつが村まで行って帰るまでどうしても二時間はかかる。どこからか入らなけぁならない。）税務署長は狐のようにうろうろ小屋のまわりをめぐった。すると一《ひと》とこ窓が一分ばかりあいていた。署長はそこへ爪《つめ》を入れて押し上げて見たらカラッと硝子《ガラス》は上にのぼった。もう有頂天になって中へ飛び込んで見るとくらくて急には何も見えなかったががらんとした何もない室《へや》だった。煙突の出てるのは次の室らしかった。急いでそっちへかけて行って見たらあったあったもう径二米《メートル》ほどの大きな鉄釜《てつがま》がちゃんと煉瓦《れんが》で組んで据えつけられている。署長は眼をこすってよく室の中を見まわした。隅《すみ》の棚のとこにアセチレン灯が一つあった。マッチも添えてあった。すばやくそれをおろしてみたらたったいま使ったらしくまだあつかった。栓《せん》をねじって瓦斯《ガス》を吹き出させ火をつけたら室の中は俄かに明るくなった。署長はまるで突貫《とっかん》する兵隊のような勢でその奥の室へ入った。そこは白い凝灰石をきり開いた室でたしか四十坪はあると署長は見てとった。奥の方には二十石入の酒樽が十五本ばかりずらっとならび横には麹室《こうじむろ》らしい別の室さえあったのだ。おまけにビューレットも純粋培養の乳酸菌もピペットも何から何まで実に整然とそろっていたのだ。（ああもうだめだ、おれの講演を手を叩いて笑ったやつはみんな同類なのだ。あの村半分以上引っ括《くく》らなければならない。もうとても大変だ）署長はあぶなく倒れそうになった。その時だ、何か黄いろなようなものがそっとうしろの方で光った。

見ると小屋の入口の扉《と》があいて二人の黒い人かげがこっちへ入って来ているではないか。税務署長はちょっと鹿踊《ししおど》りのような足つきをしたがとっさにふっとアセチレンの火を消した。そしてそろそろとあの十五本の暗い酒だるのかげの方へ走った。足音と語《ことば》ががんがん反響してやって来た。「いぬだいぬだ。」「かくれてるぞかくれてるぞ。」「ふんじばっちまえ。」「おい、気を付けろ、ピストルぐらい持ってるぞ。」ズドンと一発やりたいなと署長は思った。とたん、アセチレンの火が向うでとまった。青じろいいやな焔《ほのお》をあげながらその火は注意深くこっちの方へやって来た。「酒だるのうしろだぞ」二人は這《は》うようにそろそろとやって来た。

署長はくるくると樽の間をすりまわった。

そしたらとうとう桶と桶の間のあんまりせまい処へはさまってのくも引くもできなくなってしまった。

アセチレンの火はすぐ横から足もとへやって来た。と思うと黒い太い手がやって来ていきなり署長のくびをつかまえた。ガアンと頭が鳴った。署長は自分が酒桶の前の広場へ蟹《かに》のようになって倒れているのを見た。まるで力もなにもなかった。アセチレン灯もまだ持っている。

「立て、こん畜生太いやつだ。炭焼がまの中へ入れちまうから、そう思え。」

(炭焼がまの中に入れられたらおれの煙は木のけむりといっしょに山に立つ。あんまり情ない。)署長は青ざめながら考えた。

「誰《たれ》だ、きさん、収税だろう。」

「いいや。」署長は気の毒なような返事をした。

「とにかく引っ括れ。」一人が顎《あご》でさし図した。一人はアセチレンをそこへ置いてまるで風のようにうごいて綱を持って来た。署長はくるくるにしばられてしまった。

「おい、おれが番してるから早く社長と鑑査役に知らせて来い。」

「おお。」一人は又すばやくかけて出て行った。

「おい、云わないかこん畜生、貴さん収税だろう。」

「そうでない。」

「収税でなくて何しに入るんだ。」署長はようやく気を取り直した。

「おいらトケイの乾物商だよ。」

「トケイの乾物商が何しにこんなとこへ来るんだ。」

「椎蕈《しいたけ》買いに来たよ。」

「椎蕈。」

「あここで椎蕈つくってると思ったから見ていたんだ。名刺もちゃんと組合の方へ置いてある。」

「正直な椎蕈商が何しに錠前のかかった家の窓からくぐり込むんだ。」

「椎蕈小屋の中へはいったっていいと思ったんだ。外で待っていても厭《あ》きたからついはいって見たんだよ。」

「うん。そう云やそうだなあ。」ここだと署長は思った。みんなの来ないうちに早く遁げないともうほんとうに殺されてしまう。もう一生けん命だと考えた。

「おい、いい加減にして縄をといて呉れよ。椎蕈はいくらでも高く買うからさ。おれだってトケイにゃ妻も子供もあるんだ。ここらへ来て、こんな目にあっちゃ叶《かな》わねえ。どうか縄をといて呉れよ。」

「うん、まあいまみんな来るから少し待てよ。よく聞いてから社長や重役の方へ申しあげれぁよかったなあ。」

「だからさ、遁がして呉れよ。おれお前にあとでトケイへ帰ったら百円送るからさ。」

「まあ少し待てよ。」ああもう少し待ったらどんなことになるかわからない。署長はぐるぐるしてまた倒れそうになった。

　ところがもういけなかったのだ。入口の方がどやどやして実に六人ばかりの黒い影が走り込んで来た。（もう地獄だ、これっきりだ。）署長は思った。今まで番をしていた男は立ってそれを迎えた。ぐるっとみんなが署長を囲んだ。

「こいつはトケイの椎蕈商人だそうです。椎蕈を買おうと思って来たんだそうです。」

「うん。さっき組合へうさんなやつが名刺を置いて行ったそうだがこいつだろう。」りんとした声が云った。署長は聞きおぼえのある声だと思って顔をあげたらじっさいぎくりとしてしまった。それは名誉村長だった。しばらくしんとした。

「どうだ。放してやるか。」また一人が云った。署長は横目でそっちを見上げた。あの村会議員なのだ。

「いや、よく調べないといけません。念に念を入れないとあとでとんだことになります。」

署長はまたちらっとそっちを見た。それはあの講演の時青くなった小学校長だった。すなわちわれらの樽コ先生ではないか。

「いいえ、こいつはさっき一ぺん私が番所から追い帰したのです。どうもあやしいと思いましたからとがめましたら椎蕈山はこっちかと云うんです。こっちじゃない帰れって云いましたらそうですかここらからまわるみちはないかとまた云いやがるんです。ないない。帰れと云いましたら仕方なく戻って行きました。そいつをいつの間にどこをまわってここへ入ったかもうこいつはきっと税務署のまわしものです」

「うん。そう云えばどうもおれにもつらに見おぼえがある。表へ引っぱり出してみろ。

てめえは行って番所に居ろ。」社長の名誉村長が云った。

「立てこの野郎」署長はえり首をつかまえられて猫のように引っぱり出された。おもてへ出て見ると日光は実に暖かくぽかぽか飴《あめ》色に照っていた。（おれが炭焼がまに入れられて炭化されてもお日さまはやっぱりこんなにきれいに照っているんだなあ。）署長はぽっと夢のように考えた。

「何だこいつは税務署長じゃないか。」名誉村長はびっくりしたように叫んだ。それからみんなはにゅうと遁げるようなかたちになった。署長はもうすっかり決心してすっくと立ちあがった。

「いかにもおれは税務署長だ。きさまらはよくも国家の法律を犯してこんな大それたことをしたな。おれは早くからにらんでいたのだ。もうすっかり証拠があがっている。おれのことなどは潰《つぶ》すなり灼《や》くなり勝手にしろ。もう準備はちゃんとできている。きさまたちは密造罪と職務執行妨害罪と殺人罪で一人残らず検挙されるからそう思え。」

社長も鑑査役も実に青くなってしまった。しばらくみんなしいんとした。

ここだと署長が考えた。

「さあ、おれを殺すなら殺せ、官吏が公務のために倒れることはもう当然だ。」署長は大へんいい気持がした。といきなりうしろから一つがぁんとやられた。又かと思いながら署長が倒れたらみんな一ぺんに殺気立った。

「木へ吊《つ》るせ吊るせ。なあに証拠だなんてまだ挙《あ》がってる筈はない。こいつ一人片付ければもう大丈夫だ。樺花《かばはな》の炭釜《すみがま》に入れちまえ。」たちまち署長は松の木へつるしあげられてしまった。村会議員が出て云った。

「この野郎、ひとの家でご馳走《ちそう》になったのも忘れてずうずうしい野郎だ。ゆぶしをかけるか。」

「野蛮なことをするな。」署長が吊られて苦しがってばたばたしながら云った。

「とにかく善後策を講じようじゃないか。まあ中で相談するとしよう。」村長が云った。

みんなは中へはいった。署長は木の上で気が遠くなってしまった。

五、署長のかん禁

しばらくたって署長は自分があの奥の室《へや》の中に入れられているのを気がついた。頭には冷たい巾《きれ》がのせてあったし毛布もかけてあった。いちばんあとから小屋を出た男が虔《つつま》しく番をしながら看病していた。おもてではがやがやみんなが談《はな》していた。何でも善後策を協議しているか酒盛りをやっているらしかった。署長がからだをうごかしたらすぐその若者が近くへ寄って模様を見た。それから戸をあけてそしても一つ戸をあけて外の大きな室に出て行った。と思うと名誉村長が入って来た。茶いろの洋服を着ていた。（そして見るとおれは二日か三日寝ていたんだな。）署長は考えた。名誉村長は座って恭《うやうや》しく礼をして云った。

「署長さん。先日はどうも飛んだ乱暴をいたしました。

実は前後の見境いもなくあんなことをいたしましてお申し訳けございません。実は私どもの方でもあなたの方のお手入があんまり厳しいためつい会社組織にしてこんなことまでいたしましたような訳《わけ》で誠に面目次第もございません。就《つ》きましていかがでございましょう。私どもの会社ももうかっきり今日ぎり解散いたしまして酒は全部私の名義でつくったとして税金も納めます。あなたはお宅まで自働車でお送りいたしますがこの度《たび》限り特にご内密にねがいませんでしょうか。」

署長はもう勝ったと思った。

「いやお語《ことば》で痛み入ります。私も職務上いろいろいたしましたがお立場はよくわかって居ります。しかしどうも事ここに至れば到底内密ということはでき兼ねる次第です。もう談《はなし》がすっかりひろがって居りますからどうしても二三人の犠牲者はいたし方ありますまい。尤《もっと》も私に関するさまざまのことはこれは決して公《おおやけ》にいたしません。まあ罰金だけ納めて下さってそれでいいような訳です。」

「それがそのどうも私どもはじめ名前を出したくないので。」

この時だ、表が俄《にわか》にやかましくなって烈《はげ》しい叫声《さけび》や組討ちの音が起った。まるでもう嵐のようだった。

「署長署長」誰《たれ》かが叫んだ。署長はばっと立ちあがった。

「おお、ここに居るぞよくやったよくやった。シラトリ、ここに居るぞ。」

すぐ二三人が室《へや》の戸をけやぶって入って来た。

「署長、ご健勝で。もうみんな捕縛《ほばく》しました。」とシラトリ属が泣いてかけて来た。

「よくわかったなあ、警察の方もたのんだか。」

「ええ総動員です。二十人捕縛してあります。この方は。」

「名誉村長だ。けれども仕方ない縄をかけ申せ。」署長はわくわくして云った。

「署長ご健勝で。」署員たちが向う鉢巻《はちまき》をしたり棍棒《こんぼう》をもったりしてかけ寄った。署長は痛いからだを室から出た。

「樽にみんな封印しろ。証拠品は小さな器具だけ、集めろ。その乳酸菌の培養も。うん。よろしい。いやどうもご苦労をねがいました。」署長は巡査部長に挨拶した。

「お変りなくて結構です。いや本署でも大へん心配いたしました。おい。みんな外へ引っぱれ。」

そしてもうぞろぞろみんなはイーハトヴ密造会社の工場を出たのだ。五分ののちこの変な行列があの番所の少し向うを通っていた。

署長は名誉村長とならんで歩いていた。

「今日は何日だ。」署長はふっとうしろを向いてシラトリ属にきいた。

「五日です。」

「ああもうあの日から四日たっているなあ。ちょっとの間に木の芽が大きくなった。」

署長はそらを見あげた。春らしいしめった白い雲が丘の山からぼおっと出てくろもじのにおいが風にふうっと漂って来た。

「ああいい匂だな。」署長が云った。

「いい匂ですな。」名誉村長が云った。

フランドン農學校の豚

フランドンのうがっこうのぶた

［冒頭原稿一枚？なし］

以外の物質は、みなすべて、よくこれを摂取して、脂肪若《も》くは蛋白質《たんぱくしつ》となし、その体内に蓄積す。」とこう書いてあったから、農学校の畜産の、助手や又《また》小使などは金石でないものならばどんなものでも片っ端から、持って来てほうり出したのだ。

尤《もっと》もこれは豚の方では、それが生れつきなのだし、充分によくなれていたから、けしていやだとも思わなかった。却《かえ》ってある夕方などは、殊に豚は自分の幸福を、感じて、天上に向いて感謝していた。というわけはその晩方、化学を習った一年生の、生徒が、自分の前に来ていかにも不思議そうにして、豚のからだを眺めて居た。豚の方でも時々は、あの小さなそら豆形の怒ったような眼をあげて、そちらをちらちら見ていたのだ。その生徒が云《い》った。

「ずいぶん豚というものは、奇体《きたい》なことになっている。水やスリッパや藁《わら》をたべて、それをいちばん上等な、脂肪や肉にこしらえる。豚のからだはまあたとえば生きた一つの触媒だ。白金と同じことなのだ。無機体では白金だし有機体では豚なのだ。考えれば考える位、これは変になることだ。」

豚はもちろん自分の名が、白金と並べられたのを聞いた。それから豚は、白金が、一匁《もんめ》三十円することを、よく知っていたものだから、自分のからだが二十貫で、いくらになるということも勘定がすぐ出来たのだ。豚はぴたっと耳を伏せ、眼を半分だけ閉じて、前肢《まえあし》をきくっと曲げながらその勘定をやったのだ。

20×1000×30＝600000　実に六十万円だ。六十万円といったならそのころのフランドンあたりでは、まあ第一流の紳士なのだ。いまだってそうかも知れない。さあ第一流の紳士だもの、豚がすっかり幸福を感じ、あの頭のかげの方の鮫《さめ》によく似た大きな口を、にやにや曲げてよろこんだのも、けして無理とは云われない。

ところが豚の幸福も、あまり永くは続かなかった。

それから二三日たって、そのフランドンの豚は、どさりと上から落ちて来た一かたまりのたべ物から、（大学生諸君、意志を鞏固《きょうこ》にもち給え。いいかな。）たべ物の中から、一寸《ちょっと》細長い白いもので、さきにみじかい毛を植えた、ごく率直に云うならば、ラクダ印の歯磨楊子《はみがきようじ》、それを見たのだ。どうもいやな説教で、折角《せっかく》洗礼を受けた、大学生諸君にすまないが少しこらえてくれ給《たま》え。

豚は実にぎょっとした。一体、その楊子の毛をみると、自分のからだ中の毛が、風に吹かれた草のよう、ザラッザラッと鳴ったのだ。豚は実に永い間、変な顔して、眺めていたが、とうとう頭がくらくらして、いやないやな気分になった。いきなり向うの敷藁《しきわら》に頭を埋めてくるっと寝てしまったのだ。

晩方になり少し気分がよくなって、豚はしずかに起きあがる。気分がいいと云ったって、結局豚の気分だから、苹果《りんご》のようにさくさくし、青ぞらのように光るわけではもちろんない。これ灰色の気分である。灰色にしてややつめたく、透明なるところの気分である。さればまことに豚の心もちをわかるには、豚になって見るより致し方ない。

外来ヨークシャイヤでも又黒いバアクシャイヤでも豚は決して自分が魯鈍《ろどん》だとか、怠惰《たいだ》だとかは考えない。最も想像に困難なのは、豚が自分の平らなせなかを、棒でどしゃっとやられたとき何と感ずるかということだ。さあ、日本語だろうか伊太利亜《イタリア》語だろうか独乙《ドイツ》語だろうか英語だろうか。さあどう表現したらいいか。さりながら、結局は、叫び声以外わからない。カント博士と同様に全く不可知なのである。

さて豚はずんずん肥り、なんべんも寝たり起きたりした。フランドン農学校の畜産学の先生は、毎日来ては鋭い眼で、じっとその生体量を、計算しては帰って行った。「も少しきちんと窓をしめて、室《へや》中暗くしなくては、脂がうまくかからんじゃないか。それにもうそろそろと肥育をやってもよかろうな、毎日阿麻仁《あまに》を少しずつやって置いて呉《く》れないか。」教師は若い水色の、上着の助手に斯《こ》う云った。豚はこれをすっかり聴いた。そして又大へんいやになった。楊子のときと同じだ。折角のその阿麻仁も、どうもうまく咽喉《のど》を通らなかった。これらはみんな畜産の、その教師の語気について、豚が直覚したのである。（とにかくあいつら二人は、おれにたべものはよこすが、時々まるで北極の、空のような眼をして、おれのからだをじっと見る、実に何ともたまらない、とりつきばもないようなきびしいこころで、おれのことを考えている、そのことは恐い、ああ、恐い。）豚は心に思いながら、もうたまらなくなり前の柵《さく》を、むちゃくちゃに鼻で突っ突いた。

ところが、丁度《ちょうど》その豚の、殺される前の月になって、一つの布告がその国の、王から発令されていた。

それは家畜撲殺《ぼくさつ》同意調印法といい、誰《たれ》でも、家畜を殺そうというものは、その家畜から死亡承諾書を受け取ること、又その承諾証書には家畜の調印を要すると、こう云う布告だったのだ。

さあそこでその頃は、牛でも馬でも、もうみんな、殺される前の日には、主人から無理に強いられて、証文にペタリと印を押したもんだ。ごくとしよりの馬などは、わざわざ蹄鉄《ていてつ》をはずされて、ぼろぼろなみだをこぼしながら、その大きな判をぱたっと証書に押したのだ。

フランドンのヨークシャイヤも又活版刷りに出来ているその死亡証書を見た。見たというのは、或《あ》る日のこと、フランドン農学校の校長が、大きな黄色の紙を持ち、豚のところにやって来た。豚は語学も余程進んでいたのだし、又実際豚の舌は柔らかで素質も充分あったのでごく流暢《りゅうちょう》な人間語で、しずかに校長に挨拶《あいさつ》した。

「校長さん、いいお天気でございます。」

校長はその黄色な証書をだまって小わきにはさんだまま、ポケットに手を入れて、にがわらいして斯う云った。

「うんまあ、天気はいいね。」

豚は何だか、この語《ことば》が、耳にはいって、それから咽喉につかえたのだ。おまけに校長がじろじろと豚のからだを見ることは全くあの畜産の、教師とおんなじことなのだ。豚はかなしく耳を伏せた。そしてこわごわ斯う云った。

「私はどうも、このごろは、気がふさいで仕方ありません。」

校長は又にがわらいを、しながら豚に斯う云った。

「ふん。気がふさぐ。そうかい。もう世の中がいやになったかい。そういうわけでもないのかい。」豚があんまり陰気な顔をしたものだから校長は急いで取り消しました。

それから農学校長と、豚とはしばらくしいんとしてにらみ合ったまま立っていた。ただ一言も云わないでじいっと立って居《お》ったのだ。そのうちにとうとう校長は今日は証書はあきらめて、

「とにかくよくやすんでおいで。あんまり動きまわらんでね。」例の黄いろな大きな証書を小わきにかいこんだまま、向うの方へ行ってしまう。

豚はそのあとで、何べんも、校長の今の苦笑やいかにも底意のある語を、繰り返し繰り返しして見て、身ぶるいしながらひとりごとした。

『とにかくよくやすんでおいで。あんまり動きまわらんでね。』一体これはどう云う事か。ああつらいつらい。豚は斯う考えて、まるであの梯形《ていけい》の、頭も割れるように思った。おまけにその晩は強いふぶきで、外では風がすさまじく、乾いたカサカサした雪のかけらが、小屋のすきまから吹きこんで豚のたべものの余りも、雪でまっ白になったのだ。

ところが次の日のこと、畜産学の教師が又やって来て例の、水色の上着を着た、顔の赤い助手といつものするどい眼付して、じっと豚の頭から、耳から背中から尻尾《しっぽ》まで、まるでまるで食い込むように眺めてから、尖《とが》った指を一本立てて、

「毎日阿麻仁をやってあるかね。」

「やってあります。」

「そうだろう。もう明日だって明後日《あさって》だって、いいんだから。早く承諾書をとれぁいいんだ。どうしたんだろう、昨日校長は、たしかに証書をわきに挟《はさ》んでこっちの方へ来たんだが。」

「はい、お入りのようでした。」

「それではもうできてるかしら。出来ればすぐよこす筈《はず》だがね。」

「はあ。」

「も少し室をくらくして、置いたらどうだろうか。それからやる前の日には、なにも飼料をやらんでくれ。」

「はあ、きっとそう致します。」

畜産の教師は鋭い目で、もう一遍じいっと豚を見てから、それから室を出て行った。

そのあとの豚の煩悶《はんもん》さ、（承諾書というのは、何の承諾書だろう何を一体しろと云うのだ、やる前の日には、なんにも飼料をやっちゃいけない、やる前の日って何だろう。一体何をされるんだろう。どこか遠くへ売られるのか。ああこれはつらいつらい。）豚の頭の割れそうな、ことはこの日も同じだ。その晩豚はあんまりに神経が興奮し過ぎてよく睡《ねむ》ることができなかった。ところが次の朝になって、やっと太陽が登った頃、寄宿舎の生徒が三人、げたげた笑って小屋へ来た。そして一晩睡らないで、頭のしんしん痛む豚に、又もや厭《いや》な会話を聞かせたのだ。

「いつだろうなあ、早く見たいなあ。」

「僕は見たくないよ。」

「早いといいなあ、囲って置いた葱《ねぎ》だって、あんまり永いと凍っちまう。」

「馬鈴薯《ばれいしょ》もしまってあるだろう。」

「しまってあるよ。三斗しまってある。とても僕たちだけで食べられるもんか。」

「今朝はずいぶん冷たいねえ。」一人が白い息を手に吹きかけながら斯う云いました。

「豚のやつは暖かそうだ。」一人が斯う答えたら三人共どっとふき出しました。

「豚のやつは脂肪でできた、厚さ一寸の外套《がいとう》を着てるんだもの、暖かいさ。」

「暖かそうだよ。どうだ。湯気さえほやほやと立っているよ。」

豚はあんまり悲しくて、辛《つら》くてよろよろしてしまう。

「早くやっちまえばいいな。」

三人はつぶやきながら小屋を出た。そのあとの豚の苦しさ、(見たい、見たくない、早いといい、葱が凍る、馬鈴薯三斗、食いきれない。厚さ一寸の脂肪の外套、おお恐い、ひとのからだをまるで観透《みとお》してるおお恐い。恐い。けれども一体おれと葱と、何の関係があるだろう。ああつらいなあ。)その煩悶の最中に校長が又やって来た。入口でばたばた雪を落して、それから例のあいまいな苦笑をしながら前に立つ。

「どうだい。今日は気分がいいかい。」

「はい、ありがとうございます。」

「いいのかい。大へん結構だ。たべ物は美味《おい》しいかい。」

「ありがとうございます。大へんに結構でございます。」

「そうかい。それはいいね、ところで実は今日はお前と、内内相談に来たのだがね、どうだ頭ははっきりかい。」

「はあ。」豚は声がかすれてしまう。

「実はね、この世界に生きてるものは、みんな死ななけぁいかんのだ。実際もうどんなもんでも死ぬんだよ。人間の中の貴族でも、金持でも、又私のような、中産階級でも、それからごくつまらない乞食《こじき》でもね。」

「はあ、」豚は声が咽喉につまって、はっきり返事ができなかった。

「また人間でない動物でもね、たとえば馬でも、牛でも、鶏でも、なまずでも、バクテリヤでも、みんな死ななけぁいかんのだ。蜉蝣《かげろう》のごときはあしたに生れ、夕《ゆうべ》に死する、ただ一日の命なのだ。みんな死ななけぁならないのだ。だからお前も私もいつか、きっと死ぬのにきまってる。」

「はあ。」豚は声がかすれて、返事もなにもできなかった。

「そこで実は相談だがね、私たちの学校では、お前を今日まで養って来た。大したこともなかったが、学校としては出来るだけ、ずいぶん大事にしたはずだ。お前たちの仲間もあちこちに、ずいぶんあるし又私も、まあよく知っているのだが、でそう云っちゃ可笑《おか》しいが、まあ私の処《ところ》ぐらい、待遇のよい処はない。」

「はあ。」豚は返事しようと思ったが、その前にたべたものが、みんな咽喉へつかえてどうしても声が出て来なかった。

「でね、実は相談だがね、お前がもしも少しでも、そんなようなことが、ありがたいと云う気がしたら、ほんの小さなたのみだが承知をしては貰えまいか。」

「はあ。」豚は声がかすれて、返事がどうしてもできなかった。

「それはほんの小さなことだ。ここに斯《こ》う云う紙がある、この紙に斯う書いてある。死亡承諾書、私儀永々御恩顧の次第に有之候儘《これありそうろうまま》、御都合により、何時《いつ》にても死亡仕《つかまつ》るべく候《そうろう》　年月日フランドン畜舎内、ヨークシャイヤ、フランドン農学校長殿　とこれだけのことだがね、」校長はもう云い出したので、一瀉千里《いっしゃせんり》にまくしかけた。「つまりお前はどうせ死ななけぁいかないからその死ぬときはもう潔《いさぎよ》く、いつでも死にますと斯う云うことで、一向何でもないことさ。死ななくてもいいうちは、一向死ぬことも要らないよ。ここの処へただちょっとお前の前肢《まえあし》の爪印《つめいん》を、一つ押しておいて貰いたい。それだけのことだ。」

豚は眉《まゆ》を寄せて、つきつけられた証書を、じっとしばらく眺めていた。校長の云う通りなら、何でもないがつくづくと証書の文句を読んで見ると、まったく大へんに恐かった。とうとう豚はこらえかねてまるで泣声でこう云った。

「何時にてもということは、今日でもということですか。」

校長はぎくっとしたが気をとりなおしてこう云った。

「まあそうだ。けれども今日だなんて、そんなことは決してないよ。」

「でも明日でもというんでしょう。」

「さあ、明日なんていうようそんな急でもないだろう。いつでも、いつかというようようだ。ごくあいまいなことなんだ。」

「死亡をするということは私が一人で死ぬのですか。」豚は又金切声で斯うきいた。

「うん、すっかりそうでもないな。」

「いやです、いやです、そんならいやです。どうしてもいやです。」豚は泣いて叫んだ。

「いやかい。それでは仕方ない。お前もあんまり恩知らずだ。犬猫にさえ劣ったやつだ。」校長はぷんぷん怒り、顔をまっ赤にしてしまい証書をポケットに手早くしまい、大股《おおまた》に小屋を出て行った。

「どうせ犬猫なんかには、はじめから劣っていますよう。わあ」豚はあんまり口惜《くや》しさや、悲しさが一時にこみあげて、もうあらんかぎり泣きだした。けれども半日ほど泣いたら、二晩も眠らなかった疲れが、一ぺんにどっと出て来たのでつい泣きながら寝込んでしまう。その睡《ねむ》りの中でも豚は、何べんも何べんもおびえ、手足をぶるっと動かした。

　ところがその次の日のことだ。あの畜産の担任が、助手を連れて又やって来た。そして例のたまらない、目付きで豚をながめてから、大へん機嫌の悪い顔で助手に向ってこう云った。

「どうしたんだい。すてきに肉が落ちたじゃないか。これじゃまるきり話にならん。百姓のうちで飼ったってこれ位にはできるんだ。一体どうしたてんだろう。心当りがつかないかい。頬肉《ほおにく》なんかあんまり減った。おまけにショウルダアだって、こんなに薄くちゃなってない。品評会へも出せぁしない。一体どうしたてんだろう。」

助手は唇《くちびる》へ指をあて、しばらくじっと考えて、それからぼんやり返事した。

「さあ、昨日の午后に校長が、おいでになっただけでした。それだけだったと思います。」

畜産の教師は飛び上る。

「校長？　そうかい。校長だ。きっと承諾書を取ろうとして、すてきなぶまをやったんだ。おじけさせちゃったんだな。それでこいつはぐるぐるして昨夜一晩寝ないんだな。まずいことになったなあ。おまけにきっと承諾書も、取り損ねたにちがいない。まずいことになったなあ。」

教師は実に口惜しそうに、しばらくキリキリ歯を鳴らし腕を組んでから又云った。

「えい、仕方ない。窓をすっかり明けて呉れ。それから外へ連れ出して、少し運動させるんだ。む茶くちゃにたたいたり走らしたりしちゃいけないぞ。日の照らない処を、厩舎《きゅうしゃ》の陰のあたりの、雪のない草はらを、そろそろ連れて歩いて呉れ。一回十五分位、それから飼料をやらないで少し腹を空《す》かせてやれ。すっかり気分が直ったらキャベジのいい処を少しやれ。それからだんだん直ったら今まで通りにすればいい。まるで一ヶ月の肥育を、一晩で台なしにしちまった。いいかい。」

「承知いたしました。」

教師は教員室へ帰り豚はもうすっかり気落ちして、ぼんやりと向うの壁を見る、動きも叫びもしたくない。ところへ助手が細い鞭《むち》を持って笑って入って来た。助手は囲いの出口をあけごく叮寧《ていねい》に云ったのだ。

「少しご散歩はいかがです。今日は大へんよく晴れて、風もしずかでございます。それではお供いたしましょう、」ピシッと鞭がせなかに来る、全くこいつはたまらない、ヨークシャイヤは仕方なくのそのそ畜舎を出たけれど胸は悲しさでいっぱいで、歩けば裂けるようだった。助手はのんきにうしろから、チッペラリーの口笛を吹いてゆっくりやって来る。鞭もぶらぶらふっている。

全体何がチッペラリーだ。こんなにわたしはかなしいのにと豚は度々口をまげる。時々は
「ええもう少し左の方を、お歩きなさいましては、いかがでございますか。」なんて、口ばかりうまいことを云いながら、ピシッと鞭を呉れたのだ。（この世はほんとうにつらいつらい、本当に苦の世界なのだ。）こてっとぶたれて散歩しながら豚はつくづく考えた。

「さあいかがです、そろそろお休みなさいませ。」助手は又一つピシッとやる。ウルトラ大学生諸君、こんな散歩が何で面白いだろう。からだの為《ため》も何もあったもんじゃない。

豚は仕方なく又畜舎に戻りごろっと藁《わら》に横になる。キャベジの青いいい所を助手はわずか持って来た。豚は喰べたくなかったが助手が向うに直立して何とも云えない恐い眼で上からじっと待っている、ほんとうにもう仕方なく、少しそれを嚙《か》じるふりをしたら助手はやっと安心して一つ「ふん。」と笑ってからチッペラリーの口笛を又吹きながら出て行った。いつか窓がすっかり明け放してあったので豚は寒くて耐《たま》らなかった。

こんな工合《ぐあい》にヨークシャイヤは一日思いに沈みながら三日を夢のように送る。

四日目に又畜産の、教師が助手とやって来た。ちらっと豚を一眼見て、手を振りながら助手に云う。

「いけないいけない。君はなぜ、僕の云った通りしなかった。」

「いいえ、窓もすっかり明けましたし、キャベジのいいのもやりました。運動も毎日叮寧に、十五分ずつやらしています。」

「そうかね、そんなにまでもしてやって、やっぱりうまくいかないかね、じゃもうこいつは瘠《や》せる一方なんだ。神経性営養《えいよう》不良なんだ。わきからどうも出来やしない。あんまり骨と皮だけに、ならないうちにきめなくちゃ、どこまで行くかわからない。おい。窓をみなしめて呉れ。そして肥育器を使うとしよう、飼料をどしどし押し込んで呉れ。麦のふすまを二升とね、阿麻仁を二合、それから玉蜀黍《とうもろこし》の粉を、五合を水でこねて、団子にこさえて一日に、二度か三度ぐらいに分けて、肥育器にかけて呉れ給え。肥育器はあったろう。」

「はい、ございます。」

「こいつは縛って置き給え。いや縛る前に早く承諾書をとらなくちゃ。校長もさっぱり拙《まず》いなぁ。」

畜産の教師は大急ぎで、教舎の方へ走って行き、助手もあとから出て行った。

間もなく農学校長が、大へんあわててやって来た。豚は身体《からだ》の置き場もなく鼻で敷藁を掘ったのだ。

「おおい、いよいよ急がなきゃならないよ。先頃《せんころ》の死亡承諾書ね、あいつへ今日はどうしても、爪判《つめばん》を押して貰いたい。別に大した事じゃない。押して呉れ。」

「いやですいやです。」豚は泣く。

「厭《いや》だ？　おい。あんまり勝手を云うんじゃない、その身体は全体みんな、学校のお陰で出来たんだ。これからだって毎日麦のふすま二升阿麻仁二合と玉蜀黍の、粉五合ずつやるんだぞ、さあいい加減に判をつけ、さあつかないか。」

なるほど斯う怒り出して見ると、校長なんというものは、実際恐いものなんだ。豚はすっかりおびえて了《しま》い、

「つきます。つきます。」と、かすれた声で云ったのだ。

「よろしい、では。」と校長は、やっとのことに機嫌を直し、手早くあの死亡承諾書の、黄いろな紙をとり出して、豚の眼の前にひろげたのだ。

「どこへつけばいいんですか。」豚は泣きながら尋ねた。

「ここへ。おまえの名前の下へ。」校長はじっと眼鏡越しに、豚の小さな眼を見て云った。豚は口をびくびく横に曲げ、短い前の右肢《みぎあし》を、きくっと挙げてそれからピタリと印をおす。

「うはん。よろしい。これでいい。」校長は紙を引っぱって、よくその判を調べてから、機嫌を直してこう云った。戸口で待っていたらしくあの意地わるい畜産の教師がいきなりやって来た。

「いかがです。うまく行きましたか。」

「うん。まあできた。ではこれは、あなたにあげて置きますから。ええ、肥育は何日ぐらいかね、」

「さあいずれ模様を見まして、鶏やあひるなどですと、きっと間違いなく肥りますが、斯う云う神経過敏な豚は、或《あるい》は強制肥育では甘《うま》く行かないかも知れません。」

「そうか。なるほど。とにかくしっかりやり給え。」

そして校長は帰って行った。今度は助手が変てこな、ねじのついたズックの管と、何かのバケツを持って来た。畜産の教師は云いながら、そのバケツの中のものを、一寸《ちょ》つまんで調べて見た。

「そいじゃ豚を縛って呉れ。」助手はマニラロープを持って、囲いの中に飛び込んだ。豚はばたばた暴れたがとうとう囲いの隅にある、二つの鉄の環《わ》に右側の、足を二本共縛られた。

「よろしい、それではこの端を、咽喉へ入れてやって呉れ。」畜産の教師は云いながら、ズックの管を助手に渡す。

「さあ口をお開きなさい。さあ口を。」助手はしずかに云ったのだが、豚は堅く歯を食いしばり、どうしても口をあかなかった。

「仕方ない。こいつを噛《か》ましてやって呉れ。」短い鋼の管を出す。

助手はぎしぎしその管を豚の歯の間にねじ込んだ。豚はもうあらんかぎり、怒鳴《どな》ったり泣いたりしたが、とうとう管をはめられて、咽喉の底だけで泣いていた。助手はその鋼の管の間から、ズックの管を豚の咽喉まで押し込んだ。

「それでよろしい。ではやろう。」教師はバケツの中のものを、ズック管の端の漏斗《じょうご》に移して、それから変な螺旋《らせん》を使い食物を豚の胃に送る。豚はいくら呑《の》むまいとしても、どうしても咽喉で負けてしまい、その練ったものが胃の中に、入ってだんだん腹が重くなる。これが強制肥育だった。

豚の気持ちの悪いこと、まるで夢中で一日泣いた。

次の日教師が又来て見た。

「うまい、肥った。効果がある。これから毎日小使と、二人で二度ずつやって呉れ。」

こんな工合でそれから七日というものは、豚はまるきり外で日が照っているやら、風が吹いてるやら見当もつかず、ただ胃が無暗《むやみ》に重苦しくそれからいやに頬や肩が、ふくらんで来ておしまいは息をするのもつらいくらい、生徒も代る代る来て、何かいろいろ云っていた。

あるときは生徒が十人ほどやって来てがやがや斯う云った。

「ずいぶん大きくなったなあ、何貫ぐらいあるだろう。」

「さあ先生なら一目見て、何百目まで云うんだが、おれたちじゃちょっとわからない。」

「比重がわからないからなあ。」

「比重はわかるさ比重なら、大抵水と同じだろう。」

「どうしてそれがわかるんだい。」

「だって大抵そうだろう。もしもこいつを水に入れたら、きっと沈みも浮《うか》びもしない。」

「いいやたしかに沈まない、きっと浮ぶにきまってる。」

「それは脂肪のためだろう、けれど豚にも骨はある。それから肉もあるんだから、たぶん比重は一ぐらいだ。」

「比重をそんなら一として、こいつは何斗あるだろう。」

「五斗五升はあるだろう。」

「いいや五斗五升などじゃない。少く見ても八斗ある。」

「八斗なんかじゃきかないよ。たしかに九斗はあるだろう。」

「まあ、七斗としよう。七斗なら水一斗が五貫だから、こいつは丁度三十五貫。」

「三十五貫はあるな。」

こんなはなしを聞きながら、どんなに豚は泣いたろう。なんでもこれはあんまりひどい。ひとのからだを枡《ます》ではかる。七斗だの八斗だのという。

そうして丁度七日目に又あの教師が助手と二人、並んで豚の前に立つ。

「もういいようだ。丁度いい。この位まで肥ったらまあ極度だろう。この辺だ。あんまり肥育をやり過ぎて、一度病気にかかってもまたあとまわりになるだけだ。丁度あしたがいいだろう。今日はもう飼《えさ》をやらんでくれ。それから小使と二人してからだをすっかり洗って呉れ。敷藁も新らしくしてね。いいか。」

「承知いたしました。」

豚はこれらの問答を、もう全身の勢力で耳をすまして聴いて居た。（いよいよ明日だ、それがあの、証書の死亡ということか。いよいよ明日だ、明日なんだ。一体どんな事だろう、つらいつらい。）あんまり豚はつらいので、頭をゴツゴツ板へぶっつけた。

そのひるすぎに又助手が、小使と二人やって来た。そしてあの二つの鉄環《てつわ》から、豚の足を解いて助手が云う。

「いかがです、今日は一つ、お風呂をお召しなさいませ。すっかりお仕度ができて居ます。」

豚がまだ承知とも、何とも云わないうちに、鞭がピシッとやって来た。豚は仕方なく歩き出したが、あんまり肥ってしまったので、もううごくことの大儀なこと、三足で息がはあはあした。

そこへ鞭がピシッと来た。豚はまるで潰《つぶ》れそうになり、それでもようよう畜舎の外まで出たら、そこに大きな木の鉢《はち》に湯が入ったのが置いてあった。

「さあ、この中にお入りなさい。」助手が又一つパチッとやる。豚はもうやっとのことで、ころげ込むようにしてその高い縁を越えて、鉢の中へ入ったのだ。

小使が大きなブラッシをかけて、豚のからだをきれいに洗う。そのブラッシをチラッと見て、豚は馬鹿のように叫んだ。というわけはそのブラッシが、やっぱり豚の毛でできた。豚がわめいているうちにからだがすっかり白くなる。

「さあ参りましょう。」助手が又、一つピシッと豚をやる。

豚は仕方なく外に出る。寒さがぞくぞくからだに浸《し》みる。豚はとうとうくしゃみをする。

「風邪を引きますぜ、こいつは。」小使が眼を大きくして云った。

「いいだろうさ。腐りがたくて。」助手が苦笑して云った。

豚が又畜舎へ入ったら、敷藁がきれいに代えてあった。寒さはからだを刺すようだ。それに今朝からまだ何も食べないので、胃ももうからになったらしく、あらしのようにゴウゴウ鳴った。

豚はもう眼もあけず頭がしんしん鳴り出した。ヨークシャイヤの一生の間のいろいろな恐ろしい記憶が、まるきり廻り灯籠《どうろう》のように、明るくなったり暗くなったり、頭の中を過ぎて行く。さまざまな恐ろしい物音を聞く。それは豚の外で鳴ってるのか、あるいは豚の中で鳴ってるのか、それさえわからなくなった。そのうちもういつか朝になり教舎の方で鐘が鳴る。間もなくがやがや声がして、生徒が沢山やって来た。助手もやっぱりやって来た。

「外でやろうか。外の方がやはりいいようだ。連れ出して呉れ。おい。連れ出してあんまりギーギー云わせないようにね。まずくなるから。」

畜産の教師がいつの間にか、ふだんとちがった茶いろなガウンのようなものを着て入口の戸に立っていた。

助手がまじめに入って来る。

「いかがですか。天気も大変いいようです。今日少しご散歩なすっては。」又一つ鞭をピチッとあてた。豚は全く異議もなく、はあはあ頬をふくらせて、ぐたっぐたっと歩き出す。前や横を生徒たちの、二本ずつの黒い足が夢のように動いていた。

俄《にわ》かにカッと明るくなった。外では雪に日が照って豚はまぶしさに眼を細くし、やっぱりぐたぐた歩いて行った。

全体どこへ行くのやら、向うに一本の杉がある、ちらっと頭をあげたとき、俄かに豚はピカッという、はげしい白光のようなものが花火のように眼の前でちらばるのを見た。そいつから億百千の赤い火が水のように横に流れ出した。天上の方ではキーンという鋭い音が鳴っている。横の方ではごうごう水が湧いている。さあそれからあとのことならば、もう私は知らないのだ。とにかく豚のすぐよこにあの畜産の、教師が、大きな鉄槌《てっつい》を持ち、息をはあはあ吐きながら、少し青ざめて立っている。又豚はその足もとで、たしかにクンクンと二つだけ、鼻を鳴らしてじっとうごかなくなっていた。

生徒らはもう大活動、豚の身体を洗った桶《おけ》に、も一度新らしく湯がくまれ、生徒らはみな上着の袖《そで》を、高くまくって待っていた。

助手が大きな小刀で豚の咽喉をザクッと刺しました。

一体この物語は、あんまり哀れ過ぎるのだ。もうこのあとはやめにしよう。とにかく豚はすぐあとで、からだを八つに分解されて、厩舎のうしろに積みあげられた。雪の中に一晩漬《つ》けられた。

さて大学生諸君、その晩空はよく晴れて、金牛宮もきらめき出し、二十四日の銀の角、つめたく光る弦月が、青じろい水銀のひかりを、そこらの雲にそそぎかけ、そのつめたい白い雪の中、戦場の墓地のように積みあげられた雪の底に、豚はきれいに洗われて、八きれになって埋《うず》まった。月はだまって過ぎて行く。夜はいよいよ冴《さ》えたのだ。

洞熊學校を卒業した三人

ほらくまがっこうをそつぎょうしたさんにん

赤い手の長い蜘蛛《くも》と、銀いろのなめくじと、顔を洗ったことのない狸《たぬき》が、いっしょに洞熊《ほらくま》学校にはいりました。洞熊先生の教えることは三つでした。

一年生のときは、うさぎと亀のかけくらのことで、も一つは大きいものがいちばん立派だということでした。それから三人はみんな一番になろうと一生けん命競争しました。一年生のときは、なめくじと狸がしじゅう遅刻して罰を食ったために蜘蛛が一番になった。なめくじと狸とは泣いて口惜《くや》しがった。二年生のときは、洞熊先生が点数の勘定を間違ったために、なめくじが一番になり蜘蛛と狸とは歯ぎしりしてくやしがった。三年生の試験のときは、あんまりあたりが明るいために洞熊先生が涙をこぼして眼をつぶってばかりいたものですから、狸は本を見て書きました。そして狸が一番になりました。そこで赤い手長の蜘蛛と、銀いろのなめくじと、それから顔を洗ったことのない狸が、一しょに洞熊学校を卒業しました。三人は上べは大へん仲よそうに、洞熊先生を呼んで謝恩会ということをしたりこんどはじぶんらの離別会ということをやったりしましたけれども、お互にみな腹のなかでは、へん、あいつらに何ができるもんか、これから誰《たれ》がいちばん大きくえらくなるか見ていろと、そのことばかり考えておりました。さて会も済んで三人はめいめいじぶんのうちに帰っていよいよ習ったことをじぶんでほんとうにやることになりました。洞熊先生の方もこんどはどぶ鼠《ねずみ》をつかまえて学校に入れようと毎日追いかけて居《お》りました。

ちょうどそのときはかたくりの花の咲くころで、たくさんのたくさんの眼の碧《あお》い蜂の仲間が、日光のなかをぶんぶんぶんぶん飛び交いながら、一つ一つの小さな桃いろの花に挨拶《あいさつ》して蜜や香料を貰ったり、そのお礼に黄金《きん》いろをした円《まる》い花粉をほかの花のところへ運んでやったり、あるいは新らしい木の芽からいらなくなった蠟《ろう》を集めて六角形の巣を築いたりもういそがしくにぎやかな春の入口になっていました。

一、蜘蛛はどうしたか。

蜘蛛は会の済んだ晩方じぶんのうちの森の入口の楢《なら》の木に帰って来ました。ところが蜘蛛はもう洞熊学校でお金をみんなつかっていましたからもうなにひとつもっていませんでした。そこでひもじいのを我慢して、ぼんやりしたお月様の光で網をかけはじめた。

あんまりひもじくてからだの中にはもう糸もない位であった。けれども蜘蛛は「いまに見ろ、いまに見ろ」と云《い》いながら、一生けん命糸をたぐり出して、やっと小さな二銭銅貨位の網をかけた。そして枝のかげにかくれてひとばん眼をひからして網をのぞいていた。

夜あけごろ、遠くから小さなこどものあぶがくうんとうなってやって来て網につきあたった。けれどもあんまりひもじいときかけた網なので、糸に少しもねばりがなくて、子どものあぶはすぐ糸を切って飛んで行こうとした。

蜘蛛はまるできちがいのように、枝のかげから駆け出してむんずとあぶに食いついた。

あぶの子どもは「ごめんなさい。ごめんなさい。ごめんなさい。」と哀れな声で泣いたけれども、蜘蛛は物も云わずに頭から羽からあしまで、みんな食ってしまった。そしてほっと息をついてしばらくそらを向いて腹をこすってから、又少し糸をはいた。そして網が一まわり大きくなった。

蜘蛛はまた枝のかげに戻って、六つの眼をギラギラ光らせながらじっと網をみつめて居た。

「ここはどこでござりまするな。」と云いながらめくらのかげろうが杖《つえ》をついてやって来た。

「ここは宿屋ですよ。」と蜘蛛が六つの眼を別々にパチパチさせて云った。

かげろうはやれやれというように、巣へ腰をかけました。蜘蛛は走って出ました。

そして
「さあ、お茶をおあがりなさい。」と云いながらいきなりかげろうの胴中に嚙みつきました。
かげろうはお茶をとろうとして出した手を空にあげて、バタバタもがきながら、
「あわれやむすめ、父親が、
旅で果てたと聞いたなら」と哀れな声で歌い出しました。
「えい。やかましい。じたばたするな。」と蜘蛛が云いました。するとかげろうは手を合せて
「お慈悲でございます。遺言のあいだ、ほんのしばらくお待ちなされて下されませ。」とねがいました。
蜘蛛もすこし哀れになって
「よし早くやれ。」といってかげろうの足をつかんで待っていました。かげろうはほんとうにあわれな細い声ではじめから歌い直しました。
「あわれやむすめちちおやが、
旅ではてたと聞いたなら、
ちさいあの手に白手甲、
いとし巡礼《じゅんれ》の雨とかぜ。

もうしご冥加《みょうが》ご報謝と、
かどなみなみに立つとても、
非道の蜘蛛の網ざしき、
さわるまいぞや。よるまいぞ。」
「小しゃくなことを。」と蜘蛛はただ一息に、かげろうを食い殺してしまいました。そしてしばらくそらを向いて、腹をこすってからちょっと眼をぱちぱちさせて
「小しゃくなことを言うまいぞ。」とふざけたように歌いながら又糸をはきました。
網は三まわり大きくなって、もう立派なこうもりがさのような巣だ。蜘蛛はすっかり安心して、又葉のかげにかくれました。その時下の方でいい声で歌うのをききました。
「赤いてながのくぅも、
天のちかくをはいまわり、
スルスル光のいとをはき、
きぃらりきぃらり巣をかける。」
見るとそれはきれいな女の蜘蛛でした。
「ここへおいで」と手長の蜘蛛が云って糸を一本すうっとさげてやりました。
女の蜘蛛がすぐそれにつかまってのぼって来ました。そして二人は夫婦になりまし

た。網には毎日沢山食べるものがかかりましたのでおかみさんの蜘蛛は、それを沢山たべてみんな子供にしてしまいました。そこで子供が沢山《たくさん》生まれました。所がその子供らはあんまり小さくてまるですきとおる位です。

　子供らは網の上ですべったり、相撲《すもう》をとったり、ぶらんこをやったり、それはそれはにぎやかです。おまけにある日とんぼが来て今度蜘蛛を虫けら会の副会長にするというみんなの決議をつたえました。

　ある日夫婦のくもは、葉のかげにかくれてお茶をのんでいますと、下の方でへらへらした声で歌うものがあります。

「あぁかい手ながのくぅも、
　できたむすこは二百疋《ぴき》、
　大きいところで稗《ひえ》のつぶ。」

　めくそ、はんかけ、蚊のなみだ、
　見るとそれはいつのまにかずっと大きくなったあの銀色のなめくじでした。

　蜘蛛のおかみさんはくやしがって、まるで火がついたように泣きました。

　けれども手長の蜘蛛は云いました。

「ふん。あいつはちかごろ、おれをねたんでるんだ。やい、なめくじ。おれは今度は虫けら会の副会長になるんだぞ。へっ。くやしいか。へっ。てまえなんかいくらからだばかりふとっても、こんなことはできまい。へっへっ。」

なめくじはあんまりくやしくて、しばらく熱病になって、

「うう、くもめ、よくもぶじょくしたな。うう。くもめ。」といっていました。

網は時々風にやぶれたりごろつきのかぶとむしにこわされたりしましたけれどもくもはすぐすうすう糸をはいて修繕しました。

二百疋の子供は百九十八疋まで蟻に連れて行かれたり、行衛《ゆくえ》不明になったり、赤痢にかかったりして死んでしまいました。

けれども子供らは、どれもあんまりお互いに似ていましたので、親ぐもはすぐ忘れてしまいました。

そして今はもう網はすばらしいものです。虫がどんどんひっかかります。

ある日夫婦の蜘蛛は、葉のかげにかくれてまた茶をのんでいますと、一疋の旅の蚊がこっちへ飛んで来て、それから網を見てあわてて飛び戻って行った。くもは三あしばかりそっちへ出て行ってあきれたようにそっちを見送った。

すると下の方で大きな笑い声がしてそれから太い声で歌うのが聞えました。

「あぁかいてながのくぅも、
てながの赤いくも
あんまり網がまずいので、

八千二百里旅の蚊も、
くうんとうなってまわれ右。」

見るとそれは顔を洗ったことのない狸でした。蜘蛛はキリキリキリッとはがみをして云いました。

「何を。狸め。おれはいまに虫けら会の会長になってきっときさまにおじぎをさせて見せるぞ。」

それからは蜘蛛は、もう一生けん命であちこちに十も網をかけたり、夜も見はりをしたりしました。ところが諸君困ったことには腐敗したのだ。食物があんまりたまって、腐敗したのです。そして蜘蛛の夫婦と子供にそれがうつりました。そこで四人《よったり》は足のさきからだんだん腐れてべとべとになり、ある日とうとう雨に流れてしまいました。

ちょうどそのときはつめくさの花のさくころで、あの眼の碧《あお》い蜂の群は野原じゅうをもうあちこちにちらばって一つ一つの小さなぼんぼりのような花から火でももらうようにして蜜を集めて居りました。

二、銀色のなめくじはどうしたか。

丁度《ちょうど》蜘蛛が林の入口の楢の木に、二銭銅貨の位の網をかけた頃、銀色のなめくじの立派なうちへかたつむりがやって参りました。

その頃なめくじは学校も出たし人がよくて親切だというもう林中の評判だった。かたつむりは
「なめくじさん。今度は私《わたし》もすっかり困ってしまいましたよ。まだわたしの食べるものはなし、水はなし、すこしばかりお前さんのうちにためてあるふきのつゆを呉れませんか。」と云いました。

するとなめくじが云いました。

「あげますともあげますとも、さあ、おあがりなさい。」

「ああありがとうございます。助かります。」と云いながらかたつむりはふきのつゆをどくどくのみました。

「もっとおあがりなさい。あなたと私《わたくし》とは云わば兄弟。ハッハハ。さあ、さあ、も少しおあがりなさい。」となめくじが云いました。

「そんならも少しいただきます。ああありがとうございます。」と云いながらかたつむりはも少しのみました。

「かたつむりさん。気分がよくなったら一つひさしぶりで相撲をとりましょうか。ハッハハ。久しぶりです。」となめくじが云いました。

「おなかがすいて力がありません。」とかたつむりが云いました。

「そんならたべ物をあげましょう。さあ、おあがりなさい。」となめくじはあざみの芽やなんか出しました。

「ありがとうございます。それではいただきます。」といいながらかたつむりはそれを喰べました。

「さあ、すもうをとりましょう。ハッハハ。」となめくじがもう立ちあがりました。かたつむりも仕方なく、

「私《わたし》はどうも弱いのですから強く投げないで下さい。」と云いながら立ちあがりました。

「よっしょ。そら。ハッハハ。」かたつむりはひどく投げつけられました。

「もう一ぺんやりましょう。ハッハハ」

「もうつかれてだめです。」

「まあもう一ぺんやりましょうよ。ハッハハ。よっしょ。そら。ハッハハ。」かたつ

むりはひどく投げつけられました。

「もう一ぺんやりましょう。ハッハハ。」

「もうだめです。」

「まあもう一ぺんやりましょうよ。ハッハハ。よっしょ、そら。ハッハハ。」かたつむりはひどく投げつけられました。

「もう一ぺんやりましょう。ハッハハ。」

「もうだめ。」

「まあもう一ぺんやりましょうよ。ハッハハ。よっしょ。そら。ハッハハ。」かたつむりはひどく投げつけられました。

「もう一ぺんやりましょう。ハッハハ。」

「もう死にます。さよなら。」

「まあもう一ぺんやりましょうよ。ハッハハ。さあ。お立ちなさい。起こしてあげましょう。よっしょ。そら。ヘッヘッへ。」かたつむりは死んでしまいました。そこで銀色のなめくじはかたつむりを殻ごとみしみし喰べてしまいました。

それから一ヶ月ばかりたって、とかげがなめくじの立派なおうちへびっこをひいて来ました。そして
「なめくじさん。今日は。お薬をすこし呉れませんか。」と云いました。

「どうしたのです。」となめくじは笑って聞きました。

「へびに噛まれたのです。」ととかげが云いました。

「そんならわけはありません。私《わたし》が一寸《ちょっと》そこを嘗《な》めてあげましょう。わたしが嘗めればの毒はすぐ消えます。なにせ蛇さえ溶けるくらいですからな。ハッハハハ。」となめくじは笑って云いました。

「どうかお願い申します」ととかげは足を出しました。

「ええ。よござんすとも。私《わたくし》とあなたとは云わば兄弟。あなたと蛇も兄弟ですね。ハッハハ。」となめくじは云いました。

そしてなめくじはとかげの傷に口をあてました。「ありがとう。なめくじさん。」ととかげは云いました。

「も少しよく嘗めないとあとで大変ですよ。今度又来てももう直してあげませんよ。ハッハハ。」となめくじはもがもが返事をしながらやはりとかげを嘗めつづけました。

「なめくじさん。何だか足が溶けたようですよ。」ととかげはおどろいて云いました。

「ハッハハ。なあに。それほどじゃありません。ハッハハ。」となめくじはやはりもがもが答えました。

「なめくじさん。おなかが何だか熱くなりましたよ。」ととかげは心配して云いました。

「ハッハハ。なあにそれほどじゃありません。ハッハハ。」となめくじはやはりもがもが答えました。

「なめくじさん。からだが半分とけたようですよ。もうよして下さい。」ととかげは泣き声を出しました。

「ハッハハ。なあにそれほどじゃありません。ほんのも少しです。ハッハハ。」となめくじが云いました。

それを聞いたとき、とかげはやっと安心しました。安心したわけはそのとき丁度心臓がとけたのです。

そこでなめくじはペロリととかげをたべました。そして途方もなく大きくなりました。

あんまり大きくなったので嬉しまぎれについあの蜘蛛をからかったのでした。

そしてかえって蜘蛛からあざけられて、熱病を起して、毎日毎日、ようし、おれも大きくなるくらい大きくなったらこんどはきっと虫けら院の名誉議員になってくもが何か云ったときふうと息だけついて返事してやろうと云っていた。ところがこのころからなめくじの評判はどうもよくなくなりました。

なめくじはいつでもハッハハと笑って、そしてヘラヘラした声で物を言うけれども、どうも心がよくなくて蜘蛛やなんかよりは却《かえ》って悪いやつだというのでみんなが軽べつをはじめました。殊に狸はなめくじの話が出るといつでもヘンと笑って云いました。「なめくじのやりくちなんてまずいもんさ。ぶま加減は見られたもんじゃない。あんなやりかたで大きくなってもしれたもんだ。」

なめくじはこれを聞いていよいよ怒って早く名誉議員になろうとあせっていた。そのうちに蜘蛛が腐敗して溶けて雨に流れてしまいましたので、なめくじも少しせいせいしながら誰《たれ》か早く来るといいと思ってせっかく待っていた。

するとある日雨蛙《あまがえる》がやって参りました。

そして、

「なめくじさん。こんにちは。少し水を呑ませませんか。」と云いました。

なめくじはこの雨蛙もペロリとやりたかったので、思い切っていい声で申しました。

「蛙さん。これはいらっしゃい。水なんかいくらでもあげますよ。ちかごろはひでりですけれどもなあに云わばあなたと私《わたくし》は兄弟。ハッハハ。」そして水がめの所へ連れて行きました。

蛙はどくどくどくどく水を呑んでからとぼけたような顔をしてしばらくなめくじを見てから云いました。

「なめくじさん。ひとつすもうをとりましょうか。」なめくじはうまいと、よろこびました。自分が云おうと思っていたのを蛙の方が云ったのです。こんな弱ったやつならば五へん投げつければ大ていペロリとやれる。

「とりましょう。よっしょ。そら。ハッハハ。」かえるはひどく投げつけられました。

「もう一ぺんやりましょう。ハッハハ。よっしょ。そら。ハッハハ。」かえるは又投げつけられました。するとかえるは大へんあわててふところから塩のふくろを出して云いました。

「土俵へ塩をまかなくちゃだめだ。そら。シュウ。」塩が白くそこらへちらばった。

なめくじが云いました。

「かえるさん。こんどはきっと私《わたくし》なんかまけますね。あなたは強いんだもの。ハッハハ。よっしょ。そら。ハッハハ。」蛙はひどく投げつけられました。

そして手足をひろげて青じろい腹を空に向けて死んだようになってしまいました。銀色のなめくじは、すぐペロリとやろうと、そっちへ進みましたがどうしたのか足がうごきません。見るともう足が半分とけています。

「あ、やられた。塩だ。畜生。」となめくじが云いました。

蛙はそれを聞くと、むっくり起きあがってあぐらをかいて、かばんのような大きな口を一ぱいにあけて笑いました。そしてなめくじにおじぎをして云いました。

「いや、さよなら。なめくじさん。とんだことになりましたね。」

なめくじが泣きそうになって、

「蛙さん。さよ……。」と云ったときもう舌がとけました。雨蛙はひどく笑いながら「さよならと云いたかったのでしょう。本当にさよならさよなら。わたしもうちへ帰ってからたくさん泣いてあげますから。」と云いながら一目散に帰って行った。

そうそうこのときは丁度秋に蒔《ま》いた蕎麦《そば》の花がいちめん白く咲き出したときであの眼の碧いすがるの群はその四っ角な畑いっぱいうすあかい幹の間をぐったり花のついたちいさな枝をぶらんこのようにゆすぶったりしながら今年の終りの蜜をせっせと集めて居りました。

三、顔を洗わない狸。

狸はわざと顔を洗わなかったのだ。丁度蜘蛛が林の入口の楢の木に、二銭銅貨位の巣をかけた時、じぶんのうちのお寺へ帰っていたけれども、やっぱりすっかりお腹が空いて一本の松の木によりかかって目をつぶっていました。すると兎《うさぎ》がやって参りました。

「狸さま。こうひもじくては全く仕方ございません。もう死ぬだけでございます。」

狸がきもののえりを掻《か》き合せて云いました。

「そうじゃ。みんな往生じゃ。山猫大明神さまのおぼしめしどおりじゃ。な。なまねこ。なまねこ。」

兎も一緒に念猫《ねんねこ》をとなえはじめました。

狸は兎の手をとってもっと自分の方へ引きよせました。

「なまねこ、なまねこ、なまねこ、なまねこ。」

「なまねこ、なまねこ、みんな山猫さまのおぼしめしどおりになるのじゃ。なまねこ。なまねこ。」と云いながら兎の耳をかじりました。兎はびっくりして叫びました。

「あ痛っ。狸さん。ひどいじゃありませんか。」

狸はむにゃむにゃ兎の耳をかみながら、

「なまねこ、なまねこ、世の中のことはな、みんな山猫さまのおぼしめしのとおりじゃ。おまえの耳があんまり大きいのでそれをわしに噛《かじ》って直せというのは何というありがたいことじゃ。なまねこ。」と云いながら、とうとう兎の両方の耳をたべてしまいました。

兎もそうきいていると、たいへんうれしくてボロボロ涙をこぼして云いました。

「なまねこ、なまねこ。ああありがたい、山猫さま。私《わたし》のようなつまらないものを耳のことまでご心配くださいますとはありがたいことでございます。助かりますなら耳の二つやそこらなんでもございませぬ。なまねこ。」

狸もそら涙をボロボロこぼして
「なまねこ、なまねこ、こんどは兎の脚をかじれとはあんまりはねるためでございましょうか。はいはい、かじりますかじりますなまねこなまねこ。」と云いながら兎のあとあしをむにゃむにゃ食べました。

兎はますますよろこんで、

「ああありがたや、山猫さま。おかげでわたくしは脚がなくなってもう歩かなくてもよくなりました。ああありがたいなまねこなまねこ。」

狸はもうなみだで身体もふやけそうに泣いたふりをしました。

「なまねこ、なまねこ。みんなおぼしめしのとおりでございます。わたしのようなあさましいものでも、命をつないでお役にたてと仰《おっしゃ》られますか。はい、はい、これも仕方はございませぬ、なまねこなまねこ。おぼしめしのとおりにいたしまする。むにゃむにゃ。」

兎はすっかりなくなってしまいました。

そして狸のおなかの中で云いました。

「すっかりだまされた。お前の腹の中はまっくろだ。ああくやしい。」

狸は怒って云いました。

「やかましい。はやく溶《と》けてしまえ。」

兎はまた叫びました。

「みんな狸にだまされるなよ。」

狸は眼をぎろぎろして外へ聞えないようにしばらくの間口をしっかり閉じてそれから手で鼻をふさいでいました。

それから丁度二ヶ月たちました。ある日、狸は自分の家で、例のとおりありがたいごきとうをしていますと、狼《おおかみ》が籾《もみ》を三升さげて来て、どうかお説教をねがいますと云いました。

そこで狸は云いました。

「お前はものの命をとったことは、五百や千では利《き》くまいな。生きとし生けるものならばなにとて死にたいものがあろう。な。それをおまえは食ったのじゃ。な。早くざんげさっしゃれ。でないとあとでえらい責苦にあうことじゃぞよ。おお恐ろしや。なまねこ。なまねこ。」

狼はすっかりおびえあがって、しばらくきょろきょろしながらたずねました。

「そんならどうしたらいいでしょう。」

狸が云いました。

「わしは山ねこさまのお身代りじゃで、わしの云うとおりさっしゃれ。なまねこ。なまねこ。」

「どうしたらようございましょう。」と狼があわててききました。狸が云いました。

「それはな。じっとしていさしゃれ。な。わしはお前のきばをぬくじゃ。このきばでいかほどものの命をとったか。恐ろしいことじゃ。な。お前の目をつぶすじゃ。な。この目で何ほどのものをにらみ殺したか、恐ろしいことじゃ。それから。なまねこ、なまねこ、なまねこ。お前のみみを一寸かじるじゃ。これは罰じゃ。なまねこ。なまねこ。こらえなされ。お前のあたまをかじるじゃ。むにゃ、むにゃ。なまねこ。この世の中は堪忍が大事じゃ。なま……。むにゃむにゃ。お前のあしをたべるじゃ。なかなかうまい。なまねこ。むにゃ。むにゃ。おまえのせなかを食ふじゃ。ここもうまい。むにゃむにゃむにゃ。」

　とうとう狼はみんな食われてしまいました。

　そして狸のはらの中で云いました。

「ここはまっくらだ。ああ、ここに兎の骨がある。誰《たれ》が殺したろう。殺したやつはあとで狸に説教されながらかじられるだろうぜ。」

　狸はやかましいやかましい蓋《ふた》をしてやろう。と云いながら狼の持って来た籾を三升風呂敷のまま呑みました。

　ところが狸は次の日からどうもからだの工合《ぐあい》がわるくなった。どういうわけか非常に腹が痛くて、のどのところへちくちく刺さるものがある。

はじめは水を呑んだりしてごまかしていたけれども一日一日それが烈《はげ》しくなってきてもう居ても立ってもいられなくなった。とうとう狼をたべてから二十五日めに狸はからだがゴム風船のようにふくらんでそれからボローンと鳴って裂けてしまった。

林中のけだものはびっくりして集って来た。見ると狸のからだの中は稲の葉でいっぱいでした。あの狼の下げて来た籾が芽を出してだんだん大きくなったのだ。

洞熊先生も少し遅れて来て見ました。そしてああ三人とも賢いいいこどもらだったのにじつに残念なことをしたと云いながら大きなあくびをしました。

このときはもう冬のはじまりであの眼の碧い蜂の群はもうみんなめいめいの蠟でこさえた六角形の巣にはいって次の春の夢を見ながらしずかに睡《ねむ》って居りました。

毒もみのすきな署長さん

どくもみのすきなしょちょうさん

四つのつめたい谷川が、カラコン山の氷河から出て、ごうごう白い泡をはいて、プハラの国にはいるのでした。四つの川はプハラの町で集って一つの大きなしずかな川になりました。その川はふだんは水もすきとおり、淵には雲や樹の影もうつるのでしたが、一ぺん洪水になると、幅十町もある楊《やなぎ》の生えた広い河原が、恐ろしく咆《ほ》える水で、いっぱいになってしまったのです。けれども水が退《ひ》きますと、もとのきれいな、白い河原があらわれました。その河原のところどころには、蘆《あし》やがまなどの岸に生えた、ほそ長い沼のようなものがありました。

それは昔の川の流れたあとで、洪水のたびにいくらか形も変るのでしたが、すっかり無くなるということもありませんでした。その中には魚がたくさん居《お》りました。殊にどじょうとなまずがたくさん居りました。けれどもプハラのひとたちは、どじょうやなまずは、みんなばかにして食べませんでしたから、それはいよいよ増えました。

なまずのつぎに多いのはやっぱり鯉《こい》と鮒《ふな》でした。それからはやも居りました。ある年などは、そこに恐ろしい大きなちょうざめが、海から遁《に》げて入って来たという、評判などもありました。けれども大人や賢い子供らは、みんな本当にしないで、笑っていました。第一それを云いだしたのは、剃刀《かみそり》を二梃《ちょう》しかもっていない、下手な床屋のリチキで、すこしもあてにならないのでした。けれどもあんまり小さい子供らは、毎日ちょうざめを見ようとして、そこへ出かけて行きました。いくらまじめに眺めていても、そんな巨《おお》きなちょうざめは、泳ぎも浮《うか》びもしませんでしたから、しまいには、リチキは大へん軽べつされました。

さてこの国の第一条の

「火薬を使って鳥をとってはなりません、

毒もみをして魚をとってはなりません。」

というその毒もみというのは、何かと云《い》いますと床屋のリチキはこう云う風に教えます。

山椒《さんしょう》の皮を春の午《うま》の日の暗夜《やみよ》に剝《む》いて土用を二回かけて乾かしうすでよくつく、その目方一貫匁《かんめ》を天気のいい日にもみじの木を焼いてこしらえた木灰七百匁《もんめ》とまぜる、それを袋に入れて水の中へ手でもみ出すことです。

そうすると、魚はみんな毒をのんで、口をあぶあぶやりながら、白い腹を上にして浮びあがるのです。そんなふうにして、水の中で死ぬことは、この国の語《ことば》ではエップカップと云いました。これはずいぶんいい語です。

とにかくこの毒もみをするものを押えるということは警察のいちばん大事な仕事でした。

ある夏、この町の警察へ、新らしい署長さんが来ました。

この人は、どこか河獺《かわうそ》に似ていました。赤ひげがぴんとはねて、歯はみんな銀の入歯でした。署長さんは立派な金モールのついた、長い赤いマントを着て、毎日ていねいに町をみまわりました。

驢馬《ろば》が頭を下げてると荷物があんまり重過ぎないかと驢馬追いにたずねましたし家の中で赤ん坊があんまり泣いていると疱瘡《ほうそう》の呪《まじな》いを早くしないといけないとお母さんに教えました。

ところがそのころどうも規則の第一条を用いないものができてきました。あの河原のあちこちの大きな水たまりからいっこう魚が釣れなくなって時々は死んで腐ったものも浮いていました。また春の午の日の夜の間に町の中にたくさんある山椒の木がたびたびつるりと皮を剝《む》かれて居りました。けれども署長さんも巡査もそんなことがあるかなあというふうでした。

ところがある朝手習の先生のうちの前の草原で二人の子供がみんなに囲まれて交《かわ》る交《がわ》る話していました。

「署長さんにうんと叱《しか》られたぞ」

「署長さんに叱られたかい。」少し大きなこどもがききました。

「叱られたよ。署長さんの居るのを知らないで石をなげたんだよ。するとあの沼の岸に署長さんが誰《たれ》か三四人とかくれて毒もみをするものを押えようとしていたんだ。」

「なんと云って叱られた。」

「誰だ。石を投げるものは。おれたちは第一条の犯人を押えようと思って一日ここに居るんだぞ。早く黙って帰れ。って云った。」

「じゃきっと間もなくつかまるねえ。」

ところがそれから半年ばかりたちますとまたこどもらが大さわぎです。

「そいつはもうたしかなんだよ。僕の証拠というのはね、ゆうべお月さまの出るころ、署長さんが黒い衣だけ着て、頭巾《ずきん》をかぶってね、変な人と話してたんだよ。ね、そら、あの鉄砲打ちの小さな変な人ね、そしてね、『おい、こんどはも少しよく、粉にして来なくちゃいかんぞ。』なんて云ってるだろう。それから鉄砲打ちが何か云ったら、『なんだ、柏《かしわ》の木の皮もまぜて置いた癖に、一俵二両《テール》だなんて、あんまり無法なことを云うな。』なんて云ってるだろう。きっと山椒の皮の粉のことだよ。」

するとも一人が叫びました。

「あっ、そうだ。あのね、署長さんがね、僕のうちから、灰を二俵買ったよ。僕、持って行ったんだ。ね、そら、山椒の粉へまぜるのだろう。」

「そうだ。そうだ。きっとそうだ。」みんなは手を叩《たた》いたり、こぶしを握ったりしました。

床屋のリチキは、商売がはやらないで、ひまなもんですから、あとでこの話をきいて、すぐ勘定しました。

毒もみ収支計算

費用の部

一、金　二両《テール》　山椒皮　一俵

一、金　三十銭《メース》　灰　一俵

計　二両三十銭也《なり》

収入の部

一、金　十三両《テール》　鰻《うなぎ》　十三斤

一、金　十両　その他見積り

計　二十三両也

差引勘定

二十両七十銭《メース》　署長利益

あんまりこんな話がさかんになって、とうとう小さな子供らまでが、巡査を見ると、わざと遠くへ遁げて行って、

「毒もみ巡査、

なまずはよこせ。」

なんて、力いっぱいからだまで曲げて叫んだりするもんですから、これではとてもいかんというので、プハラの町長さんも仕方なく、家来を六人連れて警察に行って、署長さんに会いました。

二人が一緒に応接室の椅子にこしかけたとき、署長さんの黄金《きん》いろの眼は、どこかずうっと遠くの方を見ていました。

「署長さん、ご存じでしょうか、近頃、林野取締法の第一条をやぶるものが大変あるそうですが、どうしたのでしょう。」

「はあ、そんなことがありますかな。」

「どうもあるそうですよ。わたしの家の山椒の皮もはがれましたし、それに魚が、たびたび死んでうかびあがるというではありませんか。」

するとと署長さんがなんだか変にわらいました。けれどもそれも気のせいかしらと、町長さんは思いました。

「はあ、そんな評判がありますかな。」

「ありますとも。どうもそしてその、子供らが、あなたのしわざだと云いますが、困ったもんですな。」

署長さんは椅子から飛びあがりました。

「そいつは大へんだ。僕の名誉にも関係します。早速《さっそく》犯人をつかまえます。」

「何かおてがかりがありますか。」

「さあ、そうそう、ありますとも。ちゃんと証拠があがっています。」

「もうおわかりですか。」

「よくわかってます。実は毒もみは私ですがね。」

署長さんは町長さんの前へ顔をつき出してこの顔を見ろというようにしました。

町長さんも愕《おどろ》きました。

「あなた？　やっぱりそうでしたか。」

「そうです。」

「そんならもうたしかですね。」

「たしかですとも。」

署長さんは落ち着いて、卓子《テーブル》の上の鐘を一つカーンと叩いて、赤ひげのもじゃもじゃ生えた、第一等の探偵を呼びました。

さて署長さんは縛られて、裁判にかかり死刑ということにきまりました。

いよいよ巨きな曲った刀で、首を落されるとき、署長さんは笑って云いました。

「ああ、面白かった。おれはもう、毒もみのこととときたら、全く夢中なんだ。いよいよこんどは、地獄で毒もみをやるかな。」

みんなはすっかり感服しました。

賢治の詩

春と修羅
(mental sketch modified)

心象のはいいろはがねから
あけびのつるはくもにからまり
のばらのやぶや腐植の湿地
いちめんのいちめんの諂曲《てんごく》模様
(正午の管楽よりもしげく
　琥珀のかけらがそそぐとき)
いかりのにがさまた青さ
四月の気層のひかりの底を
唾《つばき》し　はぎしりゆききする
おれはひとりの修羅なのだ
(風景はなみだにゆすれ)
砕ける雲の眼路《めじ》をかぎり
　れいろうの天の海には
聖玻璃《せいはり》の風が行き交ひ

ZYPRESSEN 春のいちれつ
　くろぐろと光素《エーテル》を吸ひ
　　その暗い脚並からは
　　　天山の雪の稜さへひかるのに
　　　（かげろふの波と白い偏光）
　　　まことのことばはうしなはれ
　　　　雲はちぎれてそらをとぶ
　　ああかがやきの四月の底を
　はぎしり燃えてゆききする
おれはひとりの修羅なのだ
（玉髄の雲がながれて
　どこで啼くその春の鳥）
日輪青くかげろへば
　　修羅は樹林に交響し
　　　陥りくらむ天の椀から
　　　　黒い木の群落が延び
　　　　　その枝はかなしくしげり

すべて二重の風景を
　喪神の森の梢から
ひらめいてとびたつからす
（気層いよいよすみわたり
　ひのきもしんと天に立つころ）
草地の黄金をすぎてくるもの
ことなくひとのかたちのもの
けらをまとひおれを見るその農夫
ほんたうにおれが見えるのか
まばゆい気圏の海のそこに
（かなしみは青々ふかく）
ZYPRESSEN しづかにゆすれ
鳥はまた青ぞらを截る
（まことのことばはここになく
　修羅のなみだはつちにふる）

あたらしくそらに息つけば

ほの白く肺はちぢまり
（このからだそらのみぢんにちらばれ）
いてふのこずゑまたひかり
ZYPRESSEN　いよいよ黒く
雲の火ばなは降りそそぐ

雲の信号

あゝいゝな　せいせいするな
風が吹くし
農具はぴかぴか光つてゐるし
山はぼんやり
岩頸《がんけい》だつて岩鐘《がんしょう》だつて

みんな時間のないころのゆめをみてゐるのだ
　そのとき雲の信号は
　もう青白い春の
　　禁慾のそら高く掲げられてゐた
山はぼんやり
きつと四本杉には
今夜は雁もおりてくる

休息

そのきらびやかな空間の
上部にはきんぽうげが咲き
　（上等のbutter-cup《バッタカップ》ですが

　牛酪《バター》よりは硫黄と蜜とです）
下にはつめくさや芹がある
ぶりき細工のとんぼが飛び
雨はぱちぱち鳴つてゐる
（よしきりはなく　なく
　それにぐみの木だつてあるのだ）
からだを草に投げだせば
雲には白いとこも黒いとこもあつて
みんなぎらぎら湧いてゐる
帽子をとつて投げつければ黒いきのこしやつぽ
ふんぞりかへればあたまはどての向ふに行く
あくびをすれば
そらにも悪魔がでて来てひかる
　このかれくさはやはらかだ
　もう極上のクツシヨンだ
雲はみんなむしられて
青ぞらは巨きな網の目になつた

それが底びかりする鉱物板だ
　よしきりはひつきりなしにやり
　ひでりはパチパチ降つてくる

林と思想

そら　ね　ごらん
むかふに霧にぬれてゐる
蕈《きのこ》のかたちのちひさな林があるだらう
あすこのとこへ
わたしのかんがへが
ずゐぶんはやく流れて行つて
みんな

溶け込んでゐるのだよ
　こゝいらはふきの花でいつぱいだ

高原

海だべがど　おら　おもたれば
やつぱり光る山だたぢやい
ホウ
髪毛　風吹けば
鹿踊りだぢやい

永訣の朝

けふのうちに
とほくへいつてしまふわたくしのいもうとよ
みぞれがふつておもてはへんにあかるいのだ
　（あめゆじゆとてちてけんじや）
うすあかくいつそう陰惨《いんざん》な雲から
みぞれはびちよびちよふつてくる
　（あめゆじゆとてちてけんじや）
青い蓴菜《じゆんさい》のもやうのついた
これらふたつのかけた陶椀に
おまへがたべるあめゆきをとらうとして
わたくしはまがつたてつぽうだまのやうに
このくらいみぞれのなかに飛びだした
　（あめゆじゆとてちてけんじや）
蒼鉛《そうえん》いろの暗い雲から

みぞれはびちよびちよ沈んでくる
ああとし子
死ぬといふいまごろになつて
わたくしをいつしやうあかるくするために
こんなさつぱりした雪のひとわんを
おまへはわたくしにたのんだのだ
ありがたうわたくしのけなげないもうとよ
わたくしもまつすぐにすすんでいくから
（あめゆじゆとてちてけんじや）
はげしいはげしい熱やあえぎのあひだから
おまへはわたくしにたのんだのだ
　銀河や太陽　気圏などとよばれたせかいの
そらからおちた雪のさいごのひとわんを……
……ふたきれのみかげせきざいに
みぞれはさびしくたまつてゐる
わたくしはそのうへにあぶなくたち
雪と水とのまつしろな二相系《にそうけい》をたもち

すきとほるつめたい雫にみちた
このつややかな松のえだから
わたくしのやさしいいもうとの
さいごのたべものをもらつていかう
わたしたちがいつしよにそだつてきたあひだ
みなれたちやわんのこの藍のもやうにも
もうけふおまへはわかれてしまふ
(Ora Orade Shitori egumo)
ほんたうにけふおまへはわかれてしまふ
あぁあのとざされた病室の
くらいびやうぶやかやのなかに
やさしくあをじろく燃えてゐる
わたくしのけなげないもうとよ
この雪はどこをえらばうにも
あんまりどこもまつしろなのだ
あんなおそろしいみだれたそらから
このうつくしい雪がきたのだ

（うまれでくるたて
　こんどはこたにわりやのごとばかりで
　くるしまなあよにうまれてくる）
おまへがたべるこのふたわんのゆきに
わたくしはいまこころからいのる
どうかこれが天上のアイスクリームになつて
おまへとみんなとに聖い資糧をもたらすやうに
わたくしのすべてのさいはひをかけてねがふ

無声慟哭

こんなにみんなにみまもられながら
おまへはまだここでくるしまなければならないか

ああ巨きな信のちからからことさらにはなれ
また純粋やちひさな徳性のかずをうしなひ
わたくしが青ぐらい修羅をあるいてゐるとき
おまへはじぶんにさだめられたみちを
ひとりさびしく往かうとするか
信仰を一つにするたつたひとりのみちづれのわたくしが
あかるくつめたい精進のみちからかなしくつかれてゐて
毒草や蛍光菌のくらい野原をただよふとき
おまへはひとりどこへ行かうとするのだ
　（おら　おかないふうしてらべ）
何といふあきらめたやうな悲痛なわらひやうをしながら
またわたくしのどんなちいさな表情も
けつして見遁さないやうにしながら
おまへはけなげに母に訊《き》くのだ
　（うんにや　ずゐぶん立派だぢやい
　けふはほんとに立派だぢやい）
ほんたうにさうだ

髪だつていつそうくろいし
まるでこどもの苹果の頬だ
どうかきれいな頬をして
あたらしく天にうまれてくれ
《それでもからだくさえがべ？》
《うんにや　いつかう》
ほんたうにそんなことはない
かへつてここはなつののはらの
ちいさな白い花の匂でいつぱいだから
ただわたくしはそれをいま言へないのだ
（わたくしは修羅をあるいてゐるのだから）
わたくしのかなしさうな眼をしてゐるのは
わたくしのふたつのこころをみつめてゐるためだ
ああそんなに
かなしく眼をそらしてはいけない

過去情炎

截られた根から青じろい樹液がにじみ
あたらしい腐植のにほひを嗅ぎながら
きらびやかな雨あがりの中にはたらけば
わたくしは移住の清教徒《ピュリタン》です
雲はぐらぐらゆれて馳けるし
梨の葉にはいちいち精巧な葉脈があつて
短果枝には雫がレンズになり
そらや木やすべての景象ををさめてゐる
わたくしがここを環に掘つてしまふあひだ
その雫が落ちないことをねがふ
なぜならいまこのちいさなアカシヤをとつたあとで
わたくしは鄭重《ていてい》にかがんでそれに唇をあてる
えりをりのシヤツやぼろぼろの上着をきて
企らむやうに肩をはりながら

そつちをぬすみみてゐれば
ひじやうな悪漢《わるもの》にもみえようが
わたくしはゆるされるとおもふ
なにもかもみんなたよりなく
なにもかもみんなあてにならない
これらげんしやうのせかいのなかで
そのたよりない性質が
こんなきれいな露になつたり
いぢけたちいさなまゆみの木を
紅《べに》からやさしい月光いろまで
豪奢な織物に染めたりする
そんならもうアカシヤの木もほりとられたし
いまはまんぞくしてたうぐはをおき
わたくしは待つてゐたこひびとにあふやうに
鷹揚にわらつてその木のしたへゆくのだけれども
それはひとつの情炎だ
もう水いろの過去になつてゐる

岩手軽便鉄道　七月（ジャズ）

ぎざぎざの斑糲岩《はんれいがん》の岨《そば》づたひ
膠質《こうしつ》のつめたい波をながす
北上第七支流の岸を
せはしく顫《ふる》へたびたびひどくはねあがり
まっしぐらに西の野原に奔《か》けおりる
岩手軽便鉄道の
今日の終りの列車である
ことさらにまぶしさうな眼つきをして
夏らしいラヴスィンをつくらうが
うつうつとしてイリドスミンの鉱床などを考へようが
木影もすべり
種山あたり雷の微塵をかがやかし
列車はごうごう走ってゆく
おほまつよひぐさの群落や
イリスの青い火のなかを

狂気のやうに踊りながら
第三紀末の紅い巨礫層の截《き》り割りでも
ディアラヂットの崖みちでも
一つや二つ岩が線路にこぼれてようと
積雲が灼けようと崩れようと
こちらは全線の終列車
シグナルもタブレットもあったもんでなく
とび乗りのできないやつは乗せないし
とび降りぐらゐやれないものは
もうどこまででも連れて行って
北極あたりの大避暑市でおろしたり
銀河の発電所や西のちぢれた鉛の雲の鉱山あたり
ふしぎな仕事に案内したり
谷間の風も白い火花もごっちゃごちゃ
接吻《キス》をしようと詐欺をやらうと
ごとごとぶるぶるゆれて顫へる窓の玻璃《ガラス》
二町五町の山ばたも

壊れかかった香魚《あゆ》やなも
どんどんうしろへ飛ばしてしまって
ただ一さんに野原をさしてかけおりる
　本社の西行各列車は
　運行敢て軌によらざれば
　振動けだし常ならず
　されどまたよく鬱血をもみさげ
　……Prrrrr Pirr！……
　心肝をもみほごすが故に
　のぼせ性こり性の人に効あり
さうだやっぱりイリドスミンや白金鉱区《やま》の目論見は
鉱染よりは砂鉱の方でたてるのだった
それとももいちど阿原峠や江刺堺を洗ってみるか
いいやあっちは到底おれの根気の外だと考へようが
恋はやさし野べの花よ
一生わたくしかはりませんと
騎士の誓約強いベースで鳴りひびかうが

そいつもこいつもみんな地塊の夏の泡
いるかのやうに踊りながらはねあがりながら
もう積雲の焦げたトンネルも通り抜け
緑青を吐く松の林も
続々うしろへたたんでしまって
なほいっしんに野原をさしてかけおりる
わが親愛なる布佐機関手が運転する
岩手軽便鉄道の
最後の下り列車である

〔その恐ろしい黒雲が〕

その恐ろしい黒雲が

またわたくしをとらうと来れば
わたくしは切なく熱くひとりもだえる
北上の河谷を覆ふ
あの雨雲と婚すると云ひ
森と野原をこもごも載せた
その洪積の台地を恋ふと
なかばは戯れに人にも寄せ
なかばは気を負ってほんたうにさうも思ひ
青い山河をさながらに
じぶんじしんと考へた
あゝそのことは私を責める
病の痛みや汗のなか
それらのうづまく黒雲や
紺青の地平線が
またまのあたり近づけば
わたくしは切なく熱くもだえる
あゝ父母よ弟よ

あらゆる恩顧や好意の後に
どうしてわたくしは
その恐ろしい黒雲に
からだを投げることができよう
あゝ友たちよはるかな友よ
きみはかゞやく穹窿や
透明な風　野原や森の
この恐るべき他の面を知るか

〔そしてわたくしはまもなく死ぬのだらう〕

そしてわたくしはまもなく死ぬのだらう
わたくしといふのはいったい何だ

何べん考へなほし読みあさり
さうともきゝかうも教へられても
結局まだはっきりしてゐない
わたくしといふのは
〔以下空白〕

〔雨ニモマケズ〕

雨ニモマケズ
風ニモマケズ
雪ニモ夏ノ暑サニモマケヌ
丈夫ナカラダヲモチ
慾ハナク

決シテ瞋ラズ
イツモシヅカニワラッテヰル
一日ニ玄米四合ト
味噌ト少シノ野菜ヲタベ
アラユルコトヲ
ジブンヲカンジョウニ入レズニ
ヨクミキキシワカリ
ソシテワスレズ
野原ノ松ノ林ノ蔭ノ
小サナ萓ブキノ小屋ニヰテ
東ニ病気ノコドモアレバ
行ッテ看病シテヤリ
西ニツカレタ母アレバ
行ッテソノ稲ノ束ヲ負ヒ
南ニ死ニサウナ人アレバ
行ッテコハガラナクテモイヽトイヒ
北ニケンクヮヤソショウガアレバ

ツマラナイカラヤメロトイヒ
ヒドリノトキハナミダヲナガシ
サムサノナツハオロオロアルキ
ミンナニデクノボートヨバレ
ホメラレモセズ
クニモサレズ
サウイフモノニ
ワタシハナリタイ

＊「ヒドリノトキ」は「ヒデリ〜」の誤記とするのが通説。

雨ニモマケズ手帳

賢治は手帳をよく使い、原稿に関するメモや詩、短歌、断片的な言葉、宗教語、外国語、スケッチ、各種の計算など、いろんなことを書き付けていた。

次頁以下に、写真を掲載した手帳は、後に有名になる詩が書かれていたことから『雨ニモマケズ手帳』と呼ばれている。

黒い手帳で、表紙外寸（鉛筆差し部分を除く）で縦131×横75ミリ。写真より少し大きい。本来は左開き横書きの手帳だが、賢治はここでは右から縦書きに使っている。冒頭の11・3は昭和6年11月3日のことと思われる。

（写真提供：林風舎）

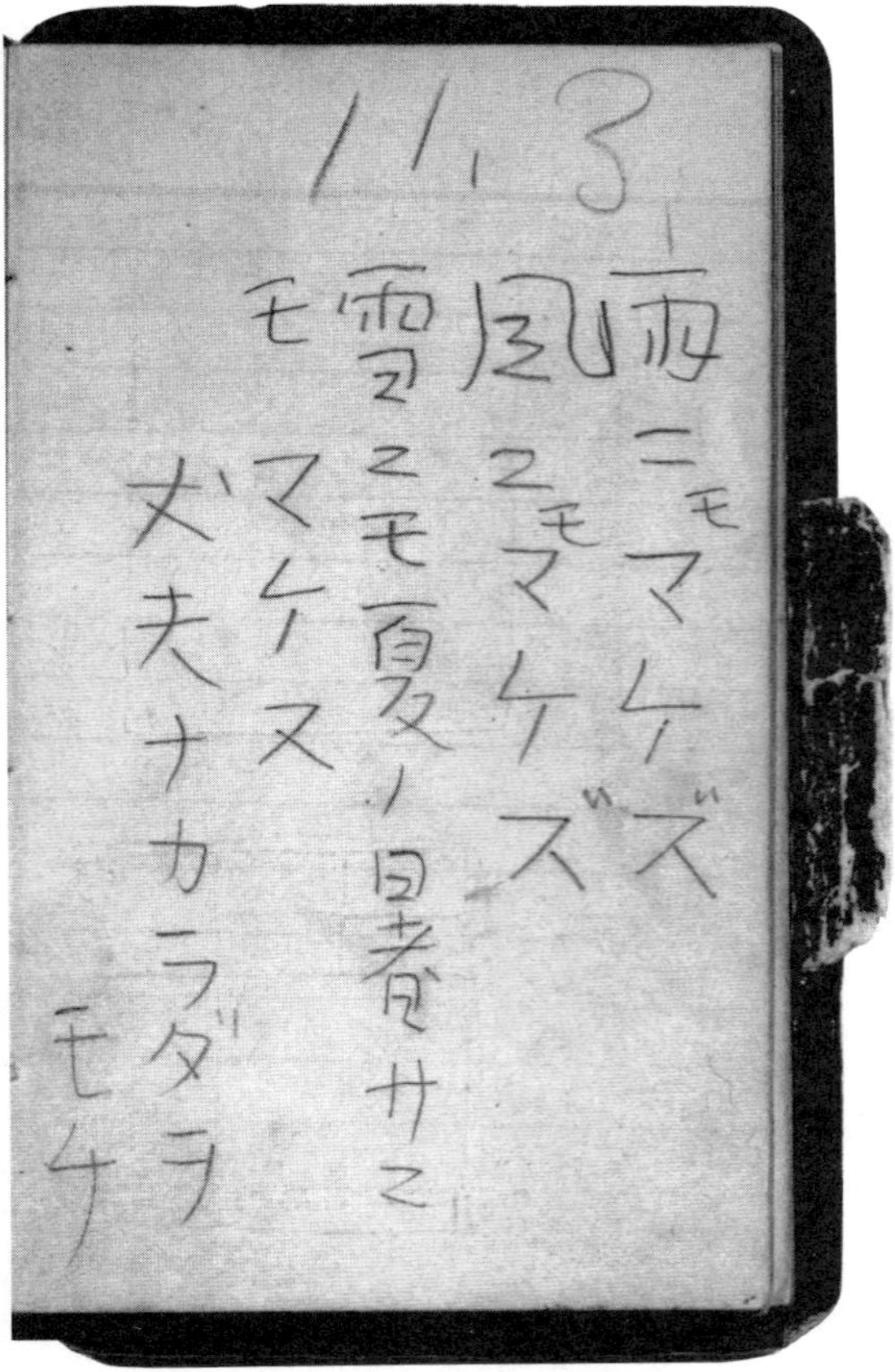
11.3.
雨ニモマケズ
風ニモマケズ
雪ニモ夏ノ暑サニ
モマケヌ
丈夫ナカラダヲ
モチ

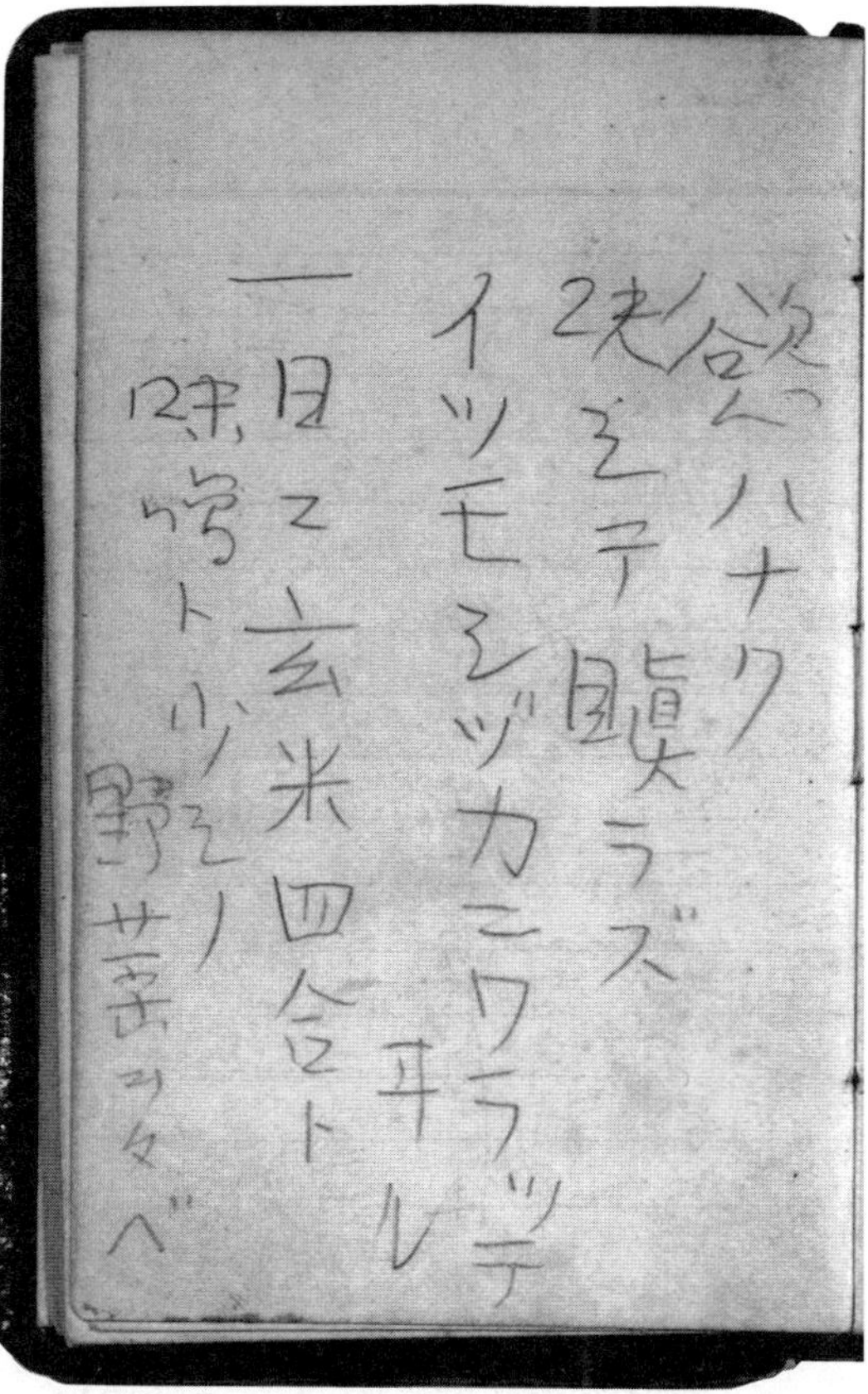
慾ハナク
決シテ瞋ラズ
イツモシヅカニワラッテヰル
一日ニ玄米四合ト
味噌ト少シノ野菜ヲタベ

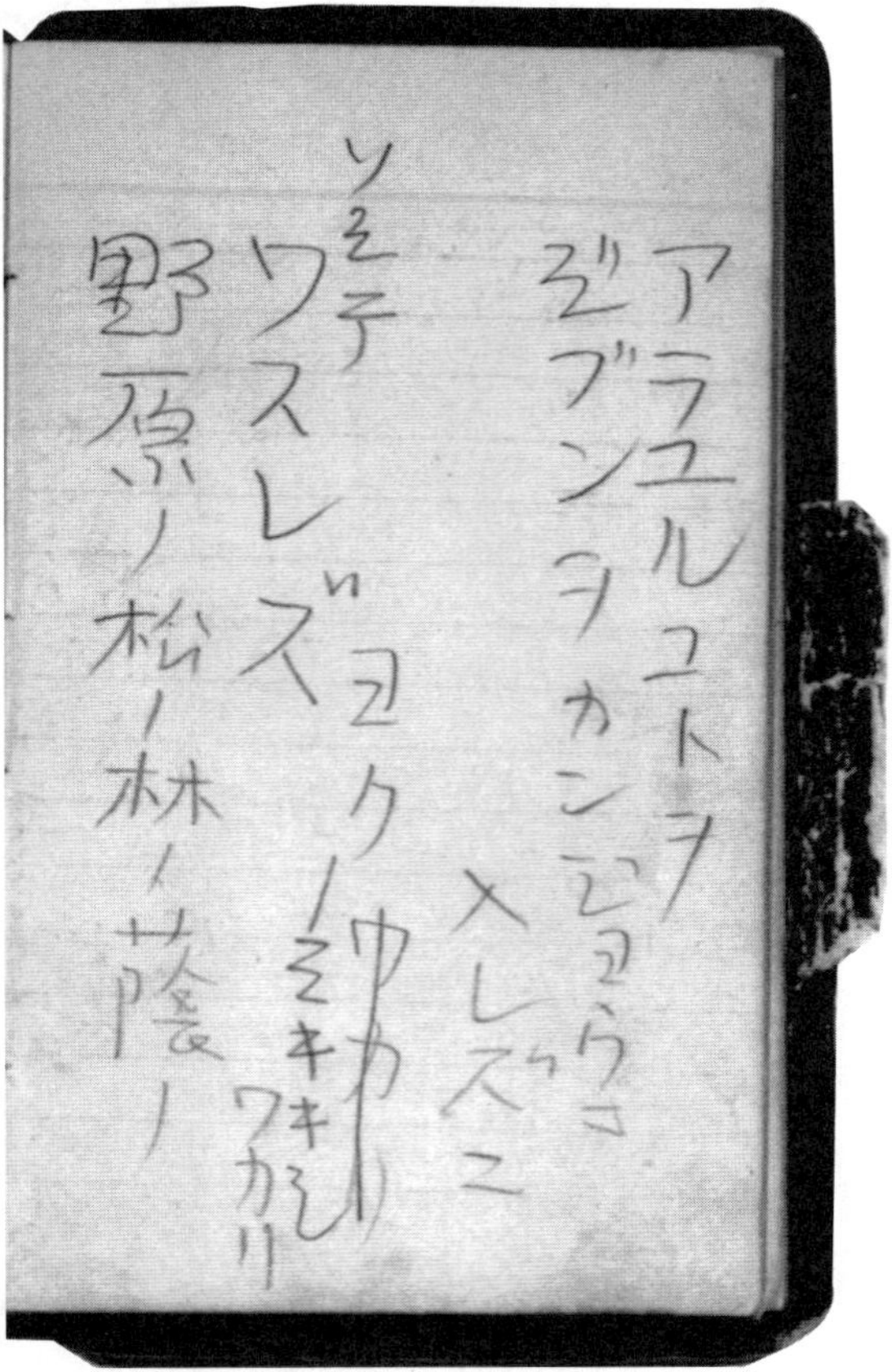
アラユルコトヲ
ジブンヲカンジョウニ
入レズニ
ソシテ
ワスレズ
ヨクノミキキワカリ
野原ノ松ノ林ノ蔭ノ

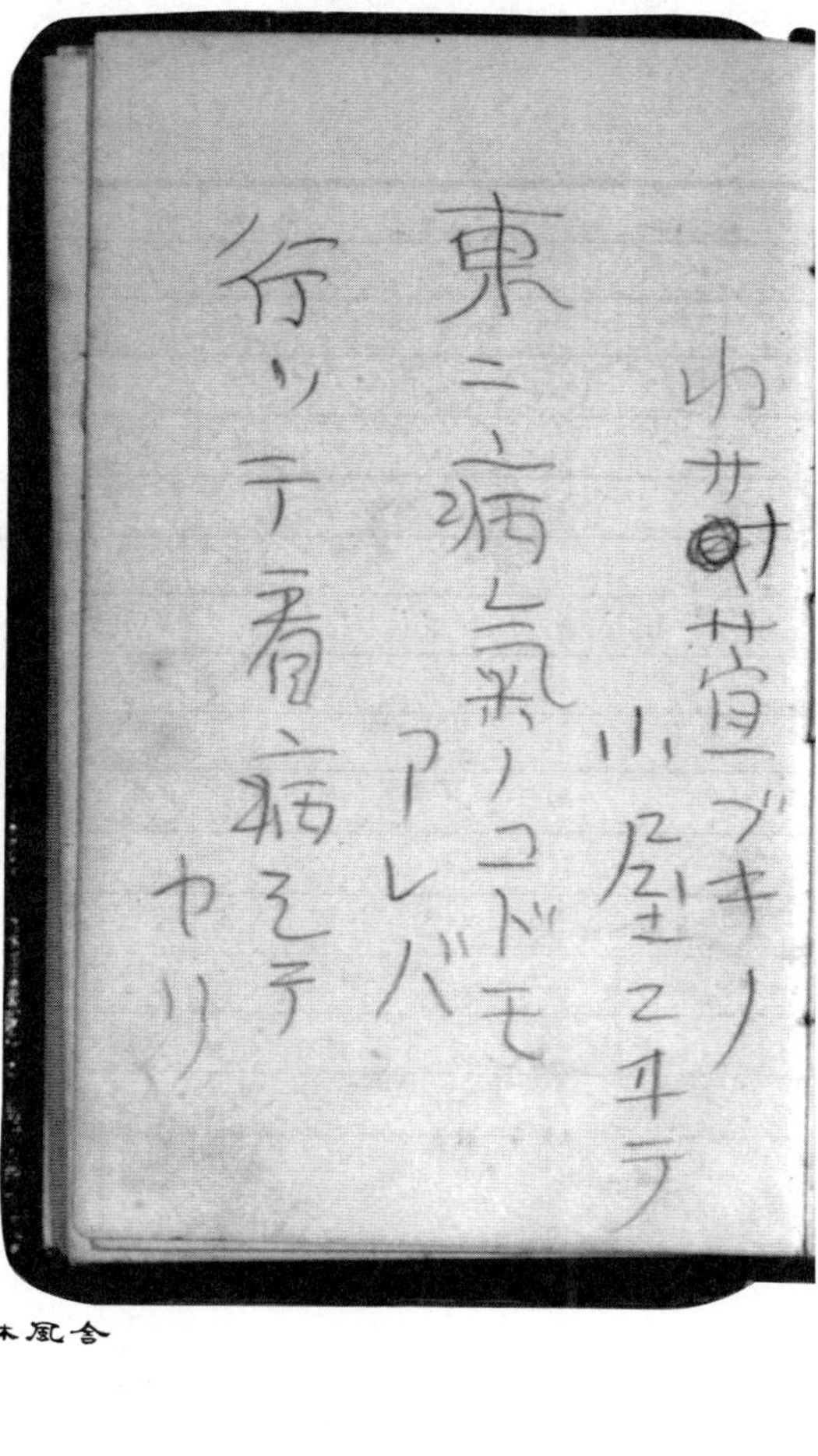
小サナ萱ブキノ
小屋ニヰテ
東ニ病氣ノコドモ
アレバ
行ッテ看病シテヤリ

西ニツカレタ母アレハ
行ッテソノ
稲ノ束ヲ
負ス化
南ニ

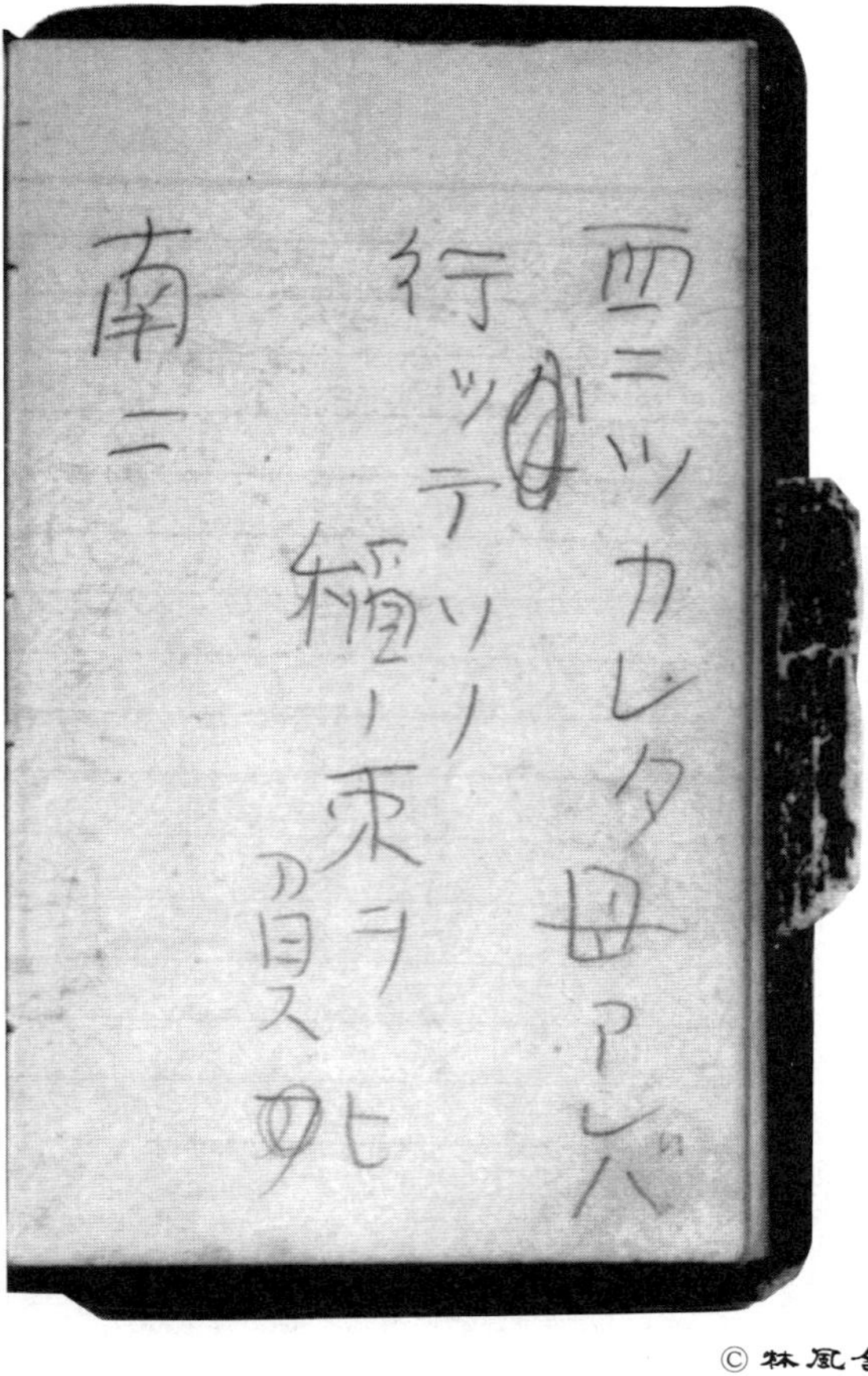

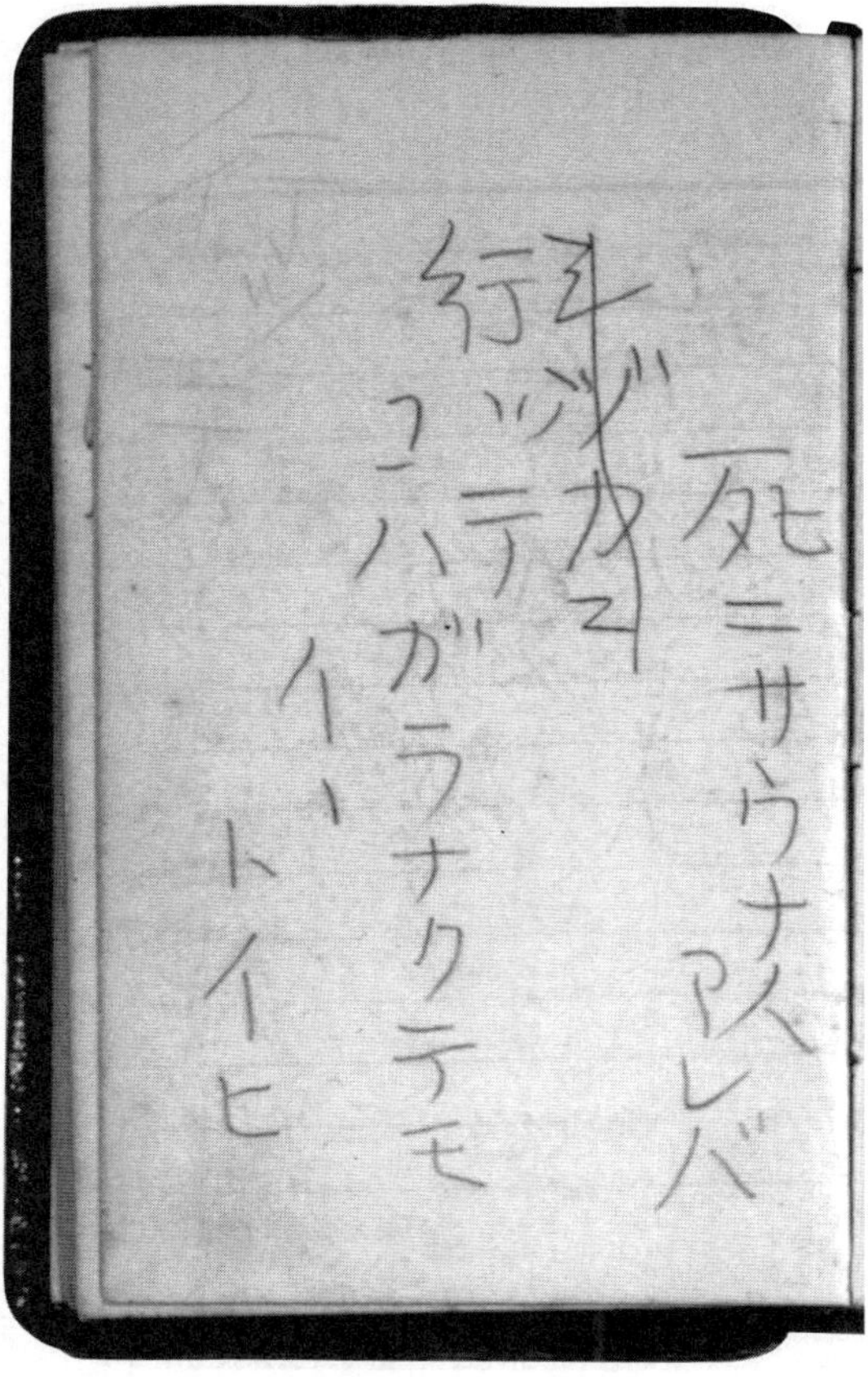
死ニサウナ人アレバ
行ッテコハガラナクテモ
イヽトイヒ

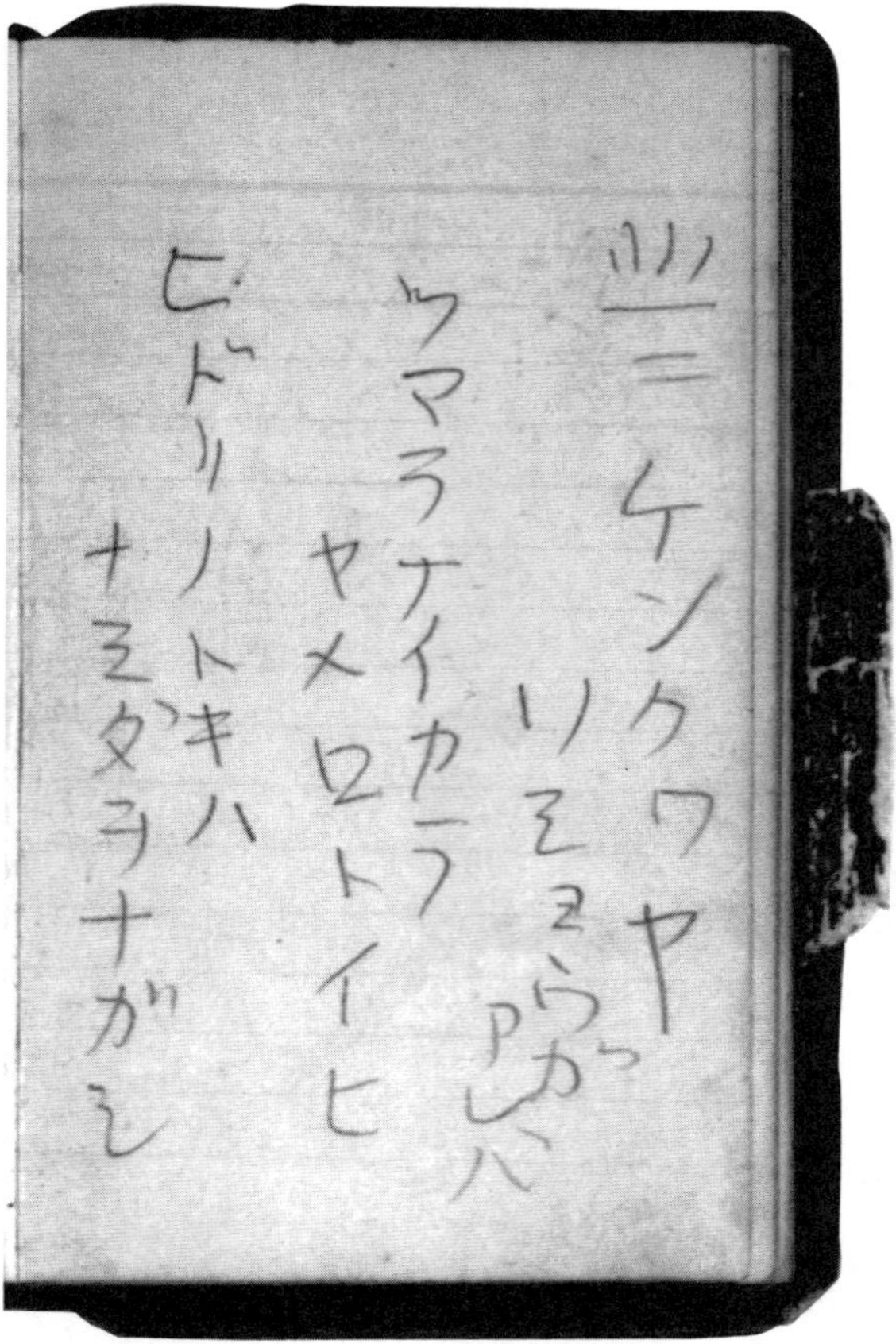
三 ケンクワヤ
リヨヨウッカハ
ツマラナイカーラ
ヤメロトイヒ
ヒドリノトキハ
ナミダヲナガし

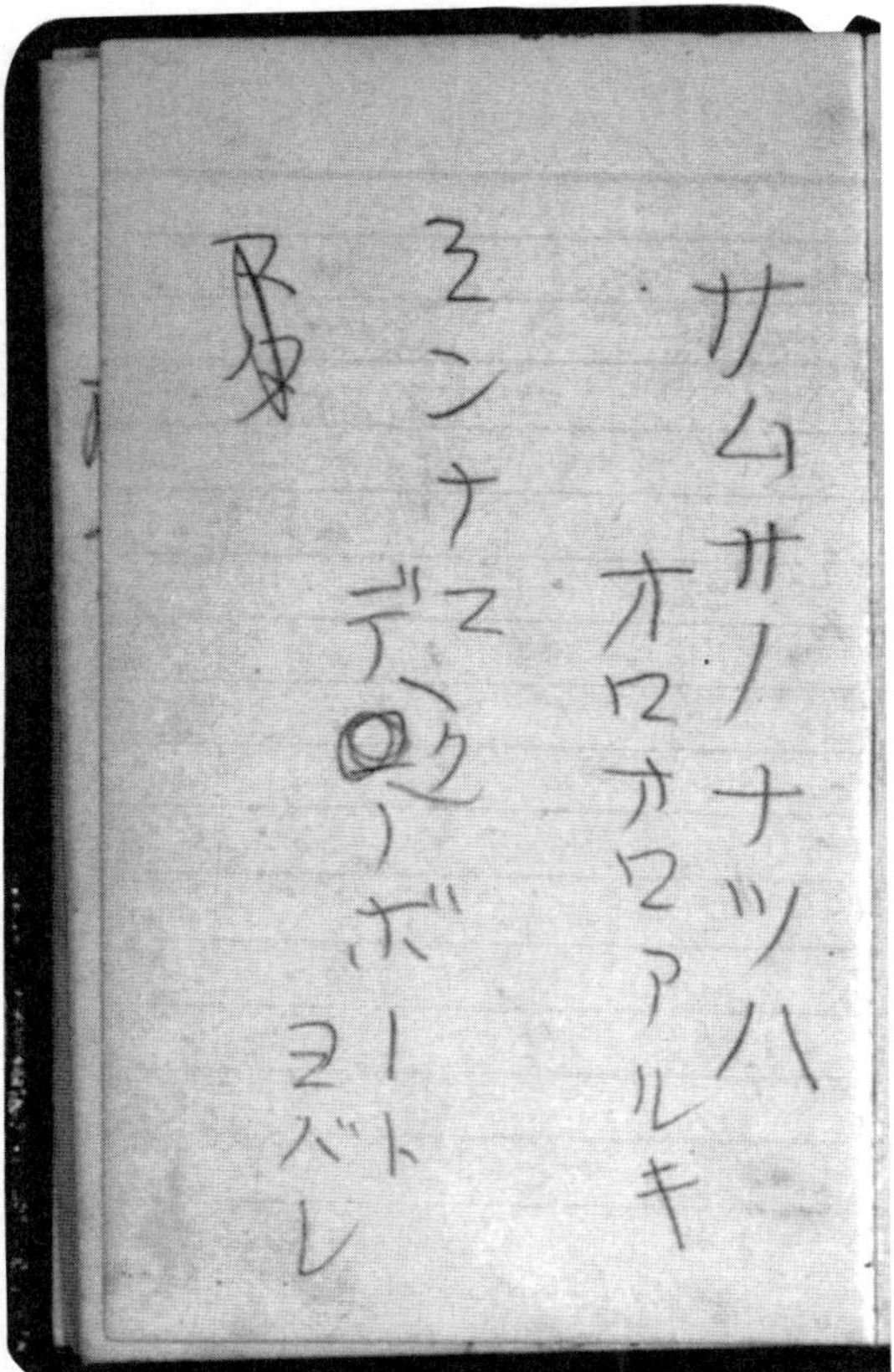
サムサノナツハ
オロオロアルキ
ミンナニ
デクノボートヨバレ

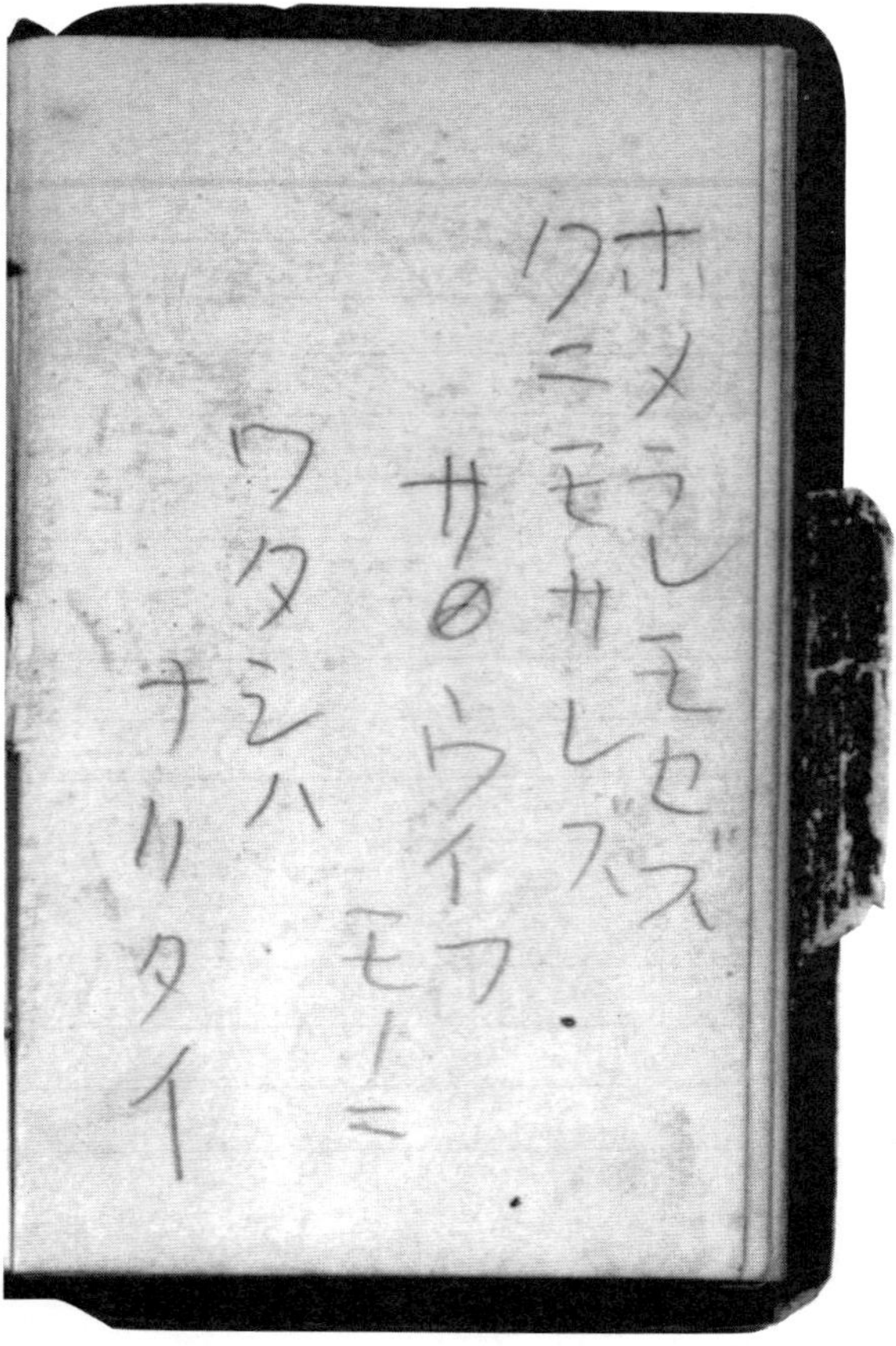
ホメラレモセズ
クニモサレズ
サウイフモノニ
ワタシハ
ナリタイ

解説　宮沢賢治——人と作品と時代

郷原　宏（文芸評論家）

1

日本でいちばん有名な詩は、たぶん宮沢賢治の「雨ニモマケズ」である。国歌「君が代」をきちんと歌えない人も、憲法の前文をどうしても憶えられない人も、この詩の冒頭の数行だけは暗誦することができる。そして自分もできれば賢治のように生きたいと思っている。日本は『万葉集』の昔から言霊《ことだま》のさきわう国として知られているが、これほど広く人口に膾炙《かいしゃ》し、国民の精神形成に影響を及ぼした詩も珍しい。

理由は、はっきりしている。中学・高校の国語教科書に載っていたからだ。昭和時代の後半に少年期をすごした国民の約七割は、学校でこの詩を習っている。そして今もなお、この詩の教科書掲載率は群を抜いている。もし国民詩人という言葉があるとすれば、宮沢賢治はまちがいなく国民詩人である。

しかし、そのためにちょっと困った問題が生じた。宮沢賢治のことを、二宮金次郎のように勤勉で、良寛さんのようにやさしい、実践的なモラリストだと思い込んでしまった人が多いのである。それはそうだろう。《慾《ヨク》ハナク／決シテ瞋《イカ》ラズ／イツモシヅカニワラッテヰル》だの、《アラユルコトヲ／ジブンヲカンヂャウニ入レズニ／ヨクミキキシワカリ》だの、《東ニ病気ノコドモアレバ／行ッテ看病シテヤリ／西ニツカレタ母アレバ／行ッテソノ稲ノ束ヲ負ヒ》だのといった徳目をずらりと並べて、最後に《サウイフモノニ／ワタシハナリタイ》といわれれば、誰しも宮沢賢治という人はなんと真面目で立派な人だろうと思い、自分なんかとてもとてもと腰が引けてしまうのはやむをえない。

それはあながち誤解ではない。宮沢賢治には確かにそうした真摯《しんし》なモラリスト、求《ぐ》道《どう》的な信仰者としての一面がある。特に「春と修羅」を中心とする詩編には、その傾向が著しい。しかし、それはあくまで一面であって、すべてではない。たとえば「風の又三郎《いちじろう》」や「銀河鉄道の夜」といった童話作品には、もっと自由で伸びやかでユーモラスな資質が感じられる。「土神ときつね」「毒もみのすきな署長さん」のようにブラックなユーモアを利《き》かせた作品もある。私見によれば、宮沢賢治はレイ・ブラッドベリやスティーヴン・キングに代表されるSF系のファンタジーと、ロアルド・ダールやスタンリー・エリンのいわゆる「奇妙な味」を合わせ持った短編作家だった。本書には賢治のそうした別の一面は、もっと高く評価されなければならないと思う。

治の代表作とともに、そうした異色作が収録されていて、その豊饒で多彩な文学世界にふれることができる

2

宮沢賢治は、明治二十九年（一八九六）八月二十七日、岩手県稗貫《ひえぬき》郡里川口村川口町（現在は花巻市豊沢町）在住の父政次郎、母イチの長男として、母の実家（花巻市鍛冶町）宮沢善治方で生まれた。宮沢家は「宮沢マキ」と呼ばれる岩手県下有数の商家の一族で、政次郎は古着・質商を営んでいた。のちに建築資材などを扱う宮沢商会を設立する。賢治が二歳のときに妹トシが、八歳のときに弟清六が生まれている。岩手県では当時、水害や冷害による飢饉《ききん》がつづいた。農民は貧窮にあえぎ、女子の人身売買が跡を絶たなかった。賢治は質屋の長男として、こうした農民の苦しみを身近に感じながら育った。また、熱心な浄土真宗の信徒だった父の影響で、三歳ごろには真宗教典「正信偈《しょうしんげ》」や「白骨の御文章《ごもんじょう》」を暗誦したと伝えられる。こうした地縁的、血縁的な生育環境が、賢治の精神形成に大きな影響を与えたことはいうまでもない。

明治三十六年（一九〇三）四月、花巻川口尋常高等小学校の尋常科に入学した。三年生ぐらいから童話を読み、昆虫や鉱物に興味を示した。特に石ころの採集に熱中し

たので、家族から「石コ賢さん」と呼ばれた。後年の賢治童話を特徴づける精霊崇拝《アニミズム》や万物照応《コレスポンダンス》の宇宙感覚は、おそらくこうした生活のなかで培《つちか》われた。綴り方を書くのも得意で、明治三十九年には「よーさん」という作文が岩手県の「第一回児童学業成績調」に収録されている。

明治四十二年（一九〇九）、尋常科を卒業して岩手県立盛岡中学校に入学し、同校の寄宿舎に入った。弟清六の回想によれば、このころの賢治は「何んともいえぬ哀しいもの」を感じさせる少年だった。

《私は、兄が小学校二年生の時に生まれたので、兄についてはっきり覚えているのは、その十二、三歳のころからである。冬の寒い夜、菩提寺だった安浄寺の報恩講で、兄が絣《かすり》の着物を着て、行儀よく膝を揃えて老僧の説教を聴いていた姿などが思い出される。表面陽気に見えるところもあったが、小さい時から、何んともいえぬ哀しいものを持っている兄であった。父は、このことについて「賢治は前世に永い間、諸国を巡礼して歩いた宿習があって、小さい時から大人になるまでどうしてもその癖がとれなかったものだ」と話していた》（宮沢清六「兄、宮沢賢治の生涯」）

賢治の「前世の宿習」が何に由来するのか、それがなぜ父には見えたのか、この証言からはわからない。いま私たちに見えているのは、賢治が何か重いものに耐えていて、その姿が年の離れた弟に「何んともいえぬ哀しいもの」を感じさせたという事実だけである。そして私たちはまた、そのとき賢治が耐えていたものの一端を、明治四十二年四月につくられた次の短歌に見ることができる。

父よ父よなどて舎監の前にしてかのとき銀の時計を捲《ま》きし

息子が世話になっている寄宿舎の舎監の前で銀時計のネジを捲いたとき、父にはべつにそれを見せびらかそうという意識はなかったかもしれない。しかし、鋭敏な感受性を持った息子には、それがとても下品で恥ずかしい行為に見えた。その恥ずかしさはまた、貧しい農民たちの古着や質草を扱いながら、自分たちだけは豊かな生活をしているという後ろめたさにも通じていた。だからこそ賢治は、そのことに無頓着な父親の鈍感さを責めたのである。この父と子の対立は、生涯にわたって賢治を苦しめ、その生き方を規定することになる。

このころ賢治が耐えていたもうひとつの重荷は、おそらく次のような女性への思いである。

父母のゆるさぬもゆゑ
きみとわれとは年も同じく

ともに尚はたちにみたず
われはなほなすこと多く
きみが辺は八雲のかなた

これは初恋とも呼べないほど淡い心情を吐露した抒情詩だが、「きみとわれとは年も同じく」というう具体的な言及があるところから見て、おそらくは実体験に即した表現だろうと思われる。しかし、この詩の作者は、自分にはまだなすべきことが多く、きみは遠い雲のかなたにいる、両親が赦《ゆる》してくれないのもやむをえないとつぶやきながら、みずからこの恋を葬《ほうむ》ろうとしている。宮沢賢治は生涯妻をめとらず、女性に対して禁欲をつらぬいた。この詩には早くもその禁欲への志向があらわれているように感じられる。

大正三年（一九一四）、第一次世界大戦が始まった年に、宮沢賢治は盛岡中学を卒業して家に戻った。祖父の喜助は、商人に学問は不要だといって中学への進学に反対していた。賢治自身も、どうせ家業を継ぐのだからという思いがあって、中学時代の成績はふるわなかった。しかし、一日中質屋の店番をするという単調な生活に耐えきれず、悶々として日を送った。この年九月ごろ、島地大等《しまぢだいとう》編「漢和対照妙法蓮華経」を読んで深く感動し、たちまち熱烈な法華経信者になった。

いつまでたっても商売に身の入らない賢治を見て、政次郎はついにこの長男に家業を継がせることをあきらめ、上級学校への進学を赦した。賢治は大正四年（一九一五）二月半ばから三月末まで北山の教浄寺にこもって受験勉強をしたあと、同年四月に盛岡高等農林学校（現在の岩手大学農学部）農芸化学科へ入学した。入試成績は首席だったというから、もともと学力はあったのだろう。

3

宮沢賢治の文学的才能は、この高等農林時代に一気に開花する。第二学年のころから校内の同人雑誌「アザリア」や校友会報に精力的に短歌を発表し、大正七年（一九一八）の夏には、童話「蜘蛛となめくじと狸」「双子の星」などをつくって、弟清六に読み聞かせている。この年の春、高等農林を卒業した賢治は、研究生として学校に残り、関豊太郎教授の下で稗貫郡の土壌調査に従事したが、六月ごろに体調を崩し、肋膜炎と診断された。この病気は以後十五年にわたって賢治の宿痾《しゅくあ》となる。同年十二月、日本女子大在学中の妹トシが発病したため、看護のために母とともに上京し、翌年二月まで東京に滞在した。

大正九年（一九二〇）年に高等農林の地質学研究科を卒業した賢治は、家業を手伝いながら読書三昧《ざんまい》の日々を送った。十一月、日蓮主義者田中智学《たなかちがく》の主宰する国柱会に入会し、布教につとめる一方で童話「貝の火」を書いた。「北守将軍と三人兄弟の医者」の初稿もこの年の作と推定される。

大正十年（一九二一）一月、賢治は突然家を出て上京する。家の宗旨を浄土真宗から日蓮宗へ改めるよう父を説得したが聞き入れられなかったためである。東京では国柱会を訪れ、本郷菊坂町に下宿し、筆耕校正で自活しながら街頭で布教した。二月ごろ、同会の高知尾智耀《たかちおちよう》という先輩から、文学によって大乗仏教の真理を顕現《けんげん》することも信仰のひとつだという忠告を聞いて、魂が震撼《しんかん》するような衝撃を受けた。それから半年間、下宿にこもって猛烈な勢いで童話の草稿を書きつづけた。「一ヶ月に三千枚書きました」と小学校の恩師に語ったという伝説がある。

同年秋、賢治は急ぎ帰郷した。女子大を卒業して花巻高等女学校の教師をしていた妹トシの病気が再発したことを知ったからである。そのとき東京から持ち帰った大型トランクには「かしわばやしの夜」「鹿踊りのはじまり」「どんぐりと山猫」など名作童話の草稿がぎっしりと詰めこまれていた。賢治のそれからの生涯は、これらの草稿を推敲《すいこう》するために費されたといっても過言ではない。帰郷直後にトシの同僚の藤原嘉藤治と知り合い、交響曲のレコードを鑑賞し、詩を書きはじめた。童話「注文の多い料理店」も、このころの作である。

この年の十一月から四年間、賢治は稗貫郡立稗貫農学校（大正十二年四月から県立花巻農学校となる）の教諭をつとめた。この時期は比較的健康に恵まれ、講義、実験、実習など数人分の仕事を一人でこなした上に、独学でドイツ語とエスペラント語を修得し、創作活動にも力を注いだ。大正十一年（一九二二）夏には、花巻町北上河岸の第三紀層から偶蹄類の足跡やクルミの化石を発見し、そこをイギリス海岸と命名した。そして童話「イギリス海岸」を書き、「牧歌」「原体剣舞連」などを作詩作曲した。

同年十一月二十七日、生涯最大の悲しみが賢治を襲う。妹トシが二十五歳という若さで病没したのである。トシは賢治の自慢の妹であり、信仰上の同志であり、父との確執を和らげるクッションの役割を果たしていた。文学による大乗仏教の顕現をめざして創作活動を続けてきた賢治は、このとき初めて宗教と文学の合一を体得したのだと思われる。こうして新しい境地にめざめた賢治は、大正十二年（一九二三）夏にはトシのおもかげを求めて青森・北海道・樺太を旅行し、「青森挽歌」「宗谷挽歌」「オホーツク挽歌」を書く。そして大正十三年（一九二四）四月には第一詩集『春と修羅』を、同年十二月には童話集『注文の多い料理店』を世に送り出した。

宮沢賢治は生前にはまったく無名だったように思われてきたが、『春と修羅』は当時の詩壇でかなり高く評価され、中原中也や富永太郎も注目していたことが、最近の研究で明らかになった。とはいえ、この二冊が印税が入るほど売れたわけではない。

賢治はあくまでアマチュア詩人であり、売れない童話作家だった。

4

大正十五年（一九二六）三月、宮沢賢治は農学校教師の職を辞し、下根子《しもねこ》桜の宮沢家別荘で独居自炊の生活に入る。ここに羅須《らす》地人協会を設立し、農学校の生徒や農民を集めて「農民芸術論概要」を講義し、青年たちに稲作法を教えた。また花巻町など数カ所に肥料設計事務所を設けて無料で肥料の相談に応じた。これはまさしく「雨ニモマケズ」の実践である。だが、農民のなかには「お坊っちゃんのお遊び」と冷笑する者もいたという。

昭和三年（一九二八）八月、稲の不作を心配して暴風雨のなかを駆け回ったために肋膜炎を再発し、実家に戻って静養した。このころから文語詩の創作をはじめている。同六年（一九三一）、一時健康を回復して東北砕石工場に技師として勤め、炭酸石灰製法の改良と販売に従事したが、同年十月、仕事で上京した際に駿河台の宿舎で高熱を発して倒れ、帰郷後は病臥の生活を余儀なくされた。「雨ニモマケズ」が枕元の手帳に記されたのは、この年十一月三日のことである。

その後も一進一退の病勢がつづいた。昭和七年（一九三二）三月には「児童文学」

に「グスコーブドリの伝記」を発表し、病床で高等数学を勉強した。昭和八年（一九三三）九月二十一日午前、容態が急変した。しかし意識は明瞭で、「国訳妙法蓮華経」一千部を翻刻《ほんこく》して知己に贈るよう遺言したあと、午後一時三十分に息を引き取った。享年三十七歳、短くも稔《みの》りの多い人生だった。

5

童話集『注文の多い料理店』の序文で、宮沢賢治はこう語っている。

《これらのわたくしのおはなしは、みんな林や野はらや鉄道線路やらで、虹や月あかりからもらってきたのです。ほんとうに、かしわばやしの青い夕方を、ひとりで通りかかったり、十一月の山の風のなかに、ふるえながら立ったりしますと、もうどうしてもこんな気がしてしかたないのです》

自分の童話は、自分がつくったものではない。みんな自然からもらってきたものだというこの告白は、賢治童話の特質を雄弁に物語っている。賢治はほんとうに《もうどうしてもこんな気がしてしかたない》ことだけを、ペンのすべるままに書きとめたのにちがいない。ひと月に三千枚の原稿を書いたという伝説は、それが意識的につくられたものではなく、いわば自動記述的に書かされたものであることを物語っている。

とすれば、賢治のほんとうの意味での創作は、それを推敲し改作する過程にあったというべきなのかもしれない。

詩についても、まったく同じことがいえる。詩集『春と修羅』の冒頭に、こんな序詩が置かれている。

わたくしといふ現象は
仮定された有機交流電燈の
ひとつの青い照明です
（あらゆる透明な幽霊の複合体）
風景やみんなといっしょに
せはしくせはしく明滅しながら
いかにもたしかにともりつづける
因果交流電燈の
ひとつの青い照明です

この「有機交流電燈」や「因果交流電燈」の意味については、昔から「大乗仏教のイデー」だの「第四次元的絶対の表現」だのといった難しい議論が行われてきたが、宮沢賢治の読者にとって、そんなことはどうでもいい。ひとつだけ見逃せないのは、賢治がここで自分の詩は《わたくしといふ現象》の《心象スケッチ》だといっていることだ。つまり詩人賢治もまた、自分は詩をつくるのではない、風景や自然と一緒にせわしく明滅しながら灯りつづける心象をスケッチするだけだというのである。

自然や外界とのこうした照応を生み出すものをファンタジーと呼んでも霊感と呼んでもいい。あるいはもっと単純に童心といいかえることもできる。いずれにしろ、それは賢治作品の中心にあって、ほんとうはこの世にありえない話を《もうどうしてもこんな気がしてならない》ものにする働きをしている。とすれば、私たちは賢治作品を読んで、そこから何かを学ぼうとしたり、隠された意味を見つけようとしたりする必要はない。幼児が花や虫や石とたわむれるように、「石コ賢さん」が集めてくれた美しい言葉や面白いお話を、ただ無心に楽しめばいいのである。

宮沢賢治記念館

一九八二年（宮沢賢治五〇回忌の年）、賢治の深遠な思想・詩や童話・教育や農村に展開した多彩な活動を理解し、その全体像に視覚的に近づこうと、賢治に関する研究と展示を目的として、故郷・花巻市に設立された。

賢治の写真や多くの作品の自筆原稿はもとより、賢治が描いた水彩画、愛用のチェロなど、貴重な遺品が展示されているほか、「大銀河系図ドーム」「岩石標本」など「賢治ワールド」を感じさせる施設や展示物が多数ある。また「企画展示コーナー」では、定期的に賢治や作品にちなんだ展示を行なっている。

詳しくは花巻市公式ウェブサイト（www.city.hanamaki.iwate.jp/）から宮沢賢治記念館のページへ。

●所在地…花巻市矢沢第一地割一番三六（〒〇二五-〇〇一一）
電　話…〇一九八（三一）二三一九
FAX…〇一九八（三一）二三二〇

●利用案内
開館時間…八時三〇分～一七時（一六時半までにご入館ください）
休館日…一二月二八日～一月一日
入館料…小中学生一五〇円／高校生・学生二五〇円／一般三五〇円
（いずれも団体割引あり）
駐車場…完備

＊各データは二〇一一年六月現在

本書は、二〇〇七年九月に小社より刊行した『別冊宝島一四六三号もう一度読みたい宮沢賢治』を、二〇〇九年四月に文庫化した宝島社文庫『もう一度読みたい宮沢賢治』を改訂し、改題したものです。

宝島社
文庫

読んでおきたいベスト集！ 宮沢賢治
（よんでおきたいべすとしゅう！ みやざわけんじ）

2011年7月21日　第1刷発行
2023年11月20日　第9刷発行

編　者　別冊宝島編集部
発行人　蓮見清一
発行所　株式会社 宝島社
〒102-8388　東京都千代田区一番町25番地
電話：営業 03 (3234) 4621／編集 03 (3239) 0927
https://tkj.jp
印刷・製本　株式会社 広済堂ネクスト

First published 2007 by Takarajimasha, Inc.
ISBN 978-4-7966-8509-2